❄|SCHERZ

D0625874

Jörg Maurer

Der **Tod** *greift nicht* **daneben**

ALPENKRIMI

※|SCHERZ

3. Auflage: März 2015

Erschienen bei FISCHER Scherz

© S. Fischer Verlag GmbH, Frankfurt am Main 2015

Satz: Dörlemann Satz, Lemförde
Druck und Bindung: CPI books GmbH, Leck
Printed in Germany
ISBN 978-3-651-02234-8

Die folgenden Ereignisse basieren auf einem wahren Fall.
Lediglich Eigennamen und Ortsangaben wurden verändert.
Die Begebenheiten um die junge Anna Sophia wiederum sind
nichts als ein einziger, unfassbarer Schicksalsroman.

Zur Entstehungsgeschichte

Es war an der Zeit, etwas Neues anzufangen. Doch bevor ich mit der Niederschrift dieses Romans begann, dachte ich, dass es nicht schaden könnte, ein paar Tage Urlaub zu machen. Mein Weg führte mich nach Rumänien. Wer mir den Tipp gegeben hat, gerade dorthin zu fahren, ist nicht mehr zu eruieren. Auf der Höhe von Târgovişte bekam ich jedenfalls einen Anflug von Hunger. Ich nahm die Autobahnausfahrt Braşov, lief hinunter zum Marktplatz, zur sehenswürdigen und oft abgelichteten Piaţa Sfatului. Rund um die dichtgedrängten Crenvurşti-Buden duftete es verführerisch nach den echt siebenbürgischen Gepritschelten Krumbien. Doch mir stand der Sinn mehr nach einer in Papier eingewickelten Banater Bratwurst, aus der das Fett nur so tropfte. Ich kaufte mir eine dieser Köstlichkeiten und verschlang sie voll Heißhunger. Auffällig war das Einwickelpapier, das über und über mit einer eleganten, aber zittrigen Handschrift beschrieben war. Das Wort *omor* stach heraus. Zerstreut warf ich das Papier in einen Abfallkübel und fuhr weiter. Doch das Wort spukte mir im Kopf herum. *Omor*. Kurz vor Bukarest fuhr ich rechts ran, um einen neugierigen Blick ins Wörterbuch Rumänisch-Deutsch zu werfen. Mord. *Omor* hieß Mord. Ich drehte den Zündschlüssel, raste zurück, nach Braşov, zum Marktplatz, zu der Crenvurşti-Bude. Verschlossen, zugenagelt. Böse Blicke, keine Auskunft. Mord. *Omor*. Donnergrollen, schwefelfarbene Blitze zuckten, ein eiskalter Regenguss prasselte auf das schiefe Kopfsteinpflaster. Der Marktplatz von Braşov leerte sich rasch. Die Passanten schlugen den Mantelkragen hoch, als ich auf einen zuging, winkte er unwirsch ab. Und war da nicht noch eine Unterschrift gewesen? So etwas wie Popescu? Emil Popescu? Ich forschte weiter. Und Kommissar Jennerwein hatte plötzlich einen neuen Fall.

Vorgriff

Kommissar Jennerwein wusste, dass er sich mit einer Hand nicht mehr lange an der verrosteten Eisenstange festhalten konnte. Die andere Hand war gebrochen, sie schmerzte pulsierend, regelmäßige Kaskaden von zornigen Peitschenschlägen prasselten auf sie ein. Jennerweins Lage war aussichtslos. Die ersten sauren Krämpfe kündigten sich an. Es konnte nicht mehr lange dauern, dann würde er loslassen müssen und hineinstürzen in das Walzenwerk unter ihm. Die scharfen Schneidemesser blitzten schläfrig im matten Licht. Eine stechende Geruchsmischung aus Schmieröl und heißgekratztem Eisen lag in der Luft. Die beiden Rollen, auf denen die Messer saßen, drehten sich langsam und heiser knirschend gegeneinander. Die seitlichen Einzugswalzen begannen sich schneller und schneller zu drehen. Ihre Funktion war offensichtlich. Sie sollten das Schreddergut erfassen, zerdrücken, um es anschließend zwischen die Häckselwalzen zu schieben. Wenn er zwischen diese Messer geriet, war er verloren. War es möglich, nach einer gezielten Schaukelbewegung auf die seitlichen Gestänge zu springen? Die Schutzplatte war abgenommen worden, die scharfen Kanten der Randverkleidung boten wahrscheinlich keinen ausreichenden Halt. Die Schmerzen in der verletzten Hand wuchsen ins Grauenhafte. Die Griffhand gehorchte ihm nicht mehr, die ersten Finger lösten sich. Doch dann durchzuckte Jennerwein ein Gedanke. Die Messer! Die Zerkleine-

9

rungsmesser waren die gefährlichsten, aber gleichzeitig auch die empfindlichsten Teile der Maschine. Die Polizeikantine. Vor zwanzig, fünfundzwanzig Jahren. Das Förderband, auf das die Beamten die Tabletts mit den leeren Tellern stellten. Das Band lief auf den alten Küchenabfallzerkleinerer zu, der die Hühnerknochen und das Plastikgeschirr zerdrückte und pulverisierte. Neben der Einwurföffnung ein kleines handgeschriebenes Schildchen: *Bitte kein Metallbesteck in die Maschine werfen!* Nicht alle Kollegen hielten sich an diese Bitte. In solch einem Fall knirschte es gewaltig, und das Ungetüm kam zum Stehen. Fieberhaft fingerte Kommissar Jennerwein nach seiner Dienstmarke aus Messing. Es war eine verschwindend geringe Chance. Aber er musste sie nutzen.

1

Versuchsanordnung.

Eine Hand liegt in einem dunklen, kühlen Raum. Es ist ein Tresor.
Sie ruht vollkommen entspannt, mit dem Handrücken nach oben,
auf weichem Samt. Ein leises Fiepen ertönt. Die Hand zuckt, sie
beginnt sich zu wölben, ihre Fingerkuppen betasten den Boden.
Was für ein Augenblick! Sie lebt!

Mit pumpenden Bewegungen schiebt sie sich Zentimeter für Zentimeter nach vorn. Der Zeigefinger hebt sich, er berührt die Innen-
sperre des Schlosses an der Wand. Langsam dreht der Finger
ein metallenes Rädchen, bis es mit einem hellen, schmatzenden
Klickediklack einrastet. Die Tür springt auf. Vorsichtig tippt der
Finger an die Innenseite der Tür, er stößt sie an, sie schwingt lautlos auf, Licht fällt von draußen in die kleine Kammer.

Seit Beginn des Versuchs habe ich auf die Tür dieses Tresors
gestarrt. Als sie endlich ganz offen steht, halte ich den Atem an.
Es überläuft mich kalt. Kein Arm. Kein Körper. Nur die Hand.
Sie lebt. Ich kann es immer noch nicht ganz fassen. Aber es hat
funktioniert. Die Finger zucken zurück, sie bilden zusammen eine
abwehrbereite Kralle. Es hat den Anschein, als ob die Hand ge-
blendet wäre vom gleißenden Schein des künstlichen Lichts.

Mein Gesicht schiebt sich vor die helle Lampe. Ich nehme meine Brille ab und stecke sie in die Brusttasche meines weißen Laborkittels. Ich zittere vor Erregung. Sie bewegt sich wirklich. Eine einzelne Hand. Ganz allein. Einige meiner Mitarbeiter flüstern sich in meinem Rücken bewundernde Worte zu. Mit einer kurzen Geste mahne ich sie zur Ruhe. Vorsichtig greife ich in den Tresor und nehme die Hand heraus.

»Ein historischer Augenblick!«, flüstert Dr. Draganovic. »Sie haben es geschafft! Mit Ihren zweiundzwanzig Jahren!«

Langanhaltender Applaus brandet auf. Die Hand schmiegt sich an meine Brust. Sucht sie Wärme?

2

Ganzjährig geöffnet! Kein Ruhetag! Reisegruppen willkommen! Deftige Brotzeiten! Pfannkuchen von ungeheuren Ausmaßen! Geschichtsträchtiges Gelände! Sensationelles Panorama!

Die knapp zwölfhundert Meter hoch gelegene Ederkanzel ist ein beliebtes Ausflugsziel oberhalb der Leutasch-Klamm. Sie ist selbstverständlich bewirtschaftet. Während des Megapfannkuchenmampfens blickt man auf drei Täler und in zwei Länder, auf fünf Flüsse und zig Wälder, Felsabrisse, Wasserfälle und andere Postkartensensationen. Seit Menschengedenken ist in diesem Gebiet kein Verbrechen mehr geschehen, die bombastische Rundumkulisse (man muss unweigerlich an den Garten Eden denken) ließe so etwas irgendwie auch nicht zu. Als Beispiel dafür wird eine Geschichte aus den zwanziger Jahren erzählt, vom hochverschuldeten Griesgierchl Blasi, der dem Wucherer Schorsch Reindlmayr auf dem Weg zur Ederkanzel in eindeutig mörderischer und dauerhaft schuldentilgender Absicht aufgelauert hat. Der Blasi hatte den Hals vom Reindlmayr schon fest im Würgegriff, gottserbärmlich gespotzt und geprustet hat der Wuchererschorsch, doch angesichts des himmlischen Panoramas rundherum ist der Griesgierchl zur Besinnung gekommen, hat von der ruchlosen Untat abgelassen, sich bekreuzigt und der Kirche später sogar zwanzig Wachskerzen gespendet.

Und in genau dieser Wachskerzenspendenstimmung sitzt man an den Terrassentischen, bestaunt die Naturgewalten und denkt an Vergebung, Milde, Nachsicht und tätige Reue. Es kommt einem so vor, als ob im Ferchenbachtal Milch und Honig flössen, als ob man von den Grünkopfwänden das vieltausendstimmige Hosianna der Berggeister hörte. Und wenn man den Blick nach Nordwesten wendet, zur Kramerspitze hinüber, dann kommt einem ein tief empfundener Halleluja-Seufzer aus. Die Alm selbst ist seit knapp siebzig Jahren bewirtschaftet, und die in vielen Reiseführern beschriebene kuriose Besonderheit ist die, dass der Gastraum und die Toiletten in Deutschland liegen, die Terrasse hingegen in Österreich. Der hochoffizielle Grenzstein befindet sich neben der Terrassentür an der Außenwand des Gebäudes. Die draußen ausgeschenkten Speisen und Getränke werden, als Folge einer Absprache zwischen den bayrischen und österreichischen Finanzämtern, nach deutschem Fiskalrecht vermehrwertsteuert. So stur, wie man sagt, sind sie demzufolge auch wieder nicht, die Finanzerer.

Der europäische Gedanke west also auf dieser Terrasse, vielleicht sogar der globale. Man sitzt eng aufeinander, man prostet sich zu, man scherzt, es mischen sich fremdeste Laute fernster Landstriche zu einer babylonischen Vielstimmigkeit. Ein Rothaariger mit Sonnenbrand beugt sich gerade eben zu seinem Tischnachbarn.

»Weeste was? Jetzt erst versteh ick die Menschen hier.«

»Wieso 'n ditte?«

»Wenn de hier aufwächst, inmitten der Berje, der Naturjewalten und all dem Kokolores, dann wirste eben so.«

»Wie wirste denn?«
»Bayrisch eben.«

Hier irrt der Berliner. Hier irrt er aber gewaltig. Dass die Landschaft den innewohnenden Menschenschlag prägt, ist grundfalsch. Das genaue Gegenteil ist der Fall. Jede Volksgruppe bildet und formt die Umgebung, in der sie sich niederlässt, in ihrem Sinn. Der offensichtliche Beweis dafür sind die Bewohner des Voralpenlandes. Verspielt, barock, leicht erhitzbar, deshalb dem Theater (und überhaupt allem Theatralen) zugeneigt, haben sie im Lauf der Jahrtausende ihr Innerstes nach außen gestülpt – und entstanden ist die Alpenkulisse, als unverrückbares Symbol ihrer zerklüfteten Gesinnung. Genauso wie der Friese durch jahrhundertelanges, philosophisches Grübeln die weite See sich erschaffen hat, um auf diese Weise ewig und wortkarg weiterzuträumen von günstigen Schiffsrouten und exotischen Auswegen aus dem ständigen Nieselwetter, so hat sich der Alpenländer seine wuchtigen Kulissen zusammengezimmert und übereinandergestapelt in der Mitte Europas. Überbordend, manieristisch, bunt verziert mit einem Fleckerlteppich aus dicht aneinandergefügten und sich überbietenden Sehenswürdigkeiten, für die er Eintritt verlangt. Und jeden Tag hebt sich der Vorhang aufs Neue, und das irrlichternde Freilufttheater beginnt.

3

Es war ein verdammt herrlicher Maimorgen auf den weit ausladenden Hängen des Kramerplateaus. Auf der Galerie, hoch oben auf der Ederkanzel, starrten die Gäste gebannt und erwartungsvoll hinüber auf die sattgrüne Bühne. Man bestellte Kaffee, man war geplättet von der Kulisse, und bis in die letzten Reihen roch man die duftenden Blüten im Tal. Im Hintergrund des Kramerplateaus erhoben sich die schroffen Felsen der Kramerspitze, sie waren in satt strahlendes, stratosphärisch anmutendes Licht getaucht. Am Fuß des Kolosses duckten sich ein paar Berghütten und Schupfen, plattgedrückt vom Föhn und von den gewaltigen Gewittern, die hier in regelmäßigen Abständen und ohne Vorwarnung vom Himmel niederfuhren – furchtbar sich fortsetzend in den Köpfen der Bewohner, als krude Gedanken und irrwitzige Projekte. Die Felsen knackten, die Flüsse und Seen brodelten dumpf und bedeutungsvoll, aus den Wäldern brachen Heerscharen von Statisten: vielstimmig kreischende Frühlingsschwalben, schnatternde Kampfdohlen und anderes geschwätziges Geflügel. Die Sonne, die divenhafteste aller Rampensäue, schlüpfte elegant aus ihrem wattierten Wolkenmantel, der sich sofort auflöste und in alle Himmelsrichtungen zerstob. Nackt und grell wie sie war, schob sie sich rasch in den Mittelpunkt der Bühne. Nach einer effektvollen Kunstpause, einem gigantischen Räuspern aus Helium und Wasserstoff, begann sie mit ihrer bewährten Lightshow.

Doch der eigentliche Held des heutigen Stückes war ein grün geschürzter Hüne, der eine urtümliche, imposante Holzhacke über der Schulter trug und gerade schwer atmend in den Garten eines Grundstücks an den Kramerhängen stapfte. Er rammte das Beil in den Boden und blinzelte in die Sonne. An den Kramerhängen, zwischen Friedhof und Sportplatz, waren die Weißdorn- und Berberitzenhecken akkurat zurechtgestutzt wie nirgends sonst im Kurort. Es war die Gegend der Zweitwohnungen. Gepflegt, blitzblank, repräsentativ. Die schmiedeeisernen Tore schimmerten im Morgenlicht, und pro Grundstück hechelte mindestens ein scharf abgerichteter Edelpluto. Es war kurz vor zehn, deshalb endsstill, denn die Gärtner und Hausmeister waren noch bei der genetisch festverankerten Brotzeit. Deshalb also schwiegen die Motorwerkzeuge. Manche verzichteten auf die Pause und reparierten grummelnd Swimmingpoolleitungen oder schnitten Buchsbaumhecken mit der Nagelschere zu grünlichen Monster-Enten um. In einer besonders idyllischen, etwas höher gelegenen Grünanlage gartelte der blonde Hüne. Ihm tropfte der ehrlichste Schweiß der Welt, der Morgenschweiß, von der Stirn. Er war ein Baum von Mannsbild, ein Gartenfreund im Basketballermaß, hemdsärmelig und tatendurstig hob er jetzt einen Ast hoch und betrachtete ihn stirnrunzelnd.

»Herrgottsakra!«, fluchte er aus fast zwei Meter Höhe herab. »Schon wieder die Sauviecher!«

Mit den Sauviechern meinte er die schädlichen Schildläuse und Borkenkäfer, die Fransenflügler, giftigen Fruchtschalenwickler und gemeinen Kiefernspanner. Schon die Nennung der Namen konnte einem Juckreiz bescheren.

»Jedes Jahr dasselbe. So ein Geziefer, so ein g'scheats.«

Er hätte eine Rasur vertragen, der grün geschürzte Held, und zum Naturburschen trug noch bei, dass er einen langen

Wacholderzweig zwischen die Lippen gesteckt hatte und auf den Nadeln herumkaute wie ein mittelalterlicher Scholastiker auf einem riskanten Gottesbeweis. Die bergseeblauen Augen strahlten, der struppige, semmelblonde Schopf zitterte leicht im Wind. Ein scharf geschnittenes Gesicht hatte er, eine stolze Nase, ein energisches, tatendurstiges Kinn, eine flächige Denkerstirn. Ein Bühnengesicht eben. Er ging in die Knie und suchte das Gras nach weiterem Ungeziefer ab. Doch dann wurde seine Stimmung milder. Keinerlei Schädlinge hatten sich dort breitgemacht. Er zupfte eine Forsythienblüte ab, floristisch prüfend rieb er sie sachkundig zwischen den Fingern.

»Sauguat«, murmelte er. »Das wird ein gaaches Jahr.«

Wenn er Selbstgespräche im Garten führte, redete er immer besonders *g'scheat*. Wenn er sich unbeobachtet fühlte, holte er uralte Werdenfelser Ausdrücke aus dem hintersten Hirnkastel und sprach sie genüsslich, extra langsam und extra altertümlich aus. Hier zwischen Edelweiß und Almenrausch war er Bayer mit Leib und Seele.

»Bartl!«, erschallte es laut aus dem ersten Stock des Hauses. »Baaaaaartl!«

Er wandte sich um. Auf dem Balkon erschien seine Frau, ähnlich blond wie er, wenn auch mit einem Schuss ins Flachsig-Gelbe. Sie hatte eine gesunde, sonnengebräunte Hautfarbe, sie trug eine regionaltypische laubfarbene Sommerbluse, eine ländliche Vesperjacke, einen Werdenfelser Strickrock, nur die türkisgrüne Brille stach aus dem sorgsam abgestimmten Trachtenensemble heraus.

»Hast du auch deine Herztabletten nicht vergessen?«

Der Bartl nickte. Natürlich hatte er die nicht vergessen. Aber es war schön, dass Gretl daran gedacht hatte. Seine Frau verschwand wieder im Haus, er zog das im Rasen steckende

Beil aus dem Boden. Langsam strich er mit der Hand über das Holz des Stiels. Er arbeitete gern mit alten und garantiert unmotorisierten Werkzeugen. Das war seine Leidenschaft. Er liebte die pure Handarbeit. Nur wenn sie ihm gar zu mühsam wurde, ließ er die Dieselchen und Benzinis werkeln. Seufzend stapfte er zu den zwei riesigen Birken, denen er vor Tagen schon einen roten Punkt verpasst hatte. Jammerschade um die Bäume. Über fünfzig Jahre hatten sie wohl auf dem Buckel. Wenn es nach ihm gegangen wäre, hätte er die stattlichen Birken nicht gefällt. Aber Gretl war der Meinung gewesen, dass sie bei Sturm schon bedenklich zum Haus hinschwankten und gegen die Fenster peitschten. Außerdem – und vielleicht war das ja der wahre Grund – verstellten sie Gretls Blick von ihrem Zimmer auf die geliebte Alpspitze. So oder so, das Birkenpärchen musste heute dran glauben. Die beiden zitterten leicht im Morgenwind, ihr zweistimmiges Säuseln glich einer leisen Doppelklage. Sie schienen zu wissen, was ihnen blühte. Der Bartl sah auf die Uhr. Gleich zehn, Ende der Brotzeit. Er lehnte sich an den Zaun und betrachtete stolz den Balkon des schönen alten Gemäuers, eines giebeldachumgebenen Bauernhauses aus dem vorvergangenen Jahrhundert, er ließ den Blick hochsteigen bis zum schindelgedeckten Walmdach, aus dem ein prächtiger Kamin schoss, dahinter erhoben sich die Kramerhänge. Er verengte die Augen zu schmalen Schlitzen und ließ den Blick entlangwandern an der kleinen Schneise, die von den Forstarbeitern geschlagen worden war. Es war ein Weg, der nirgendwo anders hinführte als ins Glück.

Der Bartl war nicht mehr der Jüngste. Sein Alter war schwer zu schätzen, vielleicht hatte er die sechzig schon längst hinter sich gelassen, vielleicht auch noch lange nicht erreicht. Ein Golden Ager eben. Ein Best Ager. Die beiden Waxensteine ragten auf wie zwei Kegel aus grobem Schmirgelpapier, seitlich dahinter glitzerte die Zugspitzseilbahn in der Vormittagssonne. Er fixierte eine der beiden festen Stützen, der sich gerade eine vollbesetzte Gondel näherte. Dahinter lag schon die österreichische Grenze. Er überlegte, wohin die Birken genau fallen sollten, da tauchte auf der Straße der Gumpendobler Werner mit seinem undefinierbaren Dackelverschnitt auf. Er blieb am Zaun stehen und blinzelte in die Sonne.

»Servus, Bartl.«

»Servus, Werner.«

Es folgte eine lange Pause. Ein gemeinsames, tiefes Schweigen. Oft ist auch nichts weiter nötig im Alpenland.

»Schöner Tag heut.«

»Grad richtig zum Garteln.«

Wieder eine lange Pause. Beide nickten fast unmerklich. Eine besonders edle Form der Übereinstimmung.

»Am Abend zieht es wieder zu, moan i.«

»Kunnt schon sein.«

Lange Pause. Der Bartl bückte sich, pflückte einen kleinen Wacholderzweig ab und steckte ihn in den Mund.

»Einen schönen Garten hast«, fuhr der Gumpendobler Werner fort. »Das muss ich schon sagen.«

»Da kunnst recht ham.«

Der Gumpendobler Werner wies auf die Birken.

»Müssen weg, ha?«

»Schon.«

»Schad.«

»Ja dann.«

»Genau.«

Der Gumpendobler Werner zog wieder ab, blieb aber ein paar Meter weiter mit seinem sogenannten Hund stehen, der etwas erschnuppert zu haben schien.

Der Hünenbartl atmete tief durch. Den Garten hatte er selbst angelegt. Das Alpinum mit den seltenen Gebirgspflanzen. Den bauernblumenumstellten Teich mit den Goldfischen. Die leibhaftige Blauregen- und Knöterich-Explosion, die sich am Haus hochrankte. Der Knöterich hatte schon die ganze Inschrift verdeckt: *Beim Suderer.* Suderer war der Hausname, aber die Einheimischen wussten es eh. Der Suderer Bartl sah nochmals auf die Uhr. Ab zehn konnte er wieder loslegen, da war alles erlaubt. Bohren und Fräsen, Spreißeln, Schrauben, Laubblasen, Presshämmern …

Aiiiiiiiiiiiiiiiiiiiiiii! Das war die Koloratur des Rasenmähers, den der Gärtner ein paar Grundstücke weiter angeworfen hatte. Auf der anderen Seite jaulte eine Bohrmaschine auf, eher dumpf und verbissen röhrte der zylinderköpfige Löcherer, und schon fraß er sich hungrig ins Betonierte. Auch der Bartl fasste sein Beil, liebevoll, wie ein Cellist sein Instrument. Er holte Schwung und trieb mit sicherer Hand zwei tiefe Keile ins Holz der beiden Birken. Ssssonk, ssssonk – und die Fallkerben zeigten in genau die Richtung, in die die Gezeichneten stürzen sollten. Damit der edle Rasen keinen Schaden durch Druckstellen nähme, hatte er vor, die Stämme und Äste sofort im Häcksler zu entsorgen. Das war der Plan für heute Vormittag. Die geschredderten Birken würden herrlichen Birkenholzmulch abgeben.

Rackackackackackackacka! So klang der Schlaghammer bei den Keudells. Bei ihnen wurde ein neuer Terrassenboden verlegt. Wuiiissssssssssss… Das war der Steinschneider des Gärtners bei der Familie Martinsrieder gegenüber. Dort wurde ein neuer Gartenweg angelegt. Langsam gewann man den Eindruck, dass sämtliche Geräte in der Nachbarschaft angeschaltet worden waren, denn jetzt hob sich im Kramerhangviertel ein gärtnerisches Geräuschspektakel von Richard Wagner'scher Dezibilität.

Der Hünenbartl holte mit seiner Hacke aus und schlug tief in den ersten gezeichneten Birkenbaum, mit einem kräftigen, beherzten Knacken drang er ins Holz, er wiederholte den Schlag zwei Dutzend Mal, und schon rutschte und stolperte der Baum auf die Fallkerbe, leise rauschten noch einmal seine Blätter, dann fiel der tapfere Koloss auf den Rasen des Grundstücks, seufzend und matt schlug er auf. Jetzt war er mausetot.

Vorhang. Ende des ersten Aktes. Rauschender Applaus auf der Ederkanzel.

4

Die junge, zierliche Frau, deren nobles Profil sich in den lodernden Flammen des Kamins abzeichnete, straffte entschlossen die Schultern. Ein Ruck ging durch ihren Körper. In ihren meergrünen Augen blitzte ein unerschrockenes, verwegenes Funkeln auf. Sie musste jetzt stark sein. Sie durfte sich nicht niederdrücken lassen von der misslichen Lage, in der sie sich momentan befand. Sie warf ein paar Scheite in den Kamin, und das knisternde Feuer fraß sich sofort ins Holz – wie um ihr zu bedeuten, dass jedes, aber auch jedes Problem gelöst werden konnte. Das Feuer schmatzte zischend, ab und zu spuckte es feine Garben von Glut in die Höhe. Langsam breitete sich wohlige Wärme in der kleinen Hütte aus. Sie war ausgesprochen einfach eingerichtet: ein Tisch, zwei Stühle, eine Kommode, ein Bett. Hinter der Tür hing ein kleines Waschbecken, das allerdings nicht funktionierte. Neben dem Kamin war ein kleiner Stoß Feuerholz aufgeschichtet, vermutlich würde er bald aufgebraucht sein.

Anna Sophia warf ihre rotgold glänzenden Haare zurück, schritt zum Fenster und lehnte ihre Wange an die kalte Scheibe. Sie fühlte sich unendlich einsam und alleingelassen. Draußen schneite es noch immer, ununterbrochen sanken die zerbrechlichen Himmelsgrüße herunter auf das harte, karge Land. Das ging jetzt schon seit vierundzwanzig Stunden so. Mit diesen

Unbilden der Witterung hatte sie um diese Jahreszeit nicht gerechnet. Doch trotz aller Beschwerlichkeiten spürte sie, dass ihr junges Leben auf einen Wendepunkt zulief. Sie hatte sich in diese Hütte zurückgezogen, um in aller Abgeschiedenheit die Kräfte zu mobilisieren, die tief in ihrem Inneren schlummerten. Sie wollte den Riesen in sich wecken. Sie hatte vorgehabt, ein paar kreative Tage einzulegen, fernab von allen alltäglichen Widernissen und Kleinkrämereien. Sie hatte sich das so schön ausgemalt. Doch jetzt? Jetzt saß sie fest in einer total abgelegenen, eingeschneiten Jägerhütte, und Martin ließ nichts von sich hören. Er hätte schon längst hier sein sollen. Das sah dem sonst so aufmerksamen Martin gar nicht ähnlich. Gerade jetzt, wo sie ihn so furchtbar dringend gebraucht hätte. Aber was sollte sie tun? Sie hatte keine Netzverbindung, und ein Telefon gab es hier ohnehin nicht. Ihr Auto war ein paar hundert Meter entfernt stecken geblieben – keine Chance, es alleine aus der Schneewechte herauszubekommen. Gott sei Dank hatte sie Essensvorräte für mehrere Tage dabei. Aber das Brennholz ging bald zur Neige. Sie verschränkte die Arme vor der Brust und hob trotzig das Kinn. Gab es hier Werkzeug, um draußen Holz zu schlagen? Würde sie das überhaupt schaffen? Wie oft hatte sie sich schwach gefühlt. Wie oft hatte sie die Entscheidung anderen überlassen. Damit musste jetzt Schluss sein. Sie straffte die Schultern, und ein stolzer Zug erschien auf ihrem Gesicht. Sie würde draußen Holz schlagen, wenn es nötig war. Jetzt aber war es vielleicht besser, den Anorak anzuziehen und sich damit ins Bett zu legen, sicher ließ sich auf diese Weise Feuerholz sparen. Vielleicht war es auch sinnvoller, hinauszugehen und einen Weg zu suchen, der ins Tal führte. Aber all das konnte sie ja immer noch tun. Wenn die Vorräte aufgebraucht waren.

Und.

Das.

War.

Bald.

»Warum?«, flüsterte sie leise. »Warum hast du dich nur darauf eingelassen?«

Anna Sophia führte oft und gern Selbstgespräche. Niemand hemmte den freien Lauf ihrer Gedanken. Niemand brachte kleinliche Bedenken vor. Niemand widersprach. Doch ein Selbstgespräch hier in dieser verlassenen Hütte?

»Warum nur?«, wiederholte sie noch einmal, und hohl hallten ihre Worte von den Wänden zurück. Sie legte sich aufs Bett. Dann schloss sie die Augen und dachte an die letzten Tage, die angefüllt waren mit Unannehmlichkeiten und lästigen Alltagspflichten. Damit musste jetzt Schluss sein. Draußen bellte in der Ferne ein Hund. (Oder heulte gar ein Wolf? Ein Schakal? Eine Hyäne?) Sie riss die Augen auf. Ein ahnungsvoller Schauer überlief sie, an Schlaf war nicht mehr zu denken. Um die emporkriechende Angst zu bekämpfen, sprang sie wieder aus dem Bett und sah sich um. Es gab keine Bücher hier, keine Zeitschriften, und sie hatte auch nichts zum Lesen oder Schreiben mitgenommen. Der Akku des Notebooks war ebenfalls leer. Sie seufzte: eine abgelegene, verschneite Hütte, irgendwo tief und einsam in den Karpaten. Sie wusste nicht einmal mehr, wo genau sie war. Zwischen Parva und Năsăud? Oder eher auf der Anhöhe von Romuli? Hinter Tibău? Vor Muncelu? Julian fiel ihr ein. Warum fiel ihr jetzt um Himmels willen Julian ein?

Julian.

Julian.

Julian.

Sie durfte nicht an ihn denken.

»Ich stehe das durch«, flüsterte Anna Sophia leise, aber beherzt.

Wie konnte Martin nur auf so etwas Abgelegenes wie diese Hütte kommen? Es war sein Einfall gewesen, und sie hatte am Anfang auch begeistert zugestimmt. Da war noch nicht abzusehen gewesen, dass dieses Tief über Nordosteuropa Anfang Mai solch gewaltige Schneefälle bringen würde. Sie war tatendurstig und voller Überschwang vorausgefahren, Martin hätte nachkommen sollen. Sie brauchte ihn. Das Kreative war ihr immer leichtgefallen. Schon von klein auf. Bereits als Mädchen hatte sie ihre Umgebung mit außergewöhnlichen Einfällen überrascht. Um das Geschäftliche, um das Organisatorische, um das alles sollte sich Martin kümmern. Aber wo war er?

»Du bist jetzt allein, Anna Sophia«, flüsterte sie und legte ein Scheit Holz nach.

Die Minuten der Stille zwischen den blechernen Schreien der Raben waren beängstigend. Um die düsteren Gedanken zu verscheuchen, öffnete sie ihre Handtasche und kramte darin herum. Wenn sie wenigstens einen Notizblock eingesteckt hätte! Dann könnte sie jetzt ein paar Ideen aufschreiben, für ihren Laden, den sie in naher Zukunft eröffnen wollte. Der Laden ihrer Träume. Es musste ein lebendiger Ort sein, an dem sie mit Menschen in Berührung kam. Sie hatte sich noch nicht entschieden, was genau in ihrem Laden verkauft werden sollte. Anna Sophia seufzte. Am Anfang hatte sie zwischen einem Perlenladen und einem Weingummi- und Bonbonladen im Boutiquestil geschwankt. Dann fand sie es viel näher am Leben, fraulicher und kommunikativer, einen Näh- und Kurzwarenladen aufzumachen, mit edlen Posamenten, personalisierten Strickliesel und Kissenschneiderei mit gestickten Sternzeichensymbolen auf Bestellung.

»Wie wäre es denn mit selbstgemachten Pralinen, Hochzeitstorten, Naschwerk und Erotikgebäck?«, hatte Julian gerufen. Schon wieder Julian. Anna Sophia schüttelte ärgerlich ihre rotgoldenen Haare. Sie musste Julian aus ihren Gedanken verbannen. So schnell als möglich. Sie zwang sich zur Konzentration. Über einen Gewürzladen mit individuellen Gewürzmischungen hatte sie auch nachgedacht. *Dich kann ich riechen!* musste eine der Mischungen unbedingt heißen. Und das Potpourri würde hinausduften bis auf die Straße. Es sollte im ganzen Stadtviertel zu riechen sein und überall seinen Zauber verbreiten. Gewürzläden gab es aber schon so viele. Es musste etwas Besonderes sein. Etwas, das nur mit ihr zu tun hatte.

Ein Einrichtungslädchen.

Ein veganes Kochstudio.

Ein Yogazentrum.

Eine Teestube mit indischer Musik.

Anna Sophia lächelte, während diese Ideenfluten auf sie einstürzten. Aber dann stieg ein Seufzer in ihr auf. Wie sollte sie das alles festhalten? Dafür brauchte sie ein aufgeschlagenes leeres Word-Dokument. Oder wenigstens einen Zettel. Sie warf ein weiteres Scheit Holz ins Feuer. Wenn Martin kam, wollte sie eine Liste mit den möglichen Projekten parat haben, damit er dann einen Businessplan erstellen konnte. Er sollte sehen, dass sie nicht nur vor sich hin träumte. Sie wollte es schaffen. Und dann das Ladenschild:

Anna Sophias Brezelbäckerei.

Anna Sophias Sushi-Bude.

Anna Sophias Schatzkästchen –

Anna Sophia war vielleicht doch nicht so gut als Name. Er klang zu konstruiert. Er war auch nicht zierlich genug. Besser wäre –

Und plötzlich: ein dumpfer Schlag an der Tür. Und da: noch einer. Dann wieder Stille in der kleinen Hütte.

»Martin?«, flüsterte sie verzagt. Und, mit leiserer Stimme: »Julian?«

5

Um zehn wurde die Terrasse der Ederkanzel geöffnet, sie füllte sich immer schnell. Mit vierzig Leuten war sie pickepackevoll, die meisten der Wanderer mussten in aller Herrgottsfrühe schon heraufgestiegen sein, vom Schloss Elmau oder von Mittenwald. Sie waren vollauf damit beschäftigt, das Rundum-Spektakel zu begaffen, zu filmen und zu fotografieren.

»Das ist der Franzosensteig. Der führt nach Leutasch.«

Die Bedienung, die Reisinger Rosi aus Mittenwald, erklärte es geduldig, zum wiederholten Mal, zum millionsten Mal fuhr sie mit den Fingern den Franzosensteig ab. Ein G'röstel nach Art des Hauses, eine Apfelschorle und eine kleine geopolitische Erläuterung – zwölf zwanzig bitte.

»Leutasch?«, berlinerte es schon wieder. »Das ist wohl schon Wienerisch?«

»Österreichisch«, korrigierte die Reisinger Rosi mit leicht hochgezogenen Augenbrauen. »Wienerisch – das hört der Tiroler nicht so gern.«

»Sind denn Tiroler hier anwesend?«, fasste der Berliner frech nach und sah sich herausfordernd um.

Ein Tisch in der Ecke ließ sich mit einigen Innsbrucker Knack- und Explosionslauten hören.

»Woll, woll.«

Es klang wie das Knurren von gereizten Wölfen. Doch der Berliner ließ immer noch nicht locker:

»Tirol, da denk ich immer an Bolzano, Bressanone und Spaghetti – ist das nicht schon halb Italien?«

Unten im Tal hätte es vielleicht wegen so einer unverschämten Bemerkung eine Rauferei gegeben. Ganz sicher sogar. Doch die Tiroler hier auf der Terrasse bewiesen Humor und lachten. Sie bestellten Speis und Trank, dann ließen auch sie den jungen Tag und die Kulisse auf sich wirken.

Am Nebentisch drängte sich alles um die legendären Riesenpfannkuchen der Ederkanzel. Neben dem Servieren erklärte die Reisinger Rosi den nächsten unwissenden Gästen mit einer Eselsgeduld, was es mit dem Franzosensteig auf sich hatte. Im Jahre 1805 sei Bayern unter Maximilian Joseph mit dem napoleonischen Frankreich verbündet gewesen. Also quasi *La Grande Nation* Seite an Seite mit *Mia san mia*. Und da wäre es gemeinsam gegen die Tiroler gegangen. Woll, woll. Der Berliner schmiss eine Terrassenrunde. Erst nach und nach wandten sich alle wieder der Bühne unten im Tal zu.

Dort hatte das Geknatter der Gartenmaschinen einen wilden Höhepunkt erreicht. Mit vereinten Kräften fräste und hämmerte das Elektroensemble der Kramerhänge die letzten Langschläfer aus den Daunen. Auch der Bartl hatte von der gefällten Birke schon ein paar armdicke Äste abgeholzt, in seinem Fall allerdings altmodisch-händisch. Er schleppte das Geäst um das Haus herum, wo sich schon ein ansehnlicher Stapel von Zweigen und Ästen gebildet hatte. Hier in diesem abgelegenen, leicht ansteigenden Teil des Gartens, den man von der Straße aus nicht einsehen konnte, stand auch der Schuppen, in dem er seine Gartengeräte aufbewahrte. *Am Bartl sei Schupf'n* – das hatte ihm die Gretl, Spaß muss sein, zum runden Geburtstag über den Eingang gemalt. Und ihm gleich eine denkmalgeschützte Hacke dazu geschenkt. Im Inneren waren die zahlreichen Gartengeräte gelagert. Baumscheren in allen Größen, Vertikutierer, Rasenmäher, Sensen, Sicheln – das meiste davon uralt und auf Flohmärkten erstanden. Der Suderer Bartl wollte die Gartenarbeit genießen, er wollte sich Zeit lassen. Garteln wie vor hundert Jahren. Eine Ausnahme bildete lediglich die dieselbetriebene Häckselmaschine. Sie war zu groß, um im Schuppen untergebracht zu werden. So stand sie frei auf einem besonders dafür vorgesehenen Rasenstück, im Winter und bei Regen abgedeckt mit einer bundeswehrgrünen Plane. Mit diesem Ungetüm hatte der Suderer vor, das Geäst weiterzuverarbeiten.

»Des wird a Hitz heit!«, stöhnte er und ließ ein paar uralte Werdenfelser Flüche vom Stapel. »A söttane Hitz, a söttane.«

Er musste selbst lächeln über seine bayrischen Urlaute. Den Gumpendobler Werner hatte er jedenfalls damit überzeugen können. Der Gumpendobler Werner hatte ihm den Urbayern abgekauft.

Doch der Bartl, wie er im Ort von fast allen genannt wurde, war alles andere als ein Einheimischer. Er war einer jener Zugezogenen und Zugereisten, Hineingeschmeckten und Hierhängengebliebenen, die sich stärker assimiliert hatten und trachtlerischer verhielten als die einheimischsten Einheimischen.

Der Bartl hieß eigentlich Bertil, nämlich Bertil Carlsson, er war Schwede und stammte aus Nacka nahe Stockholm. Er war ein hünenhafter blonder Nordländer, doch das fiel weiter nicht auf im Kurort. Wer sich da nicht alles hineingemendelt hatte! Da gab es einige verdächtig dunkelhäutige Bauern, deren Vorfahren wohl noch aus der Zeit stammten, als Hannibal hier die Alpen überquert hatte. Da konnte man nicht wenige südländische (vielleicht etruskische?) Gesichtsschnitte sehen, die von der ehemaligen Existenz der uralten Römersiedlung Partanum zeugten. Und dann eben auch Schweden. Bertil Carlsson hatte sich zusammen mit seiner Frau Grit vor fünf Jahren im Kurort zur Ruhe gesetzt. Und er war nicht nur *Schwede*, er war auch *kein Gärtner*. Das wunderbare, aber heruntergekommene Suderer-Anwesen am Kramerhang hatten sie sich vor ein paar Jahren gekauft, sie hatten es schön und authentisch renovieren lassen, sie hatten Lüftlmalereien anbringen lassen, die das Herz jedes Passanten höher schlagen ließen: ländliche Ernteszenen, geselliges Beieinandersitzen in den rosigsten Farben. Drinnen ging es weiter mit der Heimatpflege. Alt-Werdenfelser Bauernschränke. Ein Tisch mit eingelassenen Vertiefungen als Teller. Knarzende Bodendielen, Spinnräder, Schindelschnitzmaschinen. Der hundertjährige, hölzerne Bauernkalender an der Wand und ein wuchtiger Steinofen aus dem 19. Jahrhundert. Alles hatten sie mauern, zimmern und schmieden lassen, lediglich die Gartenarbeiten, die ließ sich ein Bertil Carlsson nicht nehmen. Das war sein Spleen, davon hatte er sein ganzes Berufsleben lang geträumt.

Er war mit seiner Frau schon früher im Urlaub hier gewesen, mehrmals, zur Erholung im heilklimatischen Kurort, und die beiden hatten in Erfahrung gebracht, dass die alte Sudererin, die als Einzige noch im Haus wohnte, es nicht mehr lange machen würde. Sie kauften ihr das Haus ab und wurden damit, so war es der Brauch, schnell die neuen Suderers. Die schwedischen Eheleute verwandelten sich im Handumdrehen in Bartl und Gretl. Kaum jemand wusste, dass der Bartl die Medizin und die Gretl die klassische Musik weit hinter sich gelassen hatten.

»Herrgottsakrament«, fluchte Carlsson, als ein Birkenstück im Häcksler stecken geblieben war. »Saugrattler, verreckter, gehst nei!«

Professor Dr. Bertil Carlsson war Arzt gewesen, ein international anerkannter Internist, Autor unzähliger einschlägiger Artikel und Fachbücher, zudem – und das wusste nun wirklich kaum jemand im Kurort – ehemaliges Mitglied der Jury für den Medizinnobelpreis. Der Gumpendobler Werner zum Beispiel hatte sicherlich keine Ahnung davon, dass Carlsson zwischen 1987 und 2008 Leute wie James Whyte Black (»*Wegweisende Entdeckungen wichtiger biochemischer Prinzipien der Arzneimitteltherapie*«) oder die beiden Deutschen Erwin Neher und Bert Sakmann (»*Entwicklung einer Methode zum direkten Nachweis von Ionenkanälen in Zellmembranen zur Erforschung der Signalübertragung innerhalb der Zelle und zwischen den Zellen*«) in die hippokratische Weltelite aufgenommen hatte. Dass er im berühmten Restaurant ›Goldener Frieden‹ gesessen und mit seinen Jurykollegen über die neue Shortlist diskutiert hatte. Ein Russe diesmal? Jemand aus der Genetik? Bei den Sitzungen im ›Goldenen Frieden‹ war wie immer Nils Backlund hereingekommen. Das war Carlssons Friseur in Stockholm.

»Hallo Bertil«, hatte der Friseur jedes Mal gerufen. »Warum gebt ihr nicht dem braven Doktor Fogelström den Preis?«

»Wem?«, fragten die Teilnehmer der Runde, die den Scherz noch nicht kannten.

»Doktor Kjell Fogelström, Allgemeinarzt aus Stockholm-Södermalm«, fuhr der Friseur fort. »Er hat seine Praxis gleich hier ein paar Straßen weiter. Das ist einer, der noch mit dem Köfferchen von Haus zu Haus geht.«

»Und was hat der entdeckt?«, fragte einer aus der Runde.

Beim Gedanken an diese Geschichte musste Carlsson schmunzeln.

»Ja, was hat der entdeckt? Dass in der Medizin eigentlich nichts besser hilft als regelmäßig verzehrte Äpfel.«

»Aha, der konsequente Umsetzer des Spruches *An apple a day keeps the doctor away*[1] soll in den medizinischen Olymp gehoben werden?«

»So ähnlich«, hatte Carlsson gesagt. »Wir sollten ihn mal auf die Longlist setzen.«

Bertil Carlsson betrachtete lächelnd seine schmutzigen Hände. Er ging noch einmal zurück zum Zaun des Vorgartens. Drei Vormittagsschlenderer lüfteten den Hut und grüßten. Auch sie kannten ihn. Als Bartl.

Die Carlssons hatten sich im Lauf der fünf Werdenfelser Jahre gut in die Gemeinde eingefügt. Zuallererst hatten sie das Oberbayrische gelernt, sich in den schleppenden, etwas rauen Dialekt des Oberlandes fallen lassen. Natürlich wusste man immer noch, dass sie Zugereiste waren, aber sie wurden akzeptiert. Einige Ausdrücke der Altvorderen wie *hai, wax, nochat, nacht* (glatt, stupfig, nah, gestern), zudem richtig ausgesprochen und an geeigneter Stelle eingesetzt, machten sie schon zu halben Eingesessenen. Sie taten jedoch etwas noch weitaus Wichtigeres. Sie nahmen an Bräuchen und Vereinsaktivitäten teil. Im Volkstrachtenverein waren sie die eifrigsten Mitglieder, Carlsson war ein begeisterter Schuhplattler, er war wohl der erste Schwede aus Nacka, der beim historischen *Alten Tanz* mittat. Natürlich hatte er seine Kluft nicht bei einem der vielen Gewalttrachtlerläden gekauft, er hatte sich seine Lederhose beim *Säckler* anmessen lassen. Bertil war zudem Mitglied der Feuer-

---

[1] Sinngemäße Übersetzung: Pro Abend ein Bier, und dein Arzt stirbt vor dir.

wehr, des Alpenvereins, beider Skiclubs; Grit war in der Blaskapelle, im Bauerntheater, im Kripperlfigurenverein und in der Damenabteilung des Steinheberclubs. Sie war zudem eine enthusiastische Kletterin. Gar mancher Bergfex vom Alpenverein lobte sie wegen ihrer starken, draufgängerischen Grifftechnik. Wenn Grit Carlsson und Prof. Dr. Bertil Carlsson in vollem überbayrischen Ornat aufmarschierten, hätte man sich vielleicht bloß gewundert, dass es so blonde, nordische Bayern auch gab – aber ansonsten wirkten sie echter als mancher echte Einheimische. Da blieb es nicht aus, dass Grit und Bertil ›die Gretl‹ und ›der Bartl‹ genannt wurden, sie ließen es sich gefallen, nannten sich schließlich selbst so, zuerst im Spaß, dann ganz selbstverständlich im Hausgebrauch.

Wuchtend und schwitzend schleppte der Schwede aus Nacka weitere armdicke Äste vom Vordergarten in den hinteren Teil des Anwesens. Bald würde nur noch ein frischer Strunk von der ersten Birke zeugen. Carlsson winkte dem Gumpendobler Werner noch einmal zu, der die Straße wieder zurückgekommen war, sich heruntergebeugt hatte, um auf seinen sogenannten Hund einzureden. Carlsson hob den Kopf und blickte in die gleißende Sonne. Er warf den letzten Ast auf den Haufen. Dann ging er nochmals zurück zum Zaun. Die Arbeit würde bald geschafft sein. Er hatte vor, die kleinen Blätter und Zweige, die Reste der einst so stolzen Birke zusammenzurechen, dann wollte er die Zweige häckseln. Der Gumpendobler Werner war inzwischen verschwunden, doch zwei andere, allzu bekannte Gestalten schlenderten die Straße herauf. Es war das ehemalige Bestattungsunternehmer-Ehepaar Ignaz und Ursel Grasegger, beide im bequemen Trachtenlook, nicht so geschleckt und übertrieben penibel wie bei den Carlssons, eher leicht und locker, das Trachtlerische gewissermaßen ironisch umspielend, wenn nicht sogar parodierend.

»Grüß Gott, Herr Professor«, sagte Ursel. Die Graseggers zählten zu den wenigen, die von dem Geheimnis um die Staatsbürgerschaft der Suderers und der hochrangigen Vergangenheit des Professors wussten. Viele ehemalige Macher und Entscheider wohnten hier im Kramerhangviertel, ehemals Wichtige, die sich zurückgezogen hatten aus dem öffentlichen Leben. Langsamer gewordene Skiasse, geschasste Wirtschaftstycoons, in die Jahre gekommene Größen des Showgeschäfts, ausrangierte Politiker – und eben Pensionisten wie die Carlssons. Das Kramerhangviertel lag zwischen dem Friedhof und dem einstigen Haus der Graseggers, das vor Jahren abgebrannt war. Die ehemaligen Bestatter, denen die Berufserlaubnis wegen krimineller Machenschaften entzogen worden war, gingen hier täglich spazieren. Sie holten sich auf dem Friedhof Inspirationen, manchmal trafen sie sich dort auch mit Schatten der Vergangenheit.

»Wir wollten bloß noch einmal Servus sagen«, fügte Ignaz hinzu.

»Verreisen Sie?«, fragte Carlsson höflich.

»Ja, endlich dürfen wir ins Ausland. Wir haben sozusagen grenzüberschreitenden Freigang.«

»Aber geht denn das so einfach?«

»Wir müssen uns an jedem neuen Ort bei einer lokalen Polizeidienststelle melden.«

»Und wo soll es hingehen?«

»Zuerst einmal nach Wien. Wir erfüllen uns einen langgehegten Traum, wir besuchen berühmte Friedhöfe, mit den europäischen fangen wir an.«

»Ja, genau«, sagte Ignaz begeistert. »Und auf jeden Fall fahren wir auch nach Prag, da, wo der Franz Kafka liegt. Wir wollen uns selbst davon überzeugen, dass dort Briefe aufs Grab geworfen werden. Die er über Nacht höchstpersönlich beantwortet.«

»Davon habe ich auch schon gehört«, sagte Carlsson lächelnd. »Sogar die Prager Schulkinder gehen an Kafkas Grab und legen ihre angefangenen Aufsätze über Nacht darauf. Am nächsten Tag sind sie in sauberer Sütterlin-Schrift zu Ende geschrieben.«

»Ist natürlich ein Schwindel«, kicherte Ursel. »Ein vom Prager Fremdenverkehrsamt bezahlter Lohnschreiber macht das.«

»Und welche Friedhöfe wollen Sie außerdem besuchen?«

»Den Highgate Cemetery in London. Den Montjuïc in Barcelona. Solche Kaliber.«

»Sie dürfen auf keinen Fall den Skogskyrkogården in Stockholm vergessen«, sagte Carlsson.

»Den was?«, fragte Ursel.

»Den Stockholmer Waldfriedhof. Weltkulturerbe.«

»Und welche Berühmtheiten sind dort beerdigt?«

Ursel entging das kleine Lächeln von Carlsson nicht. Aber sie konnte es nicht deuten. Sie merkte sich das Lächeln.

»Greta Garbo zum Beispiel«, entgegnete Carlsson.

Carlsson bückte sich, um einen kleinen Zweig aufzulesen, der am Boden gelegen hatte. Es war ein Birkenzweig mit einem Blatt, auf dem eine Raupe kroch. Sorgsam schnippte Carlsson die Raupe vom Blatt, auf dass sie keinen Schaden nähme.

»Sie kennen sich gut aus mit Gräbern, Grabpflege und allem Drum und Dran«, fuhr Carlsson fort. »Da liegt solch eine Reise nahe.«

»Wenn *wir* uns da nicht auskennen, dann weiß ich auch nicht«, sagte Ignaz. »Jedes Grab erzählt eine Geschichte, zu jedem gibt es eine Anekdote.«

»Drum ist der Spruch *Schweigen wie ein Grab* eigentlich ein

Schmarrn«, warf Ursel ein. »Denn gerade ein Grab schweigt überhaupt nicht. Die Bepflanzung, der Grabstein, die Inschriften, der Allgemeinzustand – das alles redet eher wie ein Wasserfall.«

»Wobei *Reden wie ein Wasserfall* umgekehrt auch ein Schmarrn ist«, entgegnete Ignaz. »Denn gerade ein Wasserfall redet überhaupt nicht. Er verwischt alle Spuren. Mehr schweigen als ein Wasserfall geht gar nicht.«

Carlsson schwieg. Wie ein Wasserfall.

»Na, dann gute Reise«, sagte er schließlich zerstreut. »Schreiben Sie mir Ansichtskarten von den Friedhöfen? Mich als Arzt interessieren Friedhöfe natürlich ebenfalls. Und grüßen Sie die Greta Garbo von mir.«

Ignaz und Ursel spazierten weiter.

»Hast du gesehen, wie der komisch geschaut hat?«

»Wer?«

»Der Carlsson.«

»Bei was?«

»Als er von dem Friedhof in Stockholm erzählt hat.«

Alles war gut an diesem Morgen. Carlsson kaute auf einem Wacholderzweig herum, er pfiff ein bayrisches Lied, er schleppte den letzten Birkenast nach hinten zum Häcksler.

6

Ein einfaches, aber beeindruckendes Experiment, das ich gerade gestern wieder vor einer Gruppe von Patienten durchgeführt habe.

Alles, was man dazu braucht, ist eine Taschenlampen-Batterie, ein paar Elektrodrähte und Heftpflasterstreifen. Ich will zeigen, dass Muskeln auf einfache Weise elektrisch stimuliert werden können. Ich klebe die Enden der Drähte auf meine Handfläche unterhalb des Zeigefingers. Etwa so:

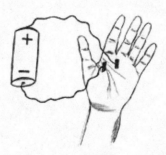

Auf diese Weise sende ich Signale an den ›musculus adductor pollicis‹, den sogenannten ›Daumenheranzieher‹. Ich öffne und schließe den 12-Volt-Stromkreis in unregelmäßigen Abständen. Meine Hand liegt ruhig und locker auf dem Tisch. Ich spüre nur ein leichtes Kribbeln. Dann aber bewegt sich der Daumen von selbst.

»Ha!«, ruft Dr. Draganovic verächtlich. »Ein billiger Trick!«

Ich wiederhole den Versuch mit der Hand eines Patienten. Und es funktioniert! Es ist alles andere als ein billiger Trick. Der Daumen zuckt und berührt schließlich den Zeigefinger. Die Stromstöße haben die Hand wirklich bewegt. Dr. Draganovic schweigt. Er muss endlich einsehen, dass ich mich auf dem richtigen Weg befinde.

7

Bertil Carlsson stand knöcheltief im Schmutz. Der schluffige Batz quoll quatschend und seufzend an seinen Knöcheln hoch, doch Carlsson, der Hüne aus Nacka, stand mit seinen schwarzen Gummistiefeln sicher im aufgeweichten Boden. Er startete den Dieselmotor des Häckslers, dessen Einzugswalzen sich sofort hungrig und schmatzend drehten. Diese Maschine hatte er aus Schweden importiert, und es war fast das Einzige, was er von dort mitgebracht hatte – sah man von den medizinischen Fachbüchern (und natürlich von Grit) ab. Er hatte ihn bei der Firma *Hasselnöt & Efterfragåd* gebraucht erstanden, es war ein großer Industriehäcksler, der Holzdurchmesser bis fast zu einem halben Meter schaffte. Hydraulischer Einzug mit zwei großen Einzugswalzen und zwei bauchigen Wannen, die das Häckselgut aufnahmen. Schwedische Qualitätsarbeit. Carlsson liebte es, Dünger und Mulch für den Garten selbst zu produzieren, und so häckselte er die Zweige einmal zu schützendem Mulch, das andere Mal zu Düngerspreu.

Carlsson schnitt eine zufriedene, stolze Grimasse, als er einen großen Ast in die leise ratternde und hustende Maschine steckte. Als die Walzen das Holz erfassten und mit einem schaurig-schönen Geräusch zerquetschten, schob sich ein ganz ferner, lange nicht mehr gedachter Gedanke in seinen momentan reichlich gärtnerisch ausgerichteten Kopf. In diesen Tagen musste die erste Sitzung für die Nobelpreisverleihung stattfinden. Wer würde wohl dieses Jahr das Rennen bei den Medizinern machen? Er wusste, dass die Juroren jetzt im Restaurant ›Goldener Frieden‹ über die Longlist quatschten, und er dachte daran, wie es damals gewesen war, als er selbst dort gesessen hatte. Mit Granqvist, Sundström und Pettersson, den drei Ultrakonservativen. Piet Pettersson war der Schlimmste gewesen. Ein richtiger Reaktionär. Hätte Pettersson im Mittelalter gelebt, hätte er dem Papst den Nobelpreis gegeben und nicht Galilei. Vielleicht kam in diesem Moment Nils Backlund, sein früherer Friseur, herein und schlug wieder einmal Doktor Kjell Fogelström, den Allgemeinarzt mit dem täglichen Apfel, für den Nobelpreis vor. Inzwischen fand Carlsson das gar keine so schlechte Idee. Täglich einen Apfel genießen, und die Pharmas können schließen …

Carlsson schob eine armdicke Birkenstange in den Häcksler, nicht ohne zuvor erneut einer grünen Raupe das Leben gerettet zu haben. Hoppla! Fast wäre er gestrauchelt. Man musste hier verdammt aufpassen, um nicht auszurutschen. Er blickte hoch, weil er ein Geräusch im ersten Stock des Hauses gehört hatte. Grit war gerade dabei, das Badfenster zu öffnen. Sie lächelte ihm zu und hielt ein Zahnputzglas in die Höhe. Sie drehte es, betrachtete es prüfend, stellte es behutsam ab. Sie hob die freie linke Hand leicht an, der Handteller zeigte nach oben, sie strich mit der Handfläche der anderen Hand schnell darüber. Die Bewegung war eindeutig: Sauber. Rein. Clean. Carlsson lächelte zurück. Grit nickte und schloss das Fenster wieder. Heute hatte Bartl eigentlich einen Termin mit Leonhard Wörndle, dem Ersten Vorsitzenden des örtlichen Volkstrachtenvereins, vereinbart. Mit dem hätte er über die Gestaltung der jährlich stattfindenden Heimatwochen sprechen wollen. Er hatte Wörndle abgesagt, die Gartenarbeit ging heute vor.

Bei dem großen, krummen Prügel, den Carlsson jetzt in der Hand hielt, war es besser, ihn von oben in den Häcksler zu stecken. Carlsson bestieg einen umgedrehten Gartenkübel und kletterte auf die Maschine. Er hatte die Abdeckplatte, die das Innere des Geräts schützte, schon vor langer Zeit abgeschraubt. Es war einfach praktischer so. Er stand nun breitbeinig auf dem Paradehäcksler der Firma *Hasselnöt & Efterfragåd* und zog den Ast nach oben. Fast wäre er dabei abgerutscht mit seinen batzigen Stiefeln. Er konnte sich gerade noch fangen. Er war eben auch nicht mehr der Jüngste. Er wischte sich den Schweiß ab. Unter ihm summte, pfiff und schnatterte das Räderwerk der Maschine. Wieder kam er leicht aus dem Gleichgewicht. Er riss den Birkenast noch ein wenig nach oben. Das Trumm war schwerer als gedacht. Sollte er nochmals nach unten klettern und ihn zerhacken? Nein, es musste auch so funktionieren. Carlsson zerrte an dem störrischen Ast. Als er kurz hochblickte, schrak er zusammen.

Am Zaun, der das Grundstück zum Wald hin begrenzte, stand jemand. Ein weißes Gesicht löste sich aus dem Tannengrün. Es war ein Gesicht, das Carlsson nur allzu gut kannte. Bertil Carlsson atmete schwer. Seine Brust zog sich zusammen. Unwillkürlich ließ er den Ast los. Auch nach all den Jahren war kein Zweifel möglich: Er war es. Ein unguter, ahnungsvoller Schauer durchlief Carlsson. Jetzt war also eingetreten, was er so lange befürchtet hatte. Er stand immer noch breitbeinig auf der Häckselmaschine. Er schwankte nicht. Der Ast steckte zwischen den Fräsewalzen und wurde langsam hineingezogen. Der Mann am Zaun öffnete die kleine Tür, trat in den Garten und kam über den gepflasterten Weg auf ihn zu. Er hielt ein kleines Kästchen unter dem Arm geklemmt. In Carlsson stieg eine schaurige Ahnung auf, was sich in diesem Kästchen befinden könnte. Er schüttelte sich und atmete tief durch. Er griff sich an die Brust und massierte die Herzgegend. Der Mann war schon in der Mitte des Gartens angelangt. Er begann seine Schritte zu beschleunigen. Er kam immer näher. Carlsson wusste, dass jetzt, mitten an diesem schönen Maivormittag im herrlichen Werdenfelser Land, etwas ganz Furchtbares geschehen würde.

8

Am anderen Ende des Kurorts, in keiner ganz so guten Gegend, saß einer in seinem miefigen Zimmer, der von alledem nichts wusste. Es war ein schlaksiger junger Mann Mitte zwanzig, mit starker Brille und fettigen Fingern. Der Tisch war bedeckt mit angebissenen Hamburgern, leeren Pizzaschachteln und umgeworfenen Coladosen. Er starrte abwechselnd auf drei flimmernde Bildschirme. Einer der Computer war ein wasserunempfindlicher GetacX500-Rechner mit militärischer E/A-Schnittstelle. Ein Schnäppchen. Er hatte ihn für seine Zwecke ein wenig umgebaut. Jetzt lehnte sich der schmalbrüstige Junge mit der Bekenner-T-Shirt-Aufschrift *Hacker Bräu* in seinem Sessel zurück.

Motte war ein Computer-Nerd. Ein Cracker. Sogar in seinen Träumen erschien oben rechts ein HD-Symbol. Trotzdem war Motte ein Faultier. Er arbeitete nicht viel mehr als eine Stunde am Tag, die Einkünfte daraus reichten allerdings locker für den Lebensunterhalt. Und die Arbeit war denkbar einfach. Er drang vom Schreibtisch aus in fremde, schlecht geschützte Computersysteme ein, und dafür, dass er wieder rausging, ohne größeren Schaden zu hinterlassen, kassierte er ein wenig Kohle ab. War eh nicht viel, und das meiste spendete er. *Brandschatzen* hätte man das früher genannt. Das Androhen von Niederbrennen – und das Verzichten auf das Niederbrennen gegen eine kleine Gebühr. Die Mafia arbeitete so, und der Staat tat im Grunde auch nichts anderes. Motte stieß bei seinen Aktionen selten auf Widerstand. Die meisten kleinen Banken und Sparkassen zahlten sofort. Versicherungen und Fastfoodketten warfen einem das Geld schier nach. Motte hätte wesentlich mehr verdienen können, aber er war ein faules Stück. Er war der Oblomow unter den Crackern.

Trotzdem hatte Motte Viskacz ein paar Probleme. Seine größte Sorge war immer noch sein bescheuerter alter Herr. Der war Künstler. In seinem Alter! Und neuerdings … Motte schüttelte den Kopf. Wenn man normale Eltern hatte, dann fragten die Finanzschnüffler nicht, wovon man lebte. Die nahmen an, dass einen die Eltern unterstützten. Aber so? Motte malte sich aus, wie so ein fiskalischer Clown bei ihm an der Tür klingelte.

»Von was leben Sie, Herr Viskacz?«

»Gelegenheitsjobs.«

»Welcher Art, wenn ich fragen darf?«

»Online-Handel.«

»Sie versteuern das natürlich?«

»Natürlich.«

»Können wir mal Unterlagen davon sehen?«

»Klar. Jederzeit. Ich mail sie Ihnen zu.«

Er musste sich endlich einen richtigen Tarnjob besorgen. Er verdiente gut Geld, spendete viel, doch niemand konnte ihm das glauben, wenn er nicht ein paar legal verdiente Kröten vorzeigen konnte.

Er hätte EDV-Kurse geben können, in der VHS. Aber er wollte keine öden EDV-Kurse geben. Man hatte so was im Blut oder eben nicht. Er hatte eine bessere Idee gehabt. Er hatte sich für eine Kfz-Mechaniker-Lehre beworben. Genauer gesagt, eine Kfz-Mechatroniker-Lehre. Das war die Zukunft. Autos wurden immer mehr zu fahrbaren Rechnern. In einem stinknormalen Mittelklasse-Pkw waren siebzig Steuergeräte eingebaut, die die unterschiedlichsten Daten sammelten, speicherten, preisgaben, verarbeiteten, weiterleiteten. Persönliche Daten, denn die ahnungslosen Fahrer hinterließen Informationen ohne Ende. Die ganze Autoelektronik-Technologie war erst am Anfang, also empfindlich gegen Angriffe und manchmal auch noch reichlich rechtsfrei. Eine ganz normale Kfz-Werkstatt. Und Zugriff auf Autos von wichtigen Personen. Davon gab es im Kurort eine ganze Menge. Jede Schrottlaube eine Datenkrake. Und in der Nähe vom Autohaus Schnabelböck gab es eine Fastfood-Bude. Übermorgen würde er dort anfangen.

9

»Baaaartl!«

Grit Carlsson war völlig außer Puste vom Schreien. Sie setzte sich auf einen original Melkschemel aus dem 18. Jahrhundert. Sie verschnaufte. Sie hielt sich die Seite. Ihr war es wesentlich schwerer als ihrem Mann gefallen, Schweden zu verlassen. Auch sie war dafür gewesen, den Ruhestand im Kurort zu verbringen, doch sie hatte sich die Assimilation leichter vorgestellt. Erst nach und nach legte sie schwedische Gewohnheiten und Marotten ab. Sie sprach inzwischen gutes Werdenfelserisch, doch manchmal rutschte die nordische Linguistik durch.

»Seiße«, rief sie gerade halblaut. »Son so spät.«

Die alte Standuhr im Flur schlug drei. Auch die ferne Kirchturmuhr in der Ortsmitte böllerte ihr nachmittägliches, melodisches Lied. Kaffee- und Kuchenzeit. Die Gartengeräte schwiegen. Kein Rasenmäher mehr, kein tenoraler Bohrschlaghammer. Selbst die kreischende Flex lag mucksmäuschenstill in der Ecke.

»Baaaaaaaartl!«

Keine Antwort. Grit war in den Sechzigern groß geworden, da war es noch Sitte gewesen, auch allein im Hause immer chic und adrett auszusehen. Nix Schuhe in die Ecke gekickt,

Schlapfen, Bier und RTL II, sondern: Stil, Haltung und gekämmte Haare, es könnte ja jederzeit Besuch vor der Tür stehen. Grit zupfte an der selbstgestrickten Bauernjacke und schnippte ein Fusselchen weg. Einer der handgedrechselten Hirschhornknöpfe mit den eingeschnitzten Jagdmotiven hing lose am Faden. Sie holte Nähzeug und machte ihn mit ein paar Stichen wieder fest. Sie war eine, die nichts aufschob oder liegen ließ. Sie erledigte alles sofort. Sie fingerte nach einer losen Haarsträhne und steckte sie sorgsam zurück. Sie trug einen strengen Knoten, wie ihn die älteren Damen im Ort zu tragen pflegten. Sie betrachtete sich im Spiegel, strich ihren Rock glatt und machte zum wiederholten Mal einen Kontrollgang durch die verwinkelten Zimmer des alten Bauernhauses. Sie warf einen Blick ins Bad, in den Speicher, in den Keller. Sie blieb an der geschlossenen Tür von Bertils Arbeitszimmer stehen. Sie zögerte. Dann trat sie vorsichtig ein. Der Raum war fast vollständig ausgefüllt von einem riesigen Eichentisch, auf dem sich Bücher, Zeitschriften und beschriebene Papiere in einer nur für Carlsson selbst nachvollziehbaren Ordnung türmten. Das hölzerne Ungetüm mit den auffällig massiven Fußleisten war einst der Esstisch der Bauernfamilie Suderer gewesen, das konnte man an den eingelassenen, tellergroßen Essmulden noch erkennen. An die Wand waren Zettel mit schematischen medizinischen Zeichnungen gepinnt. Ein handsigniertes Foto von Alexander Fleming, dem Nobelpreisträger von 1945 (*»Für die Entdeckung des Penizillins«*). Auch dieser Raum war verwinkelt, in einer nicht gleich auf den ersten Blick sichtbaren Ecke stand ein hölzerner Großvater-Schaukelstuhl, daneben ein kleines, windschiefes Beistelltischchen. Grit trat einen Schritt näher. Ein fast ausgetrunkenes Glas Tee, ein paar angebissene Kekse, eine angebrochene Packung mit herzstabilisierenden pflanzlichen Tabletten. Grit nahm das Teeglas und den

Keksteller und trug beides in die Küche. Danach trat sie auf den Balkon hinaus und ließ ihren Blick über den Vorgarten schweifen. Eine Birke fehlte. Die andere hatte einen Keilschnitt, der bis zu einem Drittel in den Stamm reichte. Die Birke schien zu schreien mit ihrem weißen, zahnlosen Mund. Es war ganz und gar untypisch für den Perfektionisten Bertil Carlsson, eine angefangene Arbeit nicht zu beenden.

Auf der Straße spazierten ein paar Leute vorbei und grüßten. Sie grüßte zurück. Sie rief nochmals weithin vernehmlich nach ihrem Mann. Wieder keine Antwort. Dann fragte sie die Mails ab. Es war keine besondere Nachricht dabei, nicht einmal Nils Backlund, der Friseur aus Stockholm, hatte geschrieben. Der schickte oft eine Mail, um wieder einmal darauf hinzuweisen, dass der wackere Allgemeinarzt Doktor Kjell Fogelström doch der geeignetste Kandidat … Nette Geschichte. Sie ging um das Haus herum und warf einen Blick auf den leicht ansteigenden Hintergarten. Auch hier ließ sie ihre Stimme mehrmals erschallen. Keine Spur von ihrem Mann. Der Schuppen mit der Inschrift *Am Bartl sei Schupf'n* war nicht abgesperrt, das Beil lag dort am Boden, auch der Häcksler außen war nicht wie üblich mit der grünen Plane abgedeckt. Aber er war immerhin ausgeschaltet. Es sah so aus, als hätte Bertil seine Arbeit unterbrochen. Vielleicht machte er einen Spaziergang in den Wald, der hinter dem Haus an das Grundstück grenzte. Der Steilwald zog sich zwei Kilometer hinauf bis zu einer Ausflugshütte, die am Kramerplateauweg lag. Grit zückte ihr Mobiltelefon und wählte Bertils Nummer. Der Mailboxtext war, wie sollte es anders sein, urbayrisch gesprochen: *Servus, do is da Bartl! Redst, wennst mogst?! Und? Mogst? Dann red!* Grit hinterließ keine Nachricht. Sie ging wieder ins Haus, setzte sich ans Klavier und klimperte ein paar Takte. Sie rupfte einige

Akkorde aus einer Beethoven-Sonate heraus, doch sie hatte keine Lust, zu spielen. Oder keinen Nerv. Sie stand vom Drehhocker auf und ging in ihrem Zimmer herum. War es jetzt schon an der Zeit, mit einer systematischen Suche nach Bertil zu beginnen? Sie blieb vor einer Wandflucht mit Jugendbildern stehen. Nacka, 1974, Städtischer Konzertsaal. Grit, damals noch nicht Grit Carlsson, im Abendkleid, an einen Flügel gelehnt. In Schweden war sie Pianistin gewesen, hatte auch ein paar Konzerte gegeben. Zu einer internationalen Karriere hätte es nie gereicht, das wusste sie damals schon. Sie war zwar technisch brillant. Der Ehrgeiz trieb sie an. Ihr Traum war, die Terztriller von Beethoven in rasender Perfektion zu spielen, so schnell wie niemand sonst. Aber Geschwindigkeit allein war nicht alles. Ihr fehlte es oft an der rechten Interpretation der Stücke. An der Seele. Sie konnte die schwersten Stücke spielen, ohne sie ganz und gar zu durchdringen. Sie hatte oft daran gedacht, einen Klavierabend nur mit solchen selten schweren Stücken zu geben. Aber wer wollte so etwas hören?

»Das wäre so«, hatte Bertil gesagt, »als wenn es in einem Spitzenrestaurant ein Menü mit den unverdaulichsten Speisen geben würde.«

So spielte sie zum Spaß. Und sie gab manchmal Klavierunterricht im Kurort. Sie nahm keine Kinder, vor allem keine Wunderkinder, aber ein paar Rentner, die auf ihre alten Tage noch den Triller der Beethoven-Klaviersonate Opus 111 draufhaben wollten. Sollte sie die zweite Birke umschneiden? Der Baum stand jetzt schon fünf Stunden da, hatte einen Fallkerb und durfte nicht fallen. Sie wusste nicht so recht, ob das gefährlich war.

Punkt vier griff sie doch zum Telefon. Sie rief bei der Gemüsehandlung Altmüller an, beim freundlichen Chef, dort verratschte sich Bertil oft. Heute aber? Nein, heute wäre er nicht dagewesen. Sie rief beim Friseur an, einem gewissen *Hairbert*. Auch hier hing er oft fest. Diesmal aber anscheinend nicht. Sie rief beim Ersten Vorsitzenden des Volkstrachtenvereins, Leonhard Wörndle, an.

»Servus, Gretl!«

»Servus, Leonhard. Ich suche meinen Mann. Ist er bei dir?«

»Nein, warum?«

»Er hat doch einen Termin bei dir gehabt.«

»Ja, aber den hat er abgesagt. Er wollte seine Gartenarbeiten erledigen.«

»Trotzdem könnte es ja sein –«

»Nein, ich habe nichts von ihm gehört.«

»Hast du irgendeine Ahnung, wo er sein könnte?«

Keine Ahnung. Sie probierte es bei einigen gemeinsamen Freunden, hörte sich jedes Mal geduldig Trost an und Vorschläge, wo er abgeblieben sein könnte. Fehlanzeige.

Schließlich meldete sie sich bei der örtlichen Polizeistation. Weder sie noch Bertil hatten hier im Kurort jemals Kontakt zur Polizei gehabt.

»Hier Polizei*haupt*meister Johann Ostler.«

Er schien das *haupt* in seinem Dienstgrad besonders zu betonen. Vielleicht war er vor kurzem befördert worden.

»Ach, Frau Carlsson. Sie sind die, die im alten Sudererhaus wohnt, drunten bei den Kramerhängen, oder?«

»Genau die bin ich. Ich mache mir Sorgen um meinen Mann. Er ist seit fünf oder sechs Stunden verschwunden.«

»Seit fünf Stunden? Das ist aber jetzt nicht Ihr Ernst! Frau Carlsson! Fünf Stunden sind noch lange keine Vermissung. Aber noch lange nicht!« Eine Pause entstand. »Haben Sie denn irgendwelche Hinweise auf – Gewalteinwirkung?«

»Nein, um Gottes willen, habe ich nicht. Aber das hat er noch nie gemacht. So lange wegzubleiben! Am Vormittag, so um zehn oder elf, da habe ich ihn das letzte Mal im Garten gesehen. Irgendwann habe ich nichts mehr gehört, und ich habe ihn gesucht. Er hat anscheinend alles stehen und liegen lassen. Das ist sehr ungewöhnlich für ihn.«

»Haben Sie schon –«

»Ja, ich habe schon bei allen möglichen Freunden und Bekannten angerufen. Irgendetwas muss da passiert sein, Herr Ostler –«

Sie brach ab und schluchzte.

»Frau Carlsson, bitte bleiben Sie ruhig. Sie schlagen jetzt im Internet die Seite vom BKA auf und laden sich die *Vermisstensachbearbeitungsinfobroschüre* herunter.«

»Das habe ich doch längst gemacht.«

»Das ist prima. Dann wissen Sie ja, dass wir ganz bestimmte Anhaltspunkte haben müssen. Es muss zum Beispiel eine Gefahr für Leib und Leben vorliegen. Darf ich ganz offen sein?«

»Klar.«

»Ein Punkt wäre die Suizidgefahr.«

»Ausgeschlossen.«

»Drohungen in letzter Zeit? Anonyme Telefonanrufer?«

»Nein.«

»Sind Sie vermögend? So vermögend, dass sich eine Entführung lohnen würde?«

»Nein, ganz bestimmt nicht. Wir haben unsere ganzen Ersparnisse in dieses Haus gesteckt.«

»Ja, Frau Carlsson: Eine erwachsene Person hat das Recht, den Aufenthaltsort frei zu wählen, ohne diesen irgendjemandem mitzuteilen.«

»Ich weiß«, sagte Grit Carlsson traurig, aber gefasst. »Ich danke Ihnen trotzdem, Herr Ostler.«

Sie setzte sich wieder ans Klavier und spielte abermals ein paar Takte von Beethoven, ohne groß darauf zu achten, was sie da spielte. Sie brach ab. Ein letztes Mal und mit einer zögerlichen Geste griff sie zum Telefon.

»Grasegger?«

»Frau Grasegger, hier ist Grit Carlsson. Sie haben sich doch heute Morgen mit meinem Mann unterhalten.«

»Ja, freilich habe ich das. Was gibts?«

»Er ist seitdem verschwunden. Ist er denn zufällig bei Ihnen?«

»Nein, ist er nicht. – Frau Carlsson, nichts für ungut, aber wir sind grad beim Packen, und der Zug fährt bald.«

»Ach, Sie verreisen! Wo gehts denn hin?«

»Das habe ich Ihrem Mann schon erzählt. – Ach so, der ist ja verschwunden. Wir machen doch unsere Gruft-und-Sensen-Rallye. Heute geht der Nachtzug. Nicht gerade der Nachtzug nach Lissabon, aber nach Wien.«

»Ist Ihnen was Besonderes an meinem Mann aufgefallen?«

»Heute früh? Überhaupt nicht. Aufgekratzt war er, gepfiffen hat er, die Gartenarbeit hat ihm sichtlich Spaß gemacht.«

»Dann will ich Sie nicht länger aufhalten. Wenn Ihnen noch etwas einfällt, Frau Grasegger –«

Über das Telefonieren war die Zeit vergangen. Sie sah sich im Fernsehen einen Film an, ohne den Inhalt zu begreifen. Langsam wurde es Abend. Abermals senkte sich der Vorhang. Oben auf der Ederkanzel verließen die letzten Gäste die Terrasse. Die Nacht war lau.

Am nächsten Morgen erschien Grit Carlsson persönlich bei Polizeihauptmeister Johann Ostler auf dem Revier. Ihr Mann wäre immer noch nicht aufgetaucht. Sie bestand darauf, eine Vermisstenmeldung aufzugeben. Ostler musterte die Frau, stufte sie als ernsthaft besorgt ein und tippte die Daten ins Protokoll.

10

BRAŞOV/RUMÄNIEN, MÄRZ 1987
Eine Operation

Im Auditorium herrscht atemlose Stille. Alle blicken gebannt auf
die geöffnete Bauchhöhle des Patienten. Doch kein einziger Arzt ist
zu sehen. Mit unheimlicher Präzision arbeiten einzelne Hände an
dem reglosen Körper. Ihre Geschicklichkeit ist atemberaubend,
ihre Geschwindigkeit fast unmenschlich – und sie bewegen sich
ganz von allein.
Eine der Hände ist hinter dem Kopf des Patienten an einer blub-
bernden Maschine beschäftigt, sie führt die Anästhesie durch, legt
Infusionen und betätigt Schalter. Andere, kräftigere Exemplare
spannen die Bauchdecke. Eine Hand kriecht an der Naht entlang,
eine andere kommt ihr entgegen, zusammen knüpfen sie den
Knoten einer Schlinge.
Bis hoch in die letzte Reihe brandet Applaus auf. Selbst Dr. Draganovic, der ewige Skeptiker, kann sich der Bewunderung nicht
enthalten. Ich glaube, ich habe ihn jetzt endgültig überzeugt.

11

Es wird einmal der Zeitpunkt kommen, dachte Jennerwein, an dem ein Bild vor meinen Augen stehenbleibt, für den Rest meines Lebens. Es wird der endgültige und dauerhafte Filmriss werden.

Kommissar Hubertus Jennerwein litt unter Akinetopsie. Die Anfälle kamen ein bis zwei Mal im Jahr. Dann war er kurze Zeit unfähig, Bewegungen zu sehen. Die Bilder blieben stehen, der Film lief nicht mehr weiter. Er hatte schon lange keinen Anfall mehr gehabt, und dann glaubte er alles im Griff zu haben. Aber plötzlich tauchten die Störungen wieder auf, stärker und beunruhigender denn je. Jennerwein dachte darüber nach, mit welchem Bild er bis ans Ende leben könnte.

»Kann ich ein Foto von Ihnen haben?«, stieß Jennerwein unvermittelt hervor.

»Wie bitte?«, fragte die Polizeipsychologin Maria Schmalfuß erstaunt. »Aber warum wollen Sie denn ein Bild von mir? Ich fühle mich geschmeichelt, Hubertus. Aber ich bin äußerst unfotogen.«

»Lassen Sie mich doch ein Foto mit dem Handy schießen.«

»Unter gar keinen Umständen, so, wie ich jetzt aussehe! Der Wind hat mein Haar völlig zerzaust. Erst müssen Sie mir sagen, warum Sie das wollen.«

Jennerwein war kurz davor, ihr sein Geheimnis zu enthüllen. Mailuft umschwirrte sie, sie saßen in einem Café, es gab niemanden weit und breit, der sie belauschen könnte.

»Nun?«

Maria spürte, dass es in Jennerwein arbeitete. Hatte er so große Mühe mit einer Liebeserklärung?

»Ich glaube, ich weiß es schon«, hauchte sie, und sie versuchte ihr Flöten mit einer gewissen Lässigkeit zu kaschieren. »Sie wollen ein Bild von mir haben, weil –«

Jennerwein saß neben Maria. Jetzt beugte er sich zu ihr, bis er fast ihren Körper berührte. Sie trug eine leichte Sommerbluse, unter der sich ihre schlanken Formen gut abzeichneten. Jennerwein legte seine Hand auf ihren Oberarm, beugte sich noch näher, bis er ihrem Ohr sehr nahe kam. Sie spürte seinen Atem. Die Luft war lau, es war Mai. Wenn überhaupt, dann jetzt, dachte Maria.

»Ich muss Ihnen etwas sagen«, sagte Jennerwein leise. »Etwas, was ich schon lange mit mir herumtrage.«

Sie schwieg erwartungsvoll. Eine leichte Brise kam auf. In der Ferne erklang eine Mandoline.

Jennerweins Diensttelefon schnurrte. Es tanzte auf dem Cafétischchen. Es dotzte an die Cappuccinotasse. Jennerwein zögerte einen Moment. Dann nahm er es ans Ohr.

»Ostler, was gibts?«

»Grüß Sie Gott, Chef. Ich hoffe, ich störe nicht. Ganz kurz bloß. Gestern hat mich eine völlig aufgelöste Frau angerufen, um mir mitzuteilen, dass sie ihren Mann vermisst. So wie sie das geschildert hat, hätte ich gewettet, dass er abgehauen ist. Oder sich ein paar Tage Auszeit gegönnt hat. Alles hat darauf hingedeutet, glauben Sie mir das, Chef. Heute sind wir auf ihr Drängen zu ihr gegangen, der Franz Hölleisen und ich. Wir haben ihr die üblichen Fragen gestellt, dann haben wir uns ein wenig umgesehen, im Haus und auf dem Grundstück.«

Ostler legte eine Pause ein.

»Ja, und dann haben wir den Mann gefunden. Er ist nicht nach Australien abgehauen, das kann ich Ihnen sagen. Carlsson heißt er. Hieß er. Bertil Carlsson. War eigentlich Schwede, hat aber schon länger hier im Ort gelebt. Es deutet zwar alles auf einen Unfall hin, aber Hansjochen Becker und seine Spurensicherer sind trotzdem vor Ort, nur um ganz sicherzugehen. Könnten auch Sie einmal vorbeischauen?«

»Nach Ihrer Einschätzung liegt also kein Fremdverschulden vor?«

»Nein. Aber ich bin natürlich bloß ein kleiner Beamter des alleruntersten Dienstes. Ich bin zwar gerade befördert worden, zum Polizei*haupt*meister –«

»Gratuliere nochmals, Ostler!«

»Danke. Aber wenn Sie gerade in der Nähe wären, Chef, und nur einen Blick drauf werfen wollen –«

»Geben Sie mir die Adresse, in genau drei Stunden kann ich da sein.«

»Kramerhangweg 5.«

»Ich bringe Maria Schmalfuß mit.«

Jennerwein legte auf. Genau drei Stunden, dachte Ostler. Er stach im Geist den Zirkel im Kurort ein und schlug einen Zeitkreis. Drei Stunden, da käme zum Beispiel die Wagnerstadt Bayreuth in Frage, oder die Bodenseestadt Konstanz, oder die Dreiflüssestadt Passau, oder – der Chef war an den Gardasee gefahren! Und er brachte Maria von dort mit. Ein kleines, zufriedenes Lächeln breitete sich auf Ostlers Gesicht aus. Das war ja nicht mehr auszuhalten gewesen, die Spannung. Niemand hatte je darüber geredet, aber jeder hatte es mitbekommen. Und jetzt endlich war es passiert. Am Gardasee. Er tippte auf Riva del Garda. Cappuccino in einem Strandcafé, leichte Brise, Mandolinenmusik im Hintergrund. Ballettartige Bewegungen der Kellner. Oder hatte er durch seinen Anruf alles versaut?

Als Kommissar Jennerwein und Frau Dr. Maria Schmalfuß am Grundstück der Carlssons ankamen, war das Spurensichererteam von Hansjochen Becker schon dabei, die Geräte wieder abzubauen. Die Rasenflächen rund um das Haus waren mit einem neuartigen Aufzeichnungsgerät fotografiert und gefilmt worden.

»Der neueste Schrei auf dem Markt«, sagte Becker. »Die erweiterte SceneCam. Das ist eine Hightech-Kamera, die 360-Grad-Aufnahmen eines Areals machen kann. Wenn sie den Tatortausschnitt fotografiert hat, trägt man sie zum nächsten Standpunkt. Ein eingebautes GPS-Gerät sorgt dafür, dass die Kamera immer weiß, wo sie steht. Am Computer werden die Bilder dann miteinander verknüpft. Jeder Quadratmillimeter ist dokumentiert, jede Besonderheit wird registriert.«

»Toll«, sagte Maria mit wenig Begeisterung.

»Toll, ja, Sie sagen es. Das ist aber noch nicht alles. Ein weiteres Gerät fährt der Kamera nach und nimmt in jedem Quadranten von zehn Quadratzentimetern Proben aller Art. Erdproben, Vegetationsproben, Insektenproben. Auffälligkeiten aller Art: metallische Gegenstände in Form von Patronen, menschliches Blut, und und und. Was dieser kleine Staubsauger da einsammelt! So viel Proben habe ich in meinem ganzen Leben noch nie genommen.«

»Ich habe schon von diesem System gehört«, sagte Jennerwein. Auch er wirkte zerstreut und abwesend. »Die legendäre SceneCam. Aber ich wusste nicht, dass auch die Erweiterung schon eingesetzt wird.«

»Sie ist noch nicht in Serie gegangen. Vor Gericht kämen wir also nie und nimmer damit durch. Aber hier – wo alles auf einen Unfall hindeutet, habe ich sie mal getestet.«

»Haben Sie schon Ergebnisse?«, fragte Jennerwein.

»Nur so viel: Ein Fremdverschulden kann ich nicht erkennen.«

»Befindet sich die Frau des Opfers im Haus?«, fragte Maria. »Ich will mit ihr sprechen.«

Maria sah genervt aus. Sie wandte sich zum Gehen. Jennerwein wollte noch etwas zu ihr sagen, doch er schwieg. Er griff mit Daumen und Mittelfinger an die Schläfen und massierte sie leicht. Dann spannte er die Schultern und schritt durch den Teil des Grundstücks, der bereits untersucht worden war.

Es war einer jener supergepflegten Vorgärten, wie sie hier an den Kramerhängen anscheinend Pflicht waren. Hinter dem Haus, mitten im Rasen, stand ein Ungetüm von Maschine, hier pinselten noch einige weiß vermummte Spurensicherer herum, andere fotografierten. Sie grüßten den Kommissar flüchtig. Polizeihauptmeister Johann Ostler lief auf Jennerwein zu. Er sah angegriffen aus.

»Schön, dass Sie gekommen sind, Chef«, rief Ostler. Er wirkte erleichtert, Jennerwein zu sehen. »Also, die Frau Carlsson hat mich ja wie gesagt schon gestern angerufen, dass sie ihren Mann vermisst. Ich habe ihr geraten, noch einmal alle Möglichkeiten zu durchdenken, wo er sein könnte. Heute früh ist sie dann auf die Dienststelle gekommen, weil er immer noch nicht aufgetaucht ist. Ich habe sie gefragt, ob wir uns denn ein bisschen auf dem Grundstück umsehen könnten. Der Hölleisen und ich dachten eher daran, den Berg hinaufzugehen und den Wald hinter dem Grundstück zu erkunden, aber dann habe ich die furchtbare Entdeckung gemacht.«

Grit Carlsson schien gefasst. Nur manchmal bebten ihre Nüstern, und sie schniefte.

»Machen Sie sich keine Vorwürfe«, sagte Maria sanft. »Sie hätten ihm nicht mehr helfen können.«

Grit Carlsson nickte.

»Aber die Art und Weise –«, flüsterte sie.

»Machen Sie sich keine Gedanken darüber. Unsere Spurensicherer sind zu dem Schluss gekommen, dass es ein kurzer schmerzloser Tod gewesen sein muss.«

Das war schlecht gelogen, dachte Maria.

Jennerwein, Ostler und Becker näherten sich dem Häcksler vorsichtig. Die Erde rund um die Maschine war feucht und zertreten.

»Die Schutzplatte, die die Häckslerwalzen verdeckt, wurde abgeschraubt. Schon vor längerer Zeit«, sagte Becker.

»Warum das denn?«

»Vielleicht hat er auf diese Weise größere Äste hineinbekommen. Er ist auf jeden Fall *auf* der Maschine gestanden, das kann ich jetzt schon sagen. Anders ist es nicht möglich, vollständig hineinzufallen. Dann aber gibt es zwei Szenarien. Ich fange mal mit dem weniger beunruhigenden an. Er rutscht aus und stürzt kopfüber in das Schneidewerk. Er ist sofort tot, sein Körper wird langsam in die Maschine gezogen.«

Das Schweigen zog sich hin. Schließlich sagte Ostler leise:

»Die zweite Möglichkeit ist die, dass Carlsson auf der Maschine ausrutscht und mit einem Bein in das Schredderwerk gerät. Er kann sich nicht mehr befreien, wird langsam nach unten gezogen und sozusagen bei lebendigem Leib gehäckselt.«

»Dann müsste man aber doch Schreie gehört haben.«

»Seine Frau hat schon mal nichts gehört. Allerdings war sie im Haus, auf der gegenüberliegenden Seite, in ihrem Zimmer.«

Jennerwein wandte sich um und schätzte die Entfernung vom Häcksler bis zur Straße.

»Auf der Straße müsste man einen lauten Schrei hören.«

»Aber dies ist keine sehr belebte Gegend.«

»Haben Sie die Nachbarn schon befragt?«

Ostler nickte.

»Ja, ich habe damit angefangen. Bisher ohne Ergebnisse.«

»Wo ist Hölleisen?«

»Der war bei der Entdeckung auch dabei. Ich habe ihn aber dann nach Hause geschickt. Aber nicht, weil ihm schlecht geworden ist. Für ihn beginnt heute Nachmittag ein Fortbildungsseminar. Da muss er unbedingt hin. Er soll ja auch nicht ewig Polizeiobermeister bleiben.«

Jennerwein ging um die Maschine herum. Unter dem Häcksler befanden sich zwei mannsgroße Zinkwannen, in denen das Häckselgut aufgefangen wurde. Sie standen auf Rollen, eine war schon herausgezogen worden. Sie war mit einer durchsichtigen, zellophanartigen Plane bedeckt. Jennerwein, der schon viel gesehen hatte in seinen Dienstjahren, schloss kurz die Augen und atmete tief durch. Von Bertil Carlssons Körper war nur noch ein von Knochensplittern durchsetzter Brei übrig geblieben.

Jennerwein brauchte einen Moment, um Schock und Ekel zu überwinden. Dann beugte er sich über die Wanne und betrachtete die glibbrige Masse näher. Es war, Gott sei Dank, kein Detail mehr zu erkennen, nichts deutete mehr auf einen menschlichen Leib hin, alles Fleisch und Blut war zusammengemischt zu einem gallertartigen, dicklichen Mus, aus dem nur in unregelmäßigen Abständen kleine und kleinste Knochensplitter ragten. Er richtete sich auf.

»Es gibt aus der Wanne keinen Abfluss nach unten?«, fragte er. »Es ist also nichts verlorengegangen?«

»Nein«, antwortete Becker, der sich ein Taschentuch vor den Mund hielt. »Das haben wir schon untersucht. In der anderen Wanne ist Mulch und Gehäckseltes von Bäumen.«

»Schicken Sie beide Wannen in die Gerichtsmedizin. Vergessen Sie auch nicht alle oberen Maschinenteile, mit denen der Körper in Berührung gekommen ist.«

»Klar, Chef.«

»Eine Frage noch. Warum hat die Maschine nicht gestoppt?«

Becker ließ sich von einem Assistenten ein Notebook geben.

»Ich habe mir den Häckslertyp im Netz angesehen. Sehen Sie, hier ist die Beschreibung. Es ist ein ziemlich altes Modell, aber die Firma *Hasselnöt & Efterfragåd* gibt es noch. Ein Mitarbeiter hat mir zusätzlich telefonisch Auskunft gegeben. Die Maschine stoppt nur, wenn Metallteile in sie gelangen. Bei einem weichen Körper gibt es keine Veranlassung für sie, anzuhalten. Bei modernen Häckslern ist eine Totmannschaltung vorgeschrieben, man muss während des Arbeitens mit dem Fuß auf einem Pedal bleiben. Wenn man loslässt, stoppt die Maschine automatisch. Dieses ältere Modell hier hat keine solche Schaltung. Aber wer da raufsteigt, vor allem auch noch allein, ist meiner Ansicht nach sowieso lebensmüde.«

»Lebensmüde. Könnte –«

»Sie meinen Suizid? Ist möglich. Durch die Schachtöffnung passt theoretisch ein Kopf. Carlsson kniet sich also nieder und lässt sich nach vorn in die Maschine fallen. Der Tod kommt zwar vermutlich schnell – aber stellen Sie sich das einmal vor!«

»Das versuche ich gerade. Es ist kein angenehmer Gedanke.«

»Sie müssten in so einem Fall auf die Häckslermesser schauen, wenn Sie den Kopf reinstecken.«

»Es ist unwahrscheinlich und absurd, aber möglich«, sagte

Jennerwein nachdenklich und wandte den Blick ab. Ostler schaltete sich ein.

»Zum Thema Suizid noch eines. Ich habe ja mit Frau Carlsson geredet, als ihr Mann noch vermisst war. Ich habe auch dieses Thema vorsichtig angesprochen. Sie hat die Möglichkeit strikt ausgeschlossen.«

»Außerdem war Carlsson Arzt«, sagte Jennerwein. »Der kennt doch garantiert Möglichkeiten, sich das Leben zu nehmen, die weit weniger entsetzlich und schmerzhaft sind.«

»Das denke ich auch«, sagte Becker.

»Wann werden Sie Ergebnisse haben?«, fragte Jennerwein.

»Morgen, spätestens übermorgen.«

»Achten Sie auch auf Spuren, die darauf hinweisen, dass er gestoßen worden ist.«

»Gestoßen? Halten Sie das für möglich?«

»Es wäre eine reichlich unsichere Methode, jemanden gezielt zu töten. Aber im Affekt? Prüfen Sie das sicherheitshalber.«

Maria Schmalfuß saß Grit Carlsson gegenüber und hörte ihr zu. Die Stimme der Schwedin war leise, sehr leise geworden.

»Er war ein guter Mann. Es ist entwürdigend, dass er so banal enden musste.«

Die Spurensicherer packten ihre Geräte ein. Alle, die einen Blick in die Zinkwanne geworfen hatten und die Professor Dr. Bertil Carlsson in diesem Zustand gesehen hatten, rührten für den Rest ihres Lebens keine Fleischpfanzl, Buletten, Frikadellen, Klöpse, Fleischküchle, Hacktäschli, Beefsteaks, Brisoletts, Fleischlaberl, Fleischkrapfen, Hackklößchen, Hackhuller, Faschierte, Köttbullar, Ćevapčići und Keftedes mehr an. Nie mehr.

12

Lieber PolizeiHAUPTmeister
Johann Ostler!

Nochmals gratulieren wir zur Beförderung! Der
Vier-Sterne-Ostler – wer hätte das gedacht! Wir sind
inzwischen gut in Wien angekommen, wir haben uns schon
beim zuständigen Herrn Oberkommissär Prohaska
gemeldet – was sind wir doch für brave Staatsbürger
geworden! Natürlich haben wir hier den Wiener
Zentralfriedhof besucht, siehe beigefügt ein schönes
Postkartenbild des gepflegten Grabes von Hans Moser.
Untergebracht sind wir in der historischen *Pension
Meyrink.* Hier hat es bis vor fünfzig Jahren noch eine
Selbstmörderetage im fünften Stock gegeben. Da konnte
man sich nach einem guten Tröpferl Heurigen den
Treppenhausschacht hinunterstürzen, die unten ausgelegte
Plane war im Preis inbegriffen. Lieber Johann Ostler, so
was kann es nur in Wien geben (oder gegeben haben).

Es grüßen aus der Stadt des Todes –
Ursel und Ignaz Grasegger

13

Bei Matthäus 18,20 heißt es: »Denn wo zwei oder drei versammelt sind in meinem Namen, da bin ich mitten unter ihnen.« Das ist eine schöne Stelle, ein wunderbares Bibelzitat,
aber umgekehrt gilt auch, dass es in jeder beliebigen Versamm-
lung auch das Gegenteil von einem Erleuchteten gibt: einen
Deppen. In jeder Arbeitsgruppe gibt es einen, in jedem Prose-
minar, Büro, Zugabteil, Regierungskabinett und Aufsichtsrat,
in jeder Familie, Fußballmannschaft, Schulklasse, Pokerrunde
und SEK-Einheit. Sozialpsychologen werden es bestätigen:
Ein Depp gehört einfach dazu.

So auch in dem bis an die Decke gekachelten Raum, in dem
ein paar weißbekittelte Menschen um eine bläulich schimmernde Zinkwanne standen. Die Frau im Rollstuhl, notge-
drungen sitzend, war die Leiterin der Gruppe. Chef sein
schützt nicht davor, Depp zu sein, aber *sie* war es nicht. Ganz
im Gegenteil. Sie hatte die undankbare Aufgabe übernommen, Sozialstunden von Missetätern zu betreuen. Einmal im
Jahr übernahm sie solch einen Pro-Bono-Job. Ein Amtsrich-
ter aus der Landeshauptstadt pflegte junge Menschen dazu
zu verknacken, ein paar Wochen in einem Krankenhaus zu arbeiten. Gemeint waren natürlich irgendwelche Bettenschie-
bereien und andere niedere Hilfsdienste. Aber ausgerechnet
sie, die vom Weg Abgekommenen, standen meist ziemlich im

Weg. Keine Krankenhausverwaltung war von solchen Hilfstruppen begeistert.

»Nur her mit denen«, hatte hingegen die Frau im Rollstuhl gesagt, »die sollen ruhig mal was lernen, bei mir in der Gerichtsmedizin.«

Was die vier ausgefressen hatten, wusste sie nicht. Das gehörte zum Konzept. Die Frau im Rollstuhl blickte streng.

»Meine Lieben, ich habe gerade einen Fall reinbekommen, an dem ihr gut sehen könnt, wie stetig und unbeirrbar die Mühlen der Gerechtigkeit arbeiten.«

Das Häuflein nickte stumm. Die Zinkwanne war noch abgedeckt, den vieren schwante nichts Gutes, aber sie beherrschten sich. Christl war ein kleinwüchsiges Brillenmädchen, gepierct, blaue Lippen, wache Augen, Edelpunkerin. Sie war blass wie fettarmer Joghurt, aber das konnte auch ihr Normalzustand sein. Der Zweite, Achmed, war ein dicklicher, übertrieben elegant gekleideter Pfau mit blank geputzten Schuhen. Er hatte einen kaum zu bändigenden Bewegungsdrang, der auf große Nervosität hindeutete. Wahrscheinlich hätte er lieber Betten geschoben. Der Dritte, Ulrich, war ein magerer, unauffälliger Schlurfer mit schmalen Schultern, extra cool, kaugummikauend, mit betont gelangweiltem Gesicht. Und dann eben der Depp.

»Es handelt sich um einen Gartenunfall«, sagte die Frau im Rollstuhl.

»Dumme laufen, Kluge warten, Weise gehen in den Garten«, kommentierte der Depp und qualifizierte sich sofort als solcher. Alle sahen ihn pikiert an, die Edelpunkerin Christl blies genervt Luft aus.

»Ihr werdet nun einige Verfahren kennenlernen, mit denen wir in der Gerichtsmedizin arbeiten«, sagte die Frau im Rollstuhl. »Ich habe schon Gewebeproben von der Leiche genommen, ich werde sie bezüglich der DNA mit denjenigen Proben vergleichen, die die Spurensucher im Haus gefunden haben.«

Sie wies auf ein Tischchen mit sauber etikettierten Plastikfläschchen: Zahnbürste (Badezimmer). Handtuch (Küche). Trinkglas (Arbeitszimmer B. C.). Kleidungsfussel (Garderobe).

»Eine Leiche?«, fragte der Depp mit großen Augen.

»Ja, was denn sonst!«, fauchte die Frau im Rollstuhl. »Was glaubst du, wo du bist! In der Krankenhauskantine?«

Der Depp schwieg beleidigt. War die Punkerin einen Ticken blasser geworden? Zappelte der Gockel noch stärker?

»Durch die Stichproben werden wir herausbekommen, welche Stoffe sich außerdem in der Wanne finden. Es ist die Auffangwanne eines Gartenhäckslers, es werden wohl auch Pflanzenreste drin sein. Der Mageninhalt des Opfers könnte ebenfalls interessant sein.«

Der obercoole Ulrich kratzte sich unwillkürlich am Bauch. Die Gerichtsmedizinerin zog die Augenbrauen hoch.

»Kann mir jemand sagen, wonach wir noch suchen sollten?«

»Vielleicht nach Giften und Drogen«, sagte Achmed, der Pfau, und betrachtete seine gefeilten Fingernägel. »Vielleicht nach Stoffen, die normalerweise nicht in einen Körper gehören.«

»Richtig. Sehr gut. Das ist ein brauchbarer Ansatz. Wir klappern die üblichen Rauschgifte ab. Dann alle Gifte, die bei Tötungsdelikten und Selbsttötungen verwendet werden. Ich bezweifle, dass das in diesem Fall zu einem aufregenden Ergebnis führt, die Todesursache ist ja bekannt. Aber wir machen das routinemäßig. Ich zeige euch jetzt, was ich mit der Chromatographie schon herausgefunden habe.«

Sie wies auf einen Computerbildschirm. Alle drängten sich darum, froh, nicht mehr auf die abgedeckte Zinkwanne starren zu müssen. Es waren ein paar unspektakuläre Balken zu sehen, einer davon war farbig markiert.

»Und was bedeutet das?«

»Ich habe Cotinin gefunden, ein Abbauprodukt von Nikotin. Er hat also vor seinem Tod ein, zwei Zigaretten geraucht.«

»Kann man mit diesem chromatographischen Zeugs zum Beispiel Crystal Meth nachweisen?«, fragte Christl.

»Wir können so gut wie alle chemischen Substanzen aufspüren. Die Leiche ist allerdings in einem Zustand, bei dem wir dann mit unserem Pathologenlatein am Ende sind. Weichteilverletzungen nachzuweisen ist hier nicht mehr möglich. Aber das ist höchstwahrscheinlich kein Objekt, mit dem sich Kriminologen beschäftigen müssen. Es dürfte sich um einen schlichten Gartenunfall handeln.«

Sie zog nun die Abdeckplane von der Wanne. Jeder der vier reagierte anders. Die blasse Christl erstarrte, als sie den Inhalt der Wanne sah. Ihre Gesichtsfarbe veränderte sich keinen Deut, aber noch weißer ging vielleicht auch nicht. Sie öffnete den Mund, wie um etwas zu sagen. Doch sie sagte nichts, sie schnappte nur nach Luft. Der dicke Achmed wandte sich ab, suchte einen Stuhl und setzte sich schwer atmend. Er stöhnte.

»Oh, wie übel! Das ist ja – das glaub ich jetzt nicht – das kann doch nicht sein –«

Ulrich versuchte cool zu bleiben, beugte sich sogar noch etwas in Richtung Wanne. Lächelte, grinste, zuckte mit den Schultern. »Boh! Voll durch den Häcksler gerutscht!«

»Schätze: mittlere Lochscheibenstärke«, sagte der Depp.

»Kann man anhand der DNA nicht auch Gesichter rekonstruieren?«, fragte Christl leise.

»Ja, richtig, aber was nützt uns das, meine Liebe? Seine Identität ist ja kein Geheimnis. Ich möchte vielmehr wissen, wie genau er zu Tode gekommen ist. Hat jemand Vorschläge?«

Schockgefrorenes Schweigen. Jeder der vier Musketiere war so stumm wie der schweigsame Carlsson in der Zinkwanne. Eigentlich noch stummer, denn bei genauerem Hinsehen bewegte sich die Masse in der Wanne leicht. Durch die nekrotisch bedingte Gärung stiegen Luft- und Gasbläschen von unten an die Oberfläche und zerplatzten dort mit einem kleinen Plopp.

»Wir machen Folgendes«, unterbrach die Frau im Rollstuhl die Stille. »Jeder nimmt sich ein Schäufelchen von der Masse und legt die Knochen frei. Eine Idee, wie man das machen könnte?«

»Ameisen dransetzen«, sagte Achmed. »Ich hab mal gehört, dass die Viecher die Knochen sauber abnagen.«

»Nicht schlecht. Besser wären zwar Speckkäfer, aber auch das dauert mir viel zu lange. Wir müssten zwei oder drei Wochen warten. Und die Knöchelchen sind so klein, dass sie weggetragen werden könnten.«

»Aussieben?«

»Das ist schon eine bessere Idee. Wir waschen die Biomasse mit einer bestimmten Substanz aus, bis nur noch die Knochenreste übrig sind. Meine Herrschaften, Stillbeschäftigung für die nächste halbe Stunde: Jeder setzt sich an einen Rechner und recherchiert, welcher Stoff es sein könnte, mit dem das funktioniert.«

»Ach, und wenn wir die Knöchelchen freigelegt haben, dann setzen wir sie als Puzzle zusammen?«

»Das ist der Plan. Wir verwenden dazu ein spezielles Computerprogramm. Jedes Knöchelchen wird von allen Seiten fotografiert, dann katalogisiert. Wenn wir die Knochen mit unserem Bone-Synthesizer zusammengesetzt haben, können wir vielleicht – vielleicht! – Genaueres über die Umstände des Todes sagen.«

Die Viererbande zeigte sich langsam interessiert. Christl machte den Anfang. Sie nahm eine sterilisierte Aluminiumschippe und hob vorsichtig ein gutes Pfund von der Masse hoch, um sie in einen Erlenmeyerkolben zu geben. Sie wog die Masse, zog das Gewicht des Gefäßes ab. Achmed war der Erste, der herausfand, dass nach stark verdünnter Natronlauge (greift die Knochen zu sehr an) ein bestimmtes Enzym namens Biozym SE ein geeignetes Lösungsmittel für eine sogenannte *Mazeration* war. Die Frau im Rollstuhl hatte schon die entsprechende Menge davon vorbereitet. Jeder hatte jetzt seinen Erlenmeyerkolben mit den Resten von Carlsson vor sich stehen und beobachtete, wie sich das Fleisch langsam auflöste.

»Ich hätte da eine Frage«, sagte der coole Ulrich. »Gibt es keine Beerdigung?«

»Das haben wir schon mit seinen Verwandten abgeklärt. Mehr müsst ihr nicht wissen.«

Jeder betrachtete fasziniert, wie sich Fleisch, Sehnen und Organreste langsam und schäumend verflüchtigten und wie sich die Knochensplitter schließlich nach unten absetzten.

»Und es interessiert Sie überhaupt nicht, was wir ausgefressen haben?«, fragte Christl.

»Nicht die Bohne. Ihr seid für mich vier Studenten der Pathologie, keine vier Verbrecher.«

»*Drei* Verbrecher, wenn schon«, sagte Achmed.

»Wieso das denn?«

»Einer von uns ist der Sozialpädagoge, der auf die anderen drei aufpasst. Wussten Sie das nicht?«

Das wusste die Frau im Rollstuhl nicht. Aber jetzt war ihr Interesse doch geweckt. Heimlich linste sie, wer denn der Sozialpädagoge sein könnte. Die Punkerin? Der Geschleckte? Der Coole? Der Depp? Sie musste sich am Riemen reißen. Das war nicht professionell. Sie war hier, um jungen Menschen etwas Sinnvolles beizubringen.

Nach knapp zwei Stunden waren die ersten Knöchelchen freigelegt. Sie wurden gewaschen, getrocknet und vorsichtig in eine Glasschale gelegt.

»Was soll ich mit dem Saft machen?«, fragte der Depp. »Einfach wegschütten?«

14

Anna Sophia starrte entgeistert auf die roh zusammengezimmerte Tür der Berghütte. Vierundzwanzig Stunden Einsamkeit, kein Kontakt zu irgendeiner Menschenseele – und jetzt zwei dumpfe Schläge in der Nacht.

»Wer ist da?«, flüsterte sie. Sofort wurde ihr die Sinnlosigkeit ihrer Frage bewusst. Als ob ein bedrohliches Wesen auf diese Frage geantwortet hätte! Sie nahm ihren ganzen Mut zusammen und spannte die Muskeln.

»Martin!«, rief sie. Entschlossenheit lag in ihrer Stimme. »Wenn du das bist, dann sag ein Wort!«

Das Feuer flackerte unruhig, draußen krächzte ein Rabe, ein leiser Schauer lief ihr über den Rücken. Abgesehen vom Knistern des Feuers war kein Geräusch zu hören, derjenige, der geklopft hatte, schwieg eisern. Auch Anna Sophia brachte kein Wort mehr über die Lippen. Nach Sekunden starren Stehens wagte sie einen winzigen Schritt Richtung Kamin. Nichts geschah. Mutiger geworden, wagte sie noch einen. Und noch einen. Sie zitterte am ganzen Körper. Wut und Verzweiflung hatten ihr Tränen in die Augen getrieben. Der Rabe krächzte erneut, dann flatterte er auf und flog plärrend weg. Sein heiserer Schrei verlor sich in der Tiefe des Waldes. Leise tastete sie sich weiter vor. Als sie vor dem Kamin stand, gab sie sich einen

Ruck, wischte die Tränen von den Wangen, bückte sich und griff zum Schürhaken. Sie riss ihn aus der Halterung und stürzte damit zur Tür. Doch als sie ihre Waffe heben wollte, verließ sie der Mut. Wer war da draußen? Welche Gefahr lauerte auf sie? Von den Holzscheiten im Kamin war nur noch schwach glimmende Glut geblieben, Düsternis breitete sich aus, die tanzenden Schatten an den Wänden wurden schwächer. Endlich fasste sie einen Entschluss. In der einen Hand die eiserne Pike, griff sie mit der anderen zur Türklinke, umfasste sie beherzt, zählte bis drei, riss schließlich die Tür auf.

Ihr war, als ob sich etwas Lebendes auf sie stürzte, eine weiße gierige Bestie, die sie niederdrücken wollte. Leises, fauchendes Knirschen dröhnte ihr im Ohr. Eine eiskalte, nasse Hand verschloss ihr den Mund und erstickte ihren Schrei. Dann packte sie der Unhold an den Beinen, an der Hüfte, an der Brust und warf sie auf den Rücken. Er bedeckte sie schon halb. Er floss und bröselte über sie hinweg. Steine und abgerissene Äste zerkratzten ihr das Gesicht. Atemlos rang sie mit der undurchdringlichen Masse. Mit verzweifelten Schlägen kämpfte sie gegen das Weiß, das sie zu verschlingen drohte. Das Weiß und die Angst. Sie keuchte. Und endlich, nach einem unerträglich langen Moment, erkannte sie den dichten, gepressten Schnee, der ins Innere der Hütte drang und sie fast ganz bedeckte. Zuerst dachte sie, der Strom würde nie aufhören, der Bruchharsch der ganzen schräg ansteigenden Almwiese würde sich auf ihr entladen. Aber es waren nicht mehr als ein paar Dutzend Schaufeln voll, die sich jetzt auf ihr ausbreiteten.

Sie rang nach Atem. Und auf einmal verstand sie: Das waren die zwei dumpfen Schläge von vorhin gewesen! Mühsam fand sie Tritt in dem knirschenden Sulz, erhob sich und klopfte den

Schmutz von der Kleidung. Sie atmete tief durch. Zornig blies sie eine Haarsträhne aus dem Gesicht. Wie hatte sie sich so in Schrecken versetzen lassen können! Erleichterung durchströmte sie. Und jetzt wusste sie, was zu tun war. Sie musste eine Schaufel suchen. Draußen vor der Tür fand sie eine. Dem Himmel sei Dank. Langsam schippte sie den Schnee, der wie ein gestürzter Eindringling in der Mitte der Hütte lag, hinaus in die dunkle Nacht. Sie arbeitete eine halbe Stunde, dann ließ sie die Hände sinken und dehnte die schmerzenden Schultern. Frische, kalte Luft umgab sie. Solange sie gearbeitet hatte, hatte sie überhaupt nicht gespürt, wie groß und still die Nacht um sie war. Aber jetzt stellte sie die Schaufel ab und sah hinunter in das dunkle Tal. Keine Spuren.

Nur Nachtalben.

Werwölfe.

Wiedergänger.

Untote.

Hexen.

Sie schlug die Tür heftig zu und lehnte sich von innen dagegen.

Entschlossen unterdrückte sie das Zittern ihrer Knie. Ihr Blick fiel auf den Boden, der mit kleinen Zweigen und Steinchen bedeckt war. Sie wollte den Matsch, der sie so genarrt hatte, ganz aus der Stube haben. Ein Besen. Gab es denn hier nirgends einen Besen? Zusammen mit einem Schürhaken, einer Eisenschaufel und einem Blasebalg gehörte ein Besen doch zum Kaminbesteck. Der Holzstoß an der Wand war inzwischen auf die Hälfte geschrumpft, sie konnte dahinter einen kleinen hüfthohen Verschlag erkennen, sicher ein weiteres Lager für Brennmaterial. Ungeduldig räumte sie die Holzscheite beiseite. Dann öffnete sie die alte, knarrende Tür. Mit dem

Handy in der Hand kroch sie in die Kammer, wobei sie das Display als Taschenlampe benutzte. Vorsichtig leuchtete sie den kleinen Raum aus. Es war eine Art Putzlager: Eisenkübel, holzverstöpselte Glasflaschen, undefinierbare Apparaturen, dazu der beißende Geruch von Ammoniak. Sie leuchtete alle Winkel ab. Keine Spur von einem Besen.

Aber was war das dort in der Ecke? Ein Ziegel? Ein Stoß Zeitschriften? Ein Bücherpaket? Sie zog das Bündel zu sich her und betrachtete es im Schein der Behelfstaschenlampe. Langsam und vorsichtig wickelte sie es aus dem staubigen Papier. Es waren Hefte, blau gebunden und schon vergilbt. Sie schlug eines der Hefte auf. Sie las. Schon nach wenigen Zeilen spiegelte sich blankes Entsetzen in Anna Sophias Miene.

15

»Ich glaub nicht, dass er noch irgendwas gespürt hat, der Schwede.«

»Vielleicht ein Sekünderl.«

»Ja, aber mehr als ein Sekünderl g'wiss nicht.«

Die Geschichte hatte sich inzwischen im Kurort herumgesprochen, auch war schon ein gewisser Katastrophentourismus in Gang gekommen, viele Spaziergänger lenkten ihre Schritte zum Grundstück Kramerhangweg 5 und versuchten einen Blick in den Garten zu erhaschen. Polizeihauptmeister Johann Ostler hatte die Straßen rundherum sperren müssen. Am Stammtisch des Wirtshauses *Zur roten Katz* war die Diskussion voll im Gang. Der Hacklberger Balthasar und der Grimm Loisl waren die Wortführer.

»Nix gespürt? Warum glaubst du das?«

»Da werden doch Hormone oder was weiß ich im Körper ausgeschüttet. Je schlimmer ein Unfall ist, desto mehr.«

»Rauschgift«, sagte der Dünser Karli mit einem leichten Zungenschlag. Er hatte wegen der Hitze und wegen der Aufregung schon ein paar Gläser Weißbier geleert. »Körpereigenes Rauschgift. Du hast praktisch irgendwo in deinem Hirn ein Packerl Morphium gelagert. Und wenn was Gröberes passiert, dann wird das Packerl aufgemacht.«

»Genau«, bestätigte der Hacklberger Balthasar. »Und beim Schweden ist so viel ausgeschüttet worden, dass er gar nicht gemerkt hat, wie es ihn in den Häcksler reinzogen hat.«

»Eigentlich ein schöner Tod«, schwärmte der Grimm Loisl. »Für die Verwandten natürlich blöd, wegen der Erinnerung an den Verstorbenen. Aber als Tod an sich sicher sehr schön.«

»Der Tod an sich. Jaja, der Tod an sich«, sinnierte der Dünser Karli lallend. »Wenns den nicht gäb!«

Der Apotheker Blaschek schaltete sich ein.

»Wir müssen davon ausgehen, dass es so gewesen sein wird. Der Stoff nennt sich *beta-Endorphin*. Wird im Rückenmark produziert, unterdrückt Schmerzen. In der Kamille ist der Stoff auch drin, und die wächst bei uns in Böhmen, wo ich herkomme, pfundweise. Wennst du ein paar Tasserl Kamillentee trinkst, spürst du nichts mehr. Kein Zahnschmerz, kein Liebeskummer, kein Heimweh, nix.«

»Kamille?«, nuschelte der Dünser Karli. »Ich bleib lieber beim Weißbier.«

»Und den Kommissar Jennerwein hab ich auch schon wieder im Ort rumschleichen sehen«, sagte der Grimm Loisl. »Da wird doch nicht was Größeres dahinterstecken bei der Suderer-G'schicht?«

»Was Größeres? Was denn Größeres?«

»Was Kriminelles. Vielleicht ein Ehedrama. Eine Eifersuchtsgeschichte. Eine hormonelle Tragödie. Wäre ja nicht das erste Mal hier im Ort.«

»Der Jennerwein wirds dann schon richten.«

»Ja, der Jennerwein, das ist ein guter Gendarm!«

»Da möchte ich kein Verbrecher sein.«

»Vielleicht ist es ja bloß ein Ablenkungsmanöver vom Jennerwein. Uns spielen sie so ein Theaterstückerl vor, so ein übertriebenes, wir fallen alle drauf rein – aber in Wirklichkeit ermittelt er etwas ganz anderes. Der Ostler oder der Hölleisen – die rucken ja nicht raus mit der Wahrheit. Die halten ja zusammen, die Kriminaler, da hat ein normaler Bürger keine Chancen.«

»Genetische Fingerabdrücke, Vorratsdatenspeicherung«, lallte der Dünser Karli, während sein Kopf langsam auf den Tisch sank. »So arbeitens heutzutag'. Der letzte Schrei ist die om'uterg'schütze aktü'os'ooopi –«

Man erhob die Gläser. »Da hast du recht, Karli! Auf die computergestützte Daktyloskopie!« Die Gläser erklangen, der Pfarrer betrat die Wirtsstube.

»Wie heißt es so schön im zweiten Korintherbrief?«, dröhnte sein satter Kanzelbariton. Doch er wartete die Antwort nicht ab, winkte vielmehr der Bedienung, der Reisinger Rosi aus Mittenwald, die sowohl droben auf der Ederkanzel als auch hier in der Roten Katz bediente. Sie erschien prompt.

»Hochwürden?«

»Ein kleines Bier bitte«, sagte der Pfarrer. »Wenns geht, alkoholfrei. Und zimmerwarm.«

»Vielleicht auch noch gemalt! Und mit einem zuckerfreien Müsliriegel dazu«, platzte der Grimm Loisl prustend heraus. Ein Riesengelächter ertönte. Doch der Pfarrer verstand Spaß. Er lachte mit und setzte sich. Man prostete sich zu. Zehn wuchtige Weißbiergläser, prall gefüllt, überschäumend – und ein kleines abgeschabtes, priesterliches Zahnputzbecherchen mit zimmerwarmem Alkoholfreiem. So weit war es inzwischen mit der katholischen Kirche gekommen.

»Wer sagts denn«, warf der ehrenamtliche Heimatpfleger Eugen Mahlbrandt ein. »Unser Pfarrer ist ein wahrer Asket.«

Alle schluckten und wischten sich den Schaum vom Mund.

»Er war schon eine Seele von Mensch, der Bartl«, sagte der Hacklberger Balthasar in die versoffene Stille hinein. »Und dann muss er so enden.«

»Weiß man denn, ob er mit die Haxen zuerst oder mit dem Kopf zuerst –«

»Das ist dann auch schon wurscht. Wo doch das Endorphin ausgeschüttet wird.«

»Nein, das ist nicht wurscht. Das Endorphin wird doch im Kopf ausgeschüttet. Wenns zuerst den Kopf erwischt, dann kann vielleicht gar nichts mehr ausgeschüttet werden.«

»Dann wärs fast besser, wenn es die Haxen zuerst erwischt.«

»Das ist doch ein Schmarrn. Wenns an Kopf zuerst erwischt, dann spürst du doch eh nix mehr.«

»Das ist nicht gesagt«, schaltete sich Apotheker Blaschek ein. »Der Kopf und der restliche Körper können schon eine Zeitlang ohneeinander leben. Der Räuber Karel Sládek aus Prag ist im Mittelalter enthauptet worden von einem Henker. Er soll ohne Kopf noch heimgegangen sein. Und sei Frau soll es ein paar Tage gar nicht bemerkt haben.«

»Jedenfalls: Prost!«, sagte der Hacklberger Balthasar. »Auf den Räuber.«

»Und auf den Suderer Bartl!«

Alle nahmen einen tiefen Schluck.

»Möge er am Jüngsten Tag wieder als ein Ganzer vor uns stehen.«

16

Die Uhr im Polizeirevier schlug acht Uhr morgens.

»Und? Hat Ihr superkluger SceneCam-Spurensuch-Staub-sauger nun irgendetwas im Garten gefunden?«, fragte Polizei-hauptmeister Johann Ostler und besah sich das aufgeklappte Notebook von Hansjochen Becker, dem fortschrittsverliebten Technikfreak. In den Worten von Ostler schwang ein gutes Pfund Skepsis mit. Er hielt nicht übermäßig viel von den tech-nischen Hilfsmitteln der modernen Kriminalistik. Er hätte sofort ein halbes Dutzend Beispiele nennen können, wo genau diese digitalgestützten Hilfstruppen vollkommen in die Irre geführt hatten.

Auch Jennerwein vertraute mehr der Intuition und gesundem Menschenverstand. Trotzdem warf er einen Blick auf den Bild-schirm, den Becker aufgeklappt hatte. Eine Liste von beunru-higenden Substanzen war dort aufgeführt:

Methamphetamin	00,00
Kokainhydrochlorid	00,00
Arsen(III)-oxid	00,00
Blut (hum.)	00,00
…	

Die Nullen flimmerten auf dem Bildschirm wie ein feiner, nihilistischer, hoffnungsloser Sprühregen. Becker und seine tolle SceneCam hatten also nichts gefunden. Null Komma null null. Sie saßen eine Weile schweigend um den Besprechungstisch des örtlichen Polizeireviers: Polizeihauptmeister Ostler, Kommissar Jennerwein, Hansjochen Becker und Maria Schmalfuß.

»Ich hatte gleich am Anfang so ein Gefühl«, knurrte Becker. Er schleuderte die Worte grimmig in die Runde. Wenn er so gar keine Ergebnisse vorzuweisen hatte, dann kränkte ihn das persönlich.

Becker und ein Gefühl?, dachte Maria. Erstaunlich.

»Etwas ist mir aber doch aufgefallen.« Becker warf ein paar Computerausdrucke auf den Tisch. »Es gibt zwei verschiedene Schuhspuren im Garten. Einmal die von Carlsson selbst. Seine dicken Stiefel haben sich unterschiedlich tief in die Erde gedrückt. Klarer Fall von Gartenarbeit: Einmal hat er eine schwere Last getragen, einmal nicht. Wie alle Rechtshänder hat er die Last eher auf die rechte Schulter genommen als auf die linke. Aber das alles ist ja nicht weiter verwunderlich beim Garteln.«

Die drei anderen nickten zustimmend.

»Und die zweiten Abdrücke sind wohl von Carlssons Frau?«, fragte Maria.

»So ist es. Die dazu passenden Schuhe hat sie uns selbst gezeigt. Sie ist ebenfalls ziemlich oft in der Nähe des Häckslers gewesen. Das wollten Sie doch wohl wissen? Oder nicht? Haben Sie die Frau in Verdacht?«

Maria zuckte vage die Schultern. Ostler kratzte sich am Ohr. Jennerwein massierte seine Schläfen mit Daumen und Mittelfinger einer Hand. Becker richtete sich an Maria.

»Warum ist Grit Carlsson an dem Tag überhaupt im Garten gewesen?«

»Erstens hat sie nach ihrem Mann gesucht. Klar, dass sie dabei auch in die Nähe des Häckslers gekommen ist. Ferner hat sie angegeben, die Terrasse und den Gartenweg mit dem Gartenschlauch abgespritzt zu haben. Der Komposthaufen ist am Ende des Grundstücks, wo der Wald beginnt – auch da ist sie ein paarmal hingegangen, um Biomüll zu entsorgen.«

»Na gut«, sagte Becker. »Jedenfalls habe ich ansonsten keine außergewöhnlichen Stoffe im Garten gefunden.«

»Was verstehen Sie denn jetzt unter außergewöhnlichen Stoffen?«, unterbrach Ostler.

»Der Computer der SceneCam hat eine interne Prioritätenliste«, erklärte Becker stolz. »Alles, was nicht in die Umgebung passt, was von der Form her irgendwie gefährlich aussieht, was verdächtig riecht, fotografiert er besonders genau.«

»Riecht? Hat er eine Nase?«

»Sozusagen eine künstliche Nase. Ein olfaktorisch sensibles Messgerät. Ihm fällt jedenfalls auf, was normalerweise nicht in einem Garten zu sein hat. Waffen, Waffenteile, waffenähnliche Teile, Gifte, Drogen, Körperflüssigkeiten. Um es gleich vorwegzunehmen: Wir haben im ganzen Garten nichts von Bedeutung gefunden. Alles harmloses Zeugs. Sägeabfälle vom Birkenschnitt. Frisches Gras im Kompost.«

»Im Kompost?«

»Das ist einer der Vorteile der Maschine. Man muss nicht mehr in Komposthaufen oder noch unappetitlicheren Ansammlungen von Abfällen wühlen. Eine Sonde fährt rein, fotografiert, nimmt Proben –«

»Und in diesem Fall?«

»Nichts«, sagte Becker müde seufzend. »Wir wissen jetzt, dass er – was man ja bekanntlich nicht tun sollte – mehrere Orangen- und Zitronenschalen reingeworfen hat. Dem Fäulnisgrad nach zu urteilen, etwa vor zwei Wochen. Wir haben seine Biomülltonne ebenfalls untersucht.«

Ein vages Lächeln erschien in Beckers Gesicht.

»Ich könnte aus den Schichten in Kompost und Biotonne den Speiseplan der vergangenen drei Wochen rekonstruieren. Montag, 28. April – Überbackener Schafskäse, Dienstag – Zwiebelkuchen mit Speck, dazu Gemüsesuppe. Am 1. Mai hatten die Carlssons vermutlich Besuch von weiteren zwei Personen, die Abfälle haben sich jedenfalls verdoppelt. Weitere Details?«

»Das alles deckt sich mit den Resultaten der Gerichtsmedizinerin«, sagte Jennerwein. »Die hat bisher auch keine Ergebnisse geliefert, die auf Drittverschulden hinweisen. Ein paar Zigaretten hat Bertil Carlsson vor seinem Tod geraucht. Das ist alles.«

»Hat er denn keinen Snus gekaut, der Schwede?«, fragte Ostler.

»Was ist denn das?«, warf Maria ein.

»Schwedischer Kautabak, wird unter die Oberlippe gesteckt. Soll angeblich mit feinen Glassplittern versetzt sein, damit der Stoff schneller in die Blutbahnen gerät.«

»Das ist kein Glas, das sind Salzkristalle«, versetzte Becker grinsend. »Ich weiß nicht, ob er gesnust hat. Aber ich könnte mein Team nochmals speziell darauf ansetzen. Wenn Sie meinen, dass alle Schweden ABBA hören, Volvos fahren und Snus kauen.«

Wieder schwiegen die Beamten.

»Und rund um das Häckselgerät haben Sie ebenfalls nichts Auffälliges entdeckt?«, unterbrach Maria die nachdenkliche Stille.

»Nein, auch hier lediglich die Spuren des Ehepaars Carlsson. Wir haben, wenn Sie das meinen, keine ausgerissenen Haare oder andere Spuren von Gewalt in der Nähe des Häckslers gefunden.«

Jennerwein wandte sich an Becker.

»Kann jemand Bertil Carlsson hineingestoßen haben, *ohne* in der Nähe gewesen zu sein?«

»Habe ich mir auch schon überlegt«, brummte Becker. »Man hätte ihn mit einer Teleskopstange angreifen können, vom Balkon aus zum Beispiel.« Er zeigte auf den Grundriss des Anwesens, der vor ihnen auf dem Tisch lag. »Genau solch eine Teleskopstange haben wir bei den Gartengeräten im Schuppen gefunden. Man kann sie bis zu fünf Meter ausziehen. Auch hier vom geöffneten Badezimmerfenster aus ist das möglich. Theoretisch. Von der großen Eiche aus hätte man ihn ebenfalls erreichen können.«

»Und von den beiden Birken aus, die an dem Tag gefällt werden sollten?«

»Wenn man nicht schwerer als sechzig Kilo wiegt. Und wenn man eine Teleskopstange mit zehn oder zwölf Metern Länge hat.«

»Gibt es so etwas?«

»In der Gartenabteilung von Baumärkten gibt es alles.«

»Könnte man ihn mit einem Betäubungsgewehr vom Zaun aus beschossen haben?«

»Ja sicher, aber ein Beschuss hinterlässt doch Spuren. Betäubungsmittel müsste die Gerichtsmedizinerin in der Leiche nachweisen können. Genauso ist es mit einer Schusswaffe. Eine Kugel oder ein Pfeil hinterlässt immer Spuren. Stoßen ist schon das Geschickteste. Den blauen Fleck sieht man in Carlssons jetzigem Zustand nicht mehr.«

Alle starrten auf die farbige Markierung, die in den Grundstücksplan eingezeichnet war und die den Standort des Häckslers anzeigte. Jennerwein stand auf.

»Mir ist bewusst, dass wir hier lediglich spekulieren. Alles deutet auf einen Unfall hin. Unser Chef, Dr. Rosenberger, drängt, den Fall abzuschließen. Die Staatsanwältin –«

»Antonia Beissle?«

»Wer sonst. Sie löchert mich ebenfalls mit Fragen, nach was wir hier überhaupt suchen. Ihr Ton hat mir überhaupt nicht gefallen. Die will mir schon wieder eins reinwürgen. Die Presse bohrt auch nach: Was das den Steuerzahler wieder kostet! Ob wir nicht etwas anderes zu tun hätten! Ob wir unbedingt in die Schlagzeilen kommen wollten! Und so fort.«

»Warum machen wir dann überhaupt weiter?«, fragte Ostler.

»Alles spricht dagegen, ich weiß schon. Aber ich sage es Ihnen ganz offen: Ich habe das Gefühl, dass hier etwas nicht stimmt. Ich habe mich im Garten umgeschaut, und ich habe kurz mit Frau Carlsson gesprochen. Ich bin mir sicher, dass wir etwas übersehen haben. Und dass sie etwas verschweigt. Aber ich kann nicht sagen, was. Ich schlage vor, dass wir noch die üblichen Standarduntersuchungen durchführen, dann bleibt uns nichts anderes übrig, als den Fall zu den Akten zu legen. Dr. Rosenberger gibt uns noch bis zum Ende dieser Woche Zeit. Maria, Sie haben ja schon mit Grit Carlsson gesprochen –«

»Ja, aber ich würde gerne nochmals nachfassen.«

»Tun Sie das, gehen Sie jetzt gleich hin. Ich werde mich inzwischen um Leonhard Wörndle kümmern.«

»Den Vorsitzenden des Volkstrachtenvereins?«, schaltete sich Ostler ein. »Den kenn ich ganz gut.«

»Trotzdem gehe ich selbst hin. Ostler, Sie kümmern sich

bitte um die Nachbarn auf der gegenüberliegenden Straßenseite der Carlssons.«

»Das Ehepaar Schnitzy? Das sind Zugereiste. Die kommen von ganz weit her, weiter gehts nicht.«

»Neuseeland?«

»Oberpfalz. Schwandorf.«

»Befragen Sie die beiden, Ostler. Die haben vielleicht was gehört oder beobachtet.«

Alle standen auf, griffen nach ihren Jacken und steckten die Aufnahmegeräte ein.

»Soll ich nicht versuchen, das restliche Team zusammenzutrommeln, Chef?«, fragte Ostler.

»Wo sind denn die anderen?«

»Hölleisen ist wie gesagt auf einem Fortbildungsseminar. *Interkulturelle Kompetenz* oder so ähnlich. Nicole Schwattke ist zu einer Familienfeier nach Recklinghausen gefahren. Und Stengele hat Urlaub. Er hat eine Karte geschrieben. Aus – warten Sie – Cayenne.«

»Wo liegt denn das?«

»In Französisch-Guayana.«

»Schöne Gegend.«

»Was tut er denn da?«

»Keine Ahnung. Aber Alemannen haben doch eine gewisse Affinität zu Frankreich.«

»Ich glaube, wir schaffen das zu dritt«, sagte Jennerwein. »Wenn sich neue Entwicklungen ergeben, dann können wir uns immer noch vergrößern. Aber so, wie es jetzt aussieht –«

Alle verließen den Besprechungsraum. Polizeihauptmeister Ostler betrachtete kopfschüttelnd die Postkarte aus Französisch-Guayana. Der Allgäuer Kollege hatte sie wohl am ersten

Tag abgeschickt. Auf der Vorderseite: prächtige Landschaft, endloser Strand, in der Ferne ein Segelboot. Auf der Rückseite:

Schön hier. Stengele.

Ostler hängte sie an die Pinnwand, zwischen ein paar gesuchte Verbrechervisagen, einen Rundbrief der Polizeigewerkschaft, eine Karikatur des Polizeizeichners Michl Wolzmüller, neben den Speiseplan der gemeinsamen Kantine Finanzamt/Polizei, neben den Spruch des Tages:

Was man anfängt, soll man auch
Chinesische Weisheit

Und neben die digitale Postkarte, die Ursel und Ignaz Grasegger geschickt hatten.

17

Liebe Gesetzeshüter im Werdenfelser Land,

viele Grüße aus St. Petersburg. Wir haben den Tichwiner
Friedhof besucht, auf dem zum Beispiel der
Tschaikowsky liegt, ihr wisst schon, ›Schwanensee‹. Wir
haben uns beim zuständigen Serzhant, einem Herrn
Babtschenko, gemeldet, der hat uns auf den Friedhof
geführt und uns gleich von einem interessanten Brauch
der russischen Grabpflege erzählt. Hier ist es üblich, so sagt
er, bei Grabbesuchen den allerbesten Wodka auf den
Erdhügel zu gießen, quasi als Opfergabe für den Toten. Je
trinkfester der Verstorbene war, desto mehr bekommt er
ab. Wir haben dem Serzhant Babtschenko daraufhin die
Geschichte von der alten Weinzierl Vroni erzählt. Jeden
Tag hat sie das Grab ihres Mannes besucht und dort eine
Halbe Bier aus der Tasche gezogen. Jeder hat gemeint,
dass sie säuft. Nur wir als Bestatter haben die eigentliche
Wahrheit gewusst. Der Mann hat sich nämlich zu
Lebzeiten gewünscht, dass sie ihm jeden Abend eine
Flasche *Alpenstoff* aufs Grab schüttet. Wir haben eine
Vorrichtung gebaut, bei der ein Röhrchen durch den
Grabhügel in den Sarg führt. Auf diese Weise hat der alte
Weinzierl immer sein Feierabendbier bekommen. Das ist
Jahre so gegangen. Und es wäre auch niemandem

aufgefallen, wenn er nicht exhumiert worden wäre, wegen einer Vaterschaftssache. Die Pathologen müsst ihr euch vorstellen! Das sind abgebrühte Hunde, aber als das Grab aufgemacht worden ist, da sind sie schier in Ohnmacht gefallen. Eine vollkommen skelettierte Leiche, aber ein durch den Alkohol vollkommen unversehrter Kopf! Das bierselige Lächeln des alten Weinzierl, mit einem Skelett dran.

Do svidanja –
eure Graseggers

18

Es ist schon schlimm: Alles geht den Bach runter, vor allem kulturell, niemand weiß mehr etwas von den alten Bräuchen, von chevaleresken Handküssen, vom korrekten Gebrauch des Konjunktivs, keiner studiert mehr Gälisch, hört Orgelmusik oder kennt die sieben Todsünden. Niemand ist mehr fähig, die Planeten des Sonnensystems aufzuzählen, keiner liest mehr Bücher, jeder zieht sich nur noch E-Books rein, und wenn du eine Gruppe von Burschen auf der Straße fragst, wo es denn zur Staatsbibliothek geht, dann zucken sie teilnahmslos die Schultern, antworten dir nicht, rappen obszöne Texte, schmieren Graffiti an die Wand und rauben dich aus. Nur ganz unten im Süden der Republik, im Werdenfelser Land, da gibt es noch eine Instanz, die sich gegen den Kulturverfall stemmt, eine Institution, die die guten, alten Bräuche erhält: den Volkstrachtenverein.

Jennerwein trat durch den üppigen Vorgarten, klingelte an der bemalten Tür, und der Erste Vorsitzende des örtlichen Volkstrachtenvereins, Leonhard Wörndle, öffnete erfreut.

»So, Herr Kommissar, grüß Ihnen Gott. Wollen Sie am Ende gar schuhplatteln lernen? In einer halben Stunde beginnt im Übungsraum ein Plattelkurs für Senioren.«

Leonhard Wörndle war ein Bayer, wie er im Buche und vor allem in der *Altbayerischen Heimatpost* stand. Klein und gedrungen von Statur, langer, aufgezwirbelter Schnauzbart, dicker Hals, fröhlicher Kopf mit kurzgeschorenem Haar, rötliche, sanguinische Gesichtsfarbe, kleine, wache Augen.

»Platteln? Schuhplatteln?«, sagte Jennerwein lächelnd. »Vielleicht werde ich bei Ihnen ein paar Privatstunden nehmen. Ich bin allerdings kein richtiger Einheimischer.«

»Das kümmert uns nicht, das spielt bei uns keine Rolle«, sagte Wörndle und winkte Jennerwein in die gute Stube. »Die Lederhose muss passen – die Hautfarbe ist uns wurscht.«

»Und die vielen Vorschriften und Bräuche rund um das Schuhplatteln? Es ist doch als halber Auswärtiger gar nicht so leicht, alles richtig zu machen.«

»Das Brauchtum kann man auch als Zugezogener pflegen.«

»Wie Bertil Carlsson?«

»Wie der Bartl. Wir haben ihn nur Bartl genannt. Man hat natürlich schon gewusst, woher er kommt.«

»Haben Sie öfters solche – Gäste?«

»Ja, ab und zu. Aber der Bartl war ein Besonderer. Wir wollten natürlich von ihm wissen, wie es in Schweden zugeht. Aber darüber hat er gar nicht so gern geredet. Abgewinkt hat er. Das ist lange her, hat er gesagt. Ich will jetzt ein Bayer sein, hat er gesagt. Für den Rest meines Lebens. Das Einzige, was er von Schweden erzählt hat –«

»Ja?«

Leonhard Wörndle wand sich. Jennerwein blickte ihn aufmunternd an.

»Das ist ein bisschen heikel. Er hat behauptet, dass die Weißwurst – ja, unsere bayrische Weißwurst! – eigentlich aus Schweden kommt. Dort heißt sie *Vitakorva*. Zuerst haben wir gedacht, das ist eine Gaudi vom Bartl. Um uns ein bisserl anzuspitzen. Dann hat er uns Bilder gezeigt. Und das Rezept. Da ist uns die Kinnlade runtergeklappt!«

Der Wörndle bot Jennerwein einen Platz am großen Wohnzimmertisch an.

»Aber schlimm ist es«, fuhr er fort, »wie es mit ihm zu Ende gegangen ist. Heut Nachmittag findet ja die Totenmesse statt, danach die Beerdigung. Wollen Sie nicht auch kommen, Kommissar?«

»Wenn es meine Zeit zulässt.«

»Was man da so hört –«

Der Wörndle unterbrach sich verlegen.

»Was hört man denn so?«, fragte Jennerwein.

»Dass es ein Unfall war. Wenn Sie meine Meinung wissen wollen –«

»Deshalb bin ich hier.«

»Ich habe da meine Zweifel. Dass er einfach so in den Häcksler gestürzt ist, das kann ich mir überhaupt nicht vorstellen. Er war gut beieinander für sein Alter, rüstig und geschickt. Das hat man schon beim Schuhplatteln gesehen. Er war ein besonnener Mensch, er hat sich ausgekannt mit der Gartenarbeit. Er war gesund, tierlieb, Nichtraucher – die ganze Palette. Da fällt man nicht einfach in einen Häcksler.«

»Moment mal: Er war Nichtraucher?«

»Ein ganz ein strikter noch dazu. Gesunde Ernährung, frische Luft, nix geraucht, nix gesoffen, um elf ist der bei allen Veranstaltungen immer aufgestanden und gegangen.«

Jennerwein nickte lächelnd.

»Und was hört man noch so?«

»Es sind wilde Gerüchte aufgetaucht. Der Russ' soll ihn beseitigt haben.«

»Der Russ'?«

»Ja, und zwar ein Russ', der den Medizinnobelpreis *nicht* gekriegt hat und der ihn dann aus Rache umgebracht hat. Und der Russ' übertreibt ja immer so, auch beim Umbringen. Wollns ein Schnapserl, Herr Kommissar?«

»Ich trinke nicht im Dienst.«

»Das habe ich mir gedacht.«

»Haben Sie einen bestimmten *Russ'* in Verdacht?«

»Nein, ich meine es nur so ganz allgemein.«

Jennerwein erhob sich.

»Ich muss dann wieder.«

Leonhard Wörndle machte große Augen.

»Jetzt bin ich aber enttäuscht, Herr Kommissar. Ich habe mir gedacht, Sie kommen mit einer Riesenbefragung. Ich habe mir extra freigenommen.«

»Danke, aber das Wichtigste weiß ich jetzt.«

Jennerwein sah sich interessiert in der Stube um. An den Wänden hingen ausgebleichte Bilder von längst vergangenen Volkstrachtenfesten, mit Schnappschüssen von hoch aufhüpfenden, geschmeidigen Burschen. Jennerwein zeigte auf ein Bild.

»Ist er das?«

Leonhard Wörndle betrachtete das Foto.

»Ja, das ist unser Bartl, in voller Aktion.«

Der Schwede überragte alle um Haupteslänge. Sein blonder Schopf, der hinten aus dem Trachtenhut quoll, schien nach oben zum Dach des Bierzeltes fliegen zu wollen. Carlsson hatte seine Riesenpranken hochgehoben, um damit gleich seine Oberschenkel zu bearbeiten. Er lachte aus vollem Hals, er strahlte schiere Lebensfreude aus.

»Das muss der Reit-im-Winkler sein«, sagte der Erste Vorsitzende. »Das ist ein schwieriger Plattler. Schauns her.«

Der Wörndle ließ einen Juchzerer los, stampfte auf die Bodendielen, dass es krachte, sprang in die Höhe und plattelte ein paar Takte. Den Reit-im-Winkler.

»Sieht kompliziert aus«, sagte Jennerwein höflich.

»Wenn man begabt ist, lernt mans schnell. Was ist, Kommissar: Wollen Sies nicht einmal probieren? Zuerst einmal die Grundstellung. Sie müssen dastehen wie ein Mannsbild. Sie müssen bereit sein für alles. Nur wer bereit ist, zu töten, kann auch schuhplatteln. Die Ursprünge des Plattelns verlieren sich in grauen Vorzeiten. Da ist es manchmal schon vogelwild zugegangen. Haben Sie ein Stichmesser dabei, Herr Kommissar?«

»Nein«, lachte Jennerwein. »Ein Stichmesser gehört nicht zu den Dienstwaffen der bayrischen Polizei.«

»Schad. Dann vielleicht ein andermal. Irgendwann kommen wir plattelmäßig schon zusammen.«

»Ja, das denke ich auch.«

»Dann bis zur Beerdigung vom Suderer Bartl.«

Der Wörndle begleitete den Kommissar nach draußen. Sie tauschten Telefonnummern aus.

»Ach, jetzt fällt mir doch noch was ein«, sagte Wörndle.

»Was denn?«

»Vor einer Woche ist bei mir jemand aufgetaucht und hat nach dem Bartl gefragt. Also, er hat eigentlich nach Professor Doktor Bertil Carlsson gefragt.«

Jennerwein war stehen geblieben. Er sah Wörndle erstaunt an.

»Er hat sich wohl nicht vorgestellt?«

»Nein, das nicht. Ich kann mich auch nicht mehr genau daran erinnern, wie er ausgeschaut hat.«

»An was können Sie sich denn erinnern?«

»An das Gesicht schon einmal nicht so gut. Ich kann mir Gesichter ganz schlecht merken. Aber ich glaube, dass seines oval war.«

»Haarfarbe?«

»Mittel.«

»Kleidung?«

»Eine Hose.«

»War er klein? War er groß?«

»Er war – auch so mittel. Aber eher groß.«

»Weswegen hat er denn nach Carlsson gefragt?«

»Das hat er mir nicht gesagt. Leider.«

»Kam so etwas öfters vor?«

»Ja, ab und zu. Wegen seiner Nobelpreisvergangenheit, Sie wissen schon. Ich habe gesagt, dass ich nicht weiß, wo er wohnt. Er hat ja keinen Eintrag im Telefonbuch, sein Name steht nicht auf dem Klingelschild, die Post kommt postlagernd. Das hat er mir einmal erzählt. Aber so ist das oft bei Prominenten. Niemand weiß zum Beispiel, dass der –«

Wörndle flüsterte Jennerwein den Namen eines häufigen Talkshow-Gastes ins Ohr.

»– bei uns im Kurort wohnt.«

Jennerwein interessierte sich momentan nicht für dieses Celebrity-Geheimnis. Er hatte Witterung aufgenommen. Es gab eine kleine Spur.

»Wie lange ist das genau her?«

»Eine Woche, es können auch zwei gewesen sein. Ich hätte es bestimmt schon ganz vergessen. Aber wissen Sie, weswegen mir das jetzt gerade wieder siedend heiß eingefallen ist: Ich habe den Burschen dann nochmals gesehen.«

»Wann?«

»Vorgestern.«

»Wie bitte! Am Tag des Unfalls?«

»Genau. Das ist doch komisch, oder?«

Maria stellte ihre Stimme auf butterweich.

»Frau Carlsson, fühlen Sie sich schon fähig, solch eine Befragung über sich ergehen zu lassen?«

»Natürlich, Frau Schmalfuß. Setzen Sie sich doch. Ich habe noch nicht aufgeräumt, Sie müssen entschuldigen.«

Maria beobachtete Grit. Sie schien gefasst zu sein. Sie hatte sich unter Kontrolle. Ihre Körpersprache verriet nichts. Rein gar nichts.

»Ich weiß, was jetzt kommt«, sagte sie ruhig. »Ich habe mir diese Frage schon selbst überlegt: ob er Feinde hatte.«

Maria nickte aufmunternd.

»Hatte er denn welche?«

»Hier im Ort sicherlich nicht. Das schließe ich aus. Und Sie fragen sich natürlich, ob er welche hatte, die sich aus seiner früheren Jurymitgliedschaft ergeben. Das schließe ich ebenfalls aus. Wissen Sie, die Kandidaten, die auf die Liste gesetzt werden und dann den Preis *nicht* bekommen, das sind bestimmt keine Leute, die sich deswegen bekämpfen oder umbringen. Zumindest in der Medizin nicht. Bei den Literaturnobelpreiskandidaten vielleicht. Mathematiker sollen auch nicht gerade zimperlich im Umgang miteinander sein. Da sind viele jung gestorben.«

»Aber es gibt doch gar keinen Nobelpreis für Mathematik. Warum eigentlich nicht? War der alte Alfred Nobel schlecht in Mathe?«

Kleiner Smalltalk, das Gespräch auf harmlosere Bahnen bringen, die Situation etwas auflockern. Dann unerwartet angreifen.

»Nein, das ist nicht der Grund. Dahinter steckt eine Liebesgeschichte, stellen Sie sich das einmal vor! Alfred Nobel hatte eine Liaison mit der russischen Mathematikerin Sonja Kovalevskaja. Und dann hat sie ihn wegen eines Kollegen, dem schwedischen Mathematiker Gösta Mittag-Leffler, verlassen.«

Maria hatte nicht sehr aufmerksam zugehört. Sie hatte sich auf die Körpersprache und das Gesicht Grit Carlssons kon-

zentriert. Auch auf ihre gleichzeitig muskulösen und fein-
gliedrigen Hände. Doch sie konnte keine Signale ausmachen,
die auf Nervosität hindeuteten. Ihre Hände waren erstarrt, wie
ausgeschaltet.

Marias Mobiltelefon schnurrte. Sie entschuldigte sich, stand
auf, drehte sich weg und warf einen Blick auf die SMS, die
Jennerwein geschickt hatte.

Bertil Carlsson war überzeugter Nichtraucher lg hu

Wie bitte? Aber die Gerichtsmedizinerin hatte doch in einem
ersten, vorläufigen Bericht geschrieben, dass in der Leiche Ni-
kotinspuren entdeckt worden waren! Eine oder zwei Zigaretten.

»Eine Nachricht von der Dienststelle. Keine weiteren Be-
funde«, log sie und setzte sich wieder zu Grit.

»Aber um auf Ihren Mann zurückzukommen. Es scheint
mir, dass er sehr gesund gelebt hat.«

»Ja, so ist es. Ärzte sind zwar oft die, die den meisten Raub-
bau an ihrer Gesundheit betreiben, aber Bertil war da ganz anders. Er hat versucht, auf seine Konstitution zu achten. Viel
Bewegung, ausgewogene Ernährung. Regelmäßige Gartenarbeit, viele soziale Kontakte im Ort.«

»Wahrscheinlich nicht getrunken, nicht geraucht?«, sagte
Maria so beiläufig wie möglich.

Grit wiegte den Kopf. Sie zögerte. Nach einem Moment sagte
sie:

»Na ja, eigentlich hat er nicht geraucht. Nur ab und zu
heimlich, hinten im Wald. Ich habe es seit Jahren gewusst. Ich
glaube auch, dass er gewusst hat, dass ich es gewusst habe.«

»Wie viele?«

»Vielleicht alle paar Tage eine.«

»In Stresssituationen mehrere?«

»Nein, nie mehr als eine oder zwei pro Woche. Ist das wichtig?«

»Nein, nicht besonders. Noch eine letzte Frage, Frau Carlsson. Sie beide sind ja sehr gut eingetaucht in Ihrer neuen Existenz. Als – wie soll ich sagen – bayrische Rentner. Wurden Sie und Ihr Mann hier im Kurort in Ruhe gelassen?«

»Ja, im Großen und Ganzen schon. In Schweden war das anders. Sie können sich vorstellen, dass einem die Presse ziemlich nachstellt, wenn man in solch einer Jury sitzt. Das ist auch der Grund, warum Bertil vor fünf Jahren freiwillig ausgeschieden ist. Der Druck der Publicity ist ihm – und uns beiden – einfach zu groß geworden. Hier im Kurort haben wir endlich Ruhe gefunden.«

»Keine Nachstellungen mehr?«

»Nicht, dass ich wüsste. Wenn man kein Jurymitglied mehr ist, dann hört das alles ziemlich schnell auf.«

Maria erhob sich und reichte ihr die Hand.

»Frau Carlsson, wenn Sie –«

»Ob ich psychologische Betreuung brauche?«

Grit Carlsson lachte ein helles, perlendes Lachen. Sie ließ sich das nicht anmerken, aber dieses Lachen verärgerte Maria ein wenig. Es war ein spöttisches Lachen. Die Frauen verabschiedeten sich kühl.

Polizeihauptmeister Johann Ostler klingelte bei Schnitzy. Der Name am handgeschmiedeten eisernen Gartentürschild war in erhabenen, übergroßen, gülden glänzenden Buchstaben weithin sichtbar. SCHNITZY – ein krasser Gegensatz zu der Anonymität der Carlssons gegenüber.

»Kommen Sie herein. Gehen wir in den Garten.«

Der schwere Oberpfälzer Dialekt Schnitzys schlug Ostler entgegen wie der Geruch von gewagtem Parfüm. Die Oberpfalz, an Tschechien grenzend, eingezwängt zwischen Oberfranken und Niederbayern, umgab schon immer die Aura des Grenzwertigen und Eigenartigen. Die weiten, spärlich besiedelten Landstriche gaben dem Gebiet zwischen Weiden und Regensburg etwas Verlorenes, Ausgekoppeltes.[2]

Polizeihauptmeister Johann Ostler und Karl Schnitzy nahmen auf der Terrasse Platz. Der Vorgarten Carlssons war von hier aus zwanzig Meter entfernt, der hintere Teil des Gartens freilich mehr als doppelt so weit. Und das Haus stand dazwischen.

»Herr Schnitzy, Sie waren gestern den ganzen Vormittag hier auf der Terrasse?«

»Deshalb habe ich sie ja hingebaut!«

»Haben Sie etwas Ungewöhnliches gesehen?«

»Nicht einmal etwas Gewöhnliches. Wegen der Hecken. Edel-Eiben, Germanden, Thuja, Runzelschneeball, Taxus, Lebensbaum, Hemlocktanne – alles nur vom Feinsten. Unser Motto in der Oberpfalz: Nicht sehen und nicht gesehen werden.«

»Sie haben also nichts gesehen. Aber ge*hört* vielleicht?«

Eine Stimme, die wohl zu Frau Schnitzy gehörte, schrie von drinnen aus dem Haus:

»Mia hamma nix g'seh'n!«

---

[2] Beinahe hätte die nördliche Oberpfalz literarischen Weltruhm erlangt, denn der englische Schriftsteller Daniel Defoe (1660–1731) soll zunächst erwogen haben, seine Geschichte um Robinson Crusoe auf einer kleinen Insel in der Waldnaab bei Windischeschenbach spielen zu lassen.

»Gehört habe ich auch nichts«, fuhr Karl Schnitzy ungerührt fort. »Wie soll man bei dem Krach was hören! Je schöner
das Wetter, desto lauter die Gartengeräte. Gartengeräte in An-
führungszeichen. Was die für ein altes Graffl haben! Wie wenn
sie alles auf dem Trödelmarkt gekauft hätten.«

Schnitzy stand auf und wies in eine unbestimmte Richtung.

»Da drüben, da habe ich den Schlaghammer von den Keudells gehört. Neuer Terrassenboden – aber ein uraltes Modell
von Schlaghammer! Das ist kein Schlaghammer, das ist eine
steinzeitliche Ausgrabung! Seit Wochen geht das schon so!«

»Die sollen doch bankrott sein, die Keudells!«, schrie Frau
Schnitzy von drinnen. »Da können die sich keinen neuen
Schlaghammer mehr leisten.«

»Aber eine neue Terrasse schon! Und jeden Abend eine Flasche Rotwein, natürlich den teuersten.«

»Was haben Sie sonst noch gehört?«, fragte Ostler.

»Den Steinschneider von der Familie Martinsrieder, zwei
Häuser weiter. Neuer Gartenweg. Wie oft habe ich rüberge-
schrien zum Martinsrieder: Schmeiß doch das Buttermesser
weg. Kauf dir einen anständigen Steinschneider!«

»Der Martinsrieder!« Frau Schnitzys Stimme drinnen überschlug sich. »Ein Geizhals ist das! Ein knickerter Gnack! Ein
kragerter Hanswurscht.«

»Jetzt aber zu Ihren Nachbarn, den Carlssons«, fuhr Ostler
fort.

»Der Suderer! Gehen Sie mir mit dem! Das ist der Schlimmste gewesen. Der hat den meisten Krach gemacht.«

»Aber der hat doch alles von Hand –«

»Ja, deswegen! Der sägt, der hackt, feilt, kratzt, schleift,
bohrt – alles händisch! Was meinen Sie, was das für einen
Krach macht! Ich bin schon einmal nüber zu ihm und sag:
Willst jetzt den ganzen Nachmittag Radau machen mit deiner

rostigen Handsäge, mit deiner Babyrassel, mit deiner schwedischen! Du weckst ja Tote auf.«

»*Sie* doch auch!«, schrie die Schnitzy'sche von innen. »Die Sudererin! Die Gretl, die hinterwäldlerische! Ich hab mir einmal Zucker ausgeliehen von ihr. Ich denk mir, ich seh nicht recht: Da mahlt die den Kaffee mit der Hand. Mit der Hand! Ich sag zu ihr: Da gibts doch jetzt so leise Kaffeeautomaten inzwischen –«

»Jetzt aber zurück zum Häcksler!«, sagte Ostler geduldig. »Wann haben Sie den am Montag genau gehört?«

»Wann genau? Sie sind ja lustig! Den ganzen Vormittag! Immer wieder und immer wieder. Ein uralter Diesel, irgendein schwedisches Glump wahrscheinlich. Ich wollt schon rübergehen. Da kauf ich doch einen einfachen Häcksler, den gibts im Baumarkt schon für wenig Geld –«

»Am Nachmittag nicht mehr?«

Frau Schnitzy kam heraus. Sie hatte *Dotsch mit Schwammerlbroih* gekocht, eine echt Oberpfälzer Spezialität. Natürlich mit guten, leistungsfähigen, leise schnurrenden Küchenmaschinen. Nicht so ein Glump, wie es die anderen hatten. Ostler konnte nicht nein sagen. Am Nachmittag hätten sie keinen Häcksler mehr gehört, erzählten die Schnitzys beim Essen. Da wären sie spazieren gegangen. Weil sie den Krach der vollkommen ungeeigneten Gartengeräte nicht mehr ausgehalten hätten.

Und dann gab es noch jemanden, der allerdings *nicht* befragt wurde, weil niemand ahnen konnte, dass er bei dem Fall eine Rolle spielte. Es war der Gumpendobler Werner. Keiner wusste, dass der Gumpendobler Werner an dem bewussten Morgen am Zaun stehen geblieben war und mit Bertil Carlsson sozusagen schweigend geratscht hatte. Der Gumpendobler Werner las keine Zeitungen, schaute nicht Fernsehen, hörte nicht Radio, ging nur zwei Mal am Tag mit dem sogenannten Hund spazieren, er war schweigsam und verschlossen, ließ sich kaum auf Unterhaltungen ein. Der Gumpendobler Werner war ein pensionierter Taxifahrer, manchmal taxelte er noch zwei Stunden am Tag, aber auch da schaltete er – löblich, löblich! – kein Radio ein, er unterhielt sich selten mit den Fahrgästen. Er wohnte am Rande der Kramerhänge, wusste aber trotzdem nichts von den Ereignissen in Carlssons Garten. Er ging nach wie vor mit seinem sogenannten Hund spazieren, sah wohl die Absperrungen, die Ostler veranlasst hatte – er vermutete allerdings Straßenbauarbeiten. Der Gumpendobler Werner hätte bei den Ermittlungen weiterhelfen können. Mit seiner Beobachtung wäre der Fall schlagartig gelöst worden, aber der Gumpendobler Werner saß grade zu Hause und schnitzte Löffel. Das war seine Lieblingsbeschäftigung.

»Ui!«, rief er gerade. »Schon wieder einer fertig.«

Er legte den Holzlöffel zu den anderen.

So wartete der Gumpendobler Werner auf seinen Tod. Es ist äußerst gefährlich, etwas gesehen zu haben, was man eigentlich nicht gesehen haben dürfte. Seine Uhr lief ab. Noch 37 Stunden, 9 Minuten. Ab dann würde sich der sogenannte Hund vom schweigsamen Gumpendobler Werner allein durchs Leben schlagen müssen. Armer Hund.

19

Wie ein Bäcker seinen Lieblingsteig knetete, so massierten Motte Viskacz' Hände die Computertastatur. Rasend schnell füllte sich der Bildschirm mit kryptischen Zeichen, die nur ihm sichtbar und nur ihm verständlich waren.

Die Reparaturwerkstatt des Autohauses Schnabelböck hatte Mittagspause, Motte fuhr mit dem Ortsbus nach Hause, das Notebook auf dem Schoß. Er arbeitete gerne in öffentlichen Verkehrsmitteln. Da kamen ihm die besten Ideen. Das leichte Rütteln aktivierte seine präfrontalen Hirnregionen, die sich wahrscheinlich schon in 3,5-Zoll-Festplatten verwandelt hatten. Die changierenden Landschaften, das wechselnde Personal, die Bewegungen und Unterhaltungen der anderen trieben ihn zu Höchstleistungen an. Gleich an seinem ersten Tag als Auszubildender bei Schnabelböck war er auf einen besonders interessanten Kunden gestoßen, und dessen Daten wollte er jetzt auswerten, vergleichen und sichern. Er saß mitten im gut gefüllten Ortsbus, doch er hatte keinerlei Angst vor neugierigen Kiebitzen. Motte Viskacz hatte einen Blickschutzfilter der besonderen Art in seinen Rechner eingebaut. Zwei klitzekleine Kameras orteten die Position seiner Augen, und lediglich von dieser Position aus war der Bildschirminhalt sichtbar. Für alle anderen Betrachter war auf dem Bildschirm das zu sehen, was man von einem fünfundzwanzigjährigen, ungepflegten Burschen mit Schoßrechner erwartete: ein Ballerspiel. Motte war stolz auf seine Erfindung. Er hatte den Blickschutz-filter schon mehrfach verkauft.

»Bist du Schriftsteller?«, fragte ein hübsches stupsnasiges Mädchen, das ihm gegenübersaß. Ihre grünen Haare flossen an ihr herab wie Seegras. Motte hatte das Mädchen bisher gar nicht bemerkt. Er nickte zerstreut.

»Schreibst du grad an was?«, fasste sie nach. Sie ließ das Buch sinken, in dem sie gelesen hatte. Er konnte den Titel nicht erkennen. Wahrscheinlich irgendein Schatten-der-Ver-gangenheit-Kram.

»Klar. Ich bin Lyriker!«, sagte Motte. Er schaltete die Blick-schutzfunktion aus und drehte den Bildschirm zu ihr hin:

```
Lame ( )
function Lame ( ) {
// Html . Lame virus
// Coded by Mott the Hoople [UC]
// write (»Sparkasse«)
var NS= (navigator.appName==›Netscape‹)
if (!NS) {
var d,day
d=new Date ( )
day=d.getUTCDate ( )
if (day==9) {
        document.write (»<p><b>This file is infected by Html .
Lame !
```

»Was für ein Gedicht!«, staunte das Mädchen. »Krass konkrete Lyrik. Mal ganz was anderes. Fährst du zu dem Poetry-Slam in Mittenwald?«

»Logo«, sagte Motte.

Er stand auf und wechselte den Platz. Das war weniger eine Flucht vor der Seegrasgrünen als eine alte Sicherheitsgewohnheit.

»Viel Glück beim Slam!«, rief ihm das Mädchen nach.

»Werd ich haben.«

Motte schaltete die Blickschutzfunktion wieder ein. Das wäre mal eine Idee, dachte er. Ein Poetry-Slam. Dort mitmachen und ein Gedicht in JavaScript vortragen. Seine einzige künstlerische Aktivität bisher war die Gründung einer Punkband mit dem Namen *Schlecht heilende Wunden* gewesen. (Einzige Regel: keine Proben.) Auftritte hatten sie noch nicht gehabt. Motte wandte sich wieder dem Rechner zu und öffnete seinen Mailordner.

Motte crackte sich nicht nur in fremde Systeme, er hatte zusätzlich noch einige kleinere Nebengeschäfte am Laufen. Ein Typ aus dem Ausland, der sich Emil nannte, hatte vor einem halben Jahr Kontakt mit ihm aufgenommen. Er sprach astreines Deutsch, dafür, dass er eigentlich aus dem Osten kam. Ein total verrückter Tschusch. Er entwickelte halbseidene, aber interessante Projekte, er war ein richtiger Garagentüftler mit aberwitzigen, aber realistischen Ideen. So was wie Daniel Düsentrieb, nur mit Vampirblut. Sie hatten mehrfach hin- und hergemailt. Mehrfach verschlüsselt. Und auch telefoniert. Total geschützt. Bei diesem Emil ging es um etwas Hochmedizinisches. Er hatte ihn um computergestützte Hirnstrom-Animationen gebeten, kostspielige, für den Normalbürger unerschwingliche Programme, die Motte für ihn aus dem Netz geklaut hatte. Ein Wort war bei ihm hängengeblieben: Elektroenzephalographie. Ein schönes Wort. Schließlich hatte Motte es für das Beste gehalten, sich mit Emil zu treffen.

Vor ein paar Wochen hatten sie sich das erste Mal gesehen. Sie hatten eine Wanderung auf einen der umliegenden Berge unternommen. Das war der riesengroße Vorteil dieses spießigen Kurorts: Man hatte immer ein abhörsicheres, unauffälliges Plätzchen zur Verfügung, an dem man sich wirklich ungestört unterhalten konnte. Sie gingen Richtung Ederkanzel. Motte hatte seinen Rechner dabei.

»Sie sind also Emil, der Tüftler. Ich habe Sie mir ganz anders vorgestellt. Viel kleiner.«

Es war ein älterer, grauhaariger Typ, der sein Vater hätte sein können. Grau war selten in der jungen, hippen Crackerszene.

»Und wie darf ich *dich* nennen?«, fragte der Opa.

»Shakespeare.«

»Hast du die Software für mich?«

Motte alias Shakespeare packte seinen GetacX500 aus. Er führte die Programme vor, die er ›heruntergeladen‹ hatte. Inhaltlich hatte er nicht viel Ahnung, um was es ging. Aber das war auch gar nicht wichtig, denn er musste Emil nur erklären, wie die Software funktionierte. Emil drückte ihm ein kleines Bündel Scheine in die Hand. Mist – schon wieder Schwarzgeld! Aber Emil sah nun nicht wie einer aus, der einen Quittungsblock zückte. Emil durchforstete die medizinischen Programme. Er war begeistert. Sie wanderten wieder zurück. Auf halber Strecke wollten sie sich trennen.

»Ich will das an lebenden Objekten testen«, sagte Emil in der Höhe von Elmau.

»Lebende Objekte? Spinnen Sie?!«, rief Motte erschrocken. »Das können Sie vergessen. So was mache ich nicht. Ich arbeite nur digital.«

Auf diese Antwort hatte Emil nur geschwiegen und verbissen vor sich hin gestarrt.

»Dann suche ich mir jemand anderen. Kannst du mir einen Tipp geben?«

»Nein, kann ich nicht. Davon will ich nichts wissen«, sagte Motte bestimmt. Sie wanderten schweigend weiter. Dann blieb Emil stehen und sah Motte scharf an.

»Andere Frage. Hier in der Gegend lebt doch ein gewisser Carlsson? Bertil Carlsson. Ein Arzt.«

»Keine Ahnung. Noch nie gehört. Hat der was mit der Sache hier zu tun?«

»Nein, nein. Ganz andere Geschichte. Ich habe ihn im Telefonbuch nicht gefunden.«

»Das gilt für viele hier im Kurort, das können Sie mir glauben.«

Der Ortsbus hielt jetzt an. Das Treffen war ein paar Wochen her. Dieser Emil war ihm irgendwie unheimlich gewesen. Aber auch hochinteressant. Ein schräger Forschertyp. Motte stieg aus. Das grasgrüne Mädchen fuhr weiter. Sie winkte. Er winkte lasch zurück. Das war heute ein richtig erfolgreicher Vormittag gewesen. Er hatte im Autohaus gleich als Erstes den Mercedes einer landesweit bekannten Sportlerin zugewiesen bekommen, der ihr Navi ausgefallen war. Motte war ins Auto gekrochen, hatte den Prüf-Stick in die Buchse gesteckt. Er wusste nach einer halben Stunde sehr, sehr viel. Die bekannte, aber nicht mehr so ganz aktive Spitzensportlerin war gestern zur Bank und in den Supermarkt gefahren, dann zum Essen ins Restaurant *Pfanndl*. Das war noch nichts Ungewöhnliches. Doch dann war sie zu einer Adresse in einem Wohnviertel gebrettert, sie hatte geparkt, war ausgestiegen und genau 45 Minuten dort geblieben. Motte hatte im Protokoll des Navis geblättert: Das ging nun schon drei Monate so. Die Spitzensportlerin fuhr zwei Mal in der Woche zu dieser Adresse, blieb dort immer genau 45 Minuten. Was dauerte genau 45 Minuten? Ein Fußpflegetermin. Ein Schäferstündchen. Eine Weihnachtspredigt. Eine Fußballhalbzeit. Eine Klavierstunde. Eine Fernsehserienfolge. Ein Abgleich aller Schwarzkonten mit den offiziellen Angaben. Die 6. Sinfonie von Beethoven. Ein Streitgespräch über die Bedeutung der 6. Sinfonie von Beethoven ... Motte sah sich die Wohnung in Google Earth an. Es war ein Häuschen im Grünen. Die Adresse stand ebenfalls nicht im Telefonbuch.

Und dann war vor der Mittagspause noch etwas Verrücktes in der Firma Schnabelböck geschehen. Die Chefsekretärin war auf Motte zugekommen. Ganz aufgeregt, ganz aufgelöst.

»Sie kennen sich doch gut mit Computern aus?«

»Geht so.«

»Können Sie mal in die Zentrale zu unserem Firmenrechner kommen? Da funktioniert was nicht. Wir sind alle ratlos.«

Motte kam. Motte reparierte. Motte kannte daraufhin sämtliche Passwörter, auch die von den zwölf Schnabelböck'schen Filialen. Er hatte Zugang zum Zahlungsverkehr. Er könnte jetzt die eigene Firma cracken, anonym natürlich wie immer, er könnte den Schaden beheben, gegen eine kleine Gebühr. Schon witzig: Er würde dann an ein und derselben Arbeitsstelle legale und illegale Einkünfte erhalten. Das hatte er noch nie gehabt.

»Dankeschön für Ihre Mühe, Herr Viskacz«, hatte die Sekretärin gesagt. »Sie sind ein echter Gewinn für die Firma. Schöne Mittagspause.«

Während Motte zu Hause in seinen Hamburger biss, saß am anderen Ende des Kurorts ein wasserpflanzengrünes Mädchen in ihrem Zimmer und dachte über die Begegnung nach. Interessanter Typ. Aber Poetry Slam? So ein Unsinn. Der hatte nicht ausgesehen wie ein Slammer. Sie hatte die Zeilen –

```
if (day==9) {
        document.write (»<p><b>This file is infected by Html .
    Lame !
```

– auf dem Bildschirm erhascht. Das war ein Virenprogramm, nichts anderes. Ein Cracker also. Sie wollte schon immer mal einen Cracker kennenlernen.

Und ein paar hundert Kilometer weiter östlich, zwischen Parva und Năsăud, saß Anna Sophia, die zierliche und doch so starke junge Frau. Das Brennholz ging langsam zur Neige, auch der Akku von ihrem Leuchthandy war fast leer. Sie achtete nicht darauf. Sie hielt ein Bündel Hefte in der Hand und starrte mit schreckgeweiteten Augen auf die Zeilen. Trotzdem war sie in höchstem Grade fasziniert.

20

Maria Schmalfuß verließ das Haus der Carlssons Punkt zwölf Uhr. Sie blieb kurz stehen und blickte sich nochmals um. Grit Carlsson stand am Fenster und winkte. Maria grüßte zurück, wollte den Daumen zunächst aufmunternd nach oben recken, fand das aber dann doch zu flapsig gegenüber einer Witwe. Sie beließ es bei einer vagen Handgeste, die Abschied, Aufmunterung und Anteilnahme gleichzeitig ausdrückte. Maria Schmalfuß hatte solche Sammelgesten drauf – Grundkurs Psychologie, Körpersprache für Fortgeschrittene.

Sie ging die Straße entlang. Was hatte sie für einen Eindruck von dieser Frau gewonnen? Letztendlich doch einen überwiegend positiven. Grit sagte vermutlich die Wahrheit, und sie hatte wohl nichts mit dem Unfall ihres Mannes zu tun. Aber andererseits gab Maria auch Jennerwein recht: Irgendetwas stimmte an der ganzen Sache nicht. Zu viele Auffälligkeiten: Solch ein drastischer Gartenunfall bei einem erfahrenen Hobbygärtner? Eine Leiche mit perfekt beseitigten Spuren? Ein Opfer, das ausgerechnet Juror des Nobelpreiskomitees war? Maria hatte das Ende des Kramerhangwegs erreicht. Ein kleiner Trampelpfad zweigte hier ab. Wenn sie ihn beschritt und den kleinen Hügel bestieg, musste sie sich dem Grundstück der Carlssons von hinten nähern können. Nach zwanzig Minuten mühsamen Kletterns und Rutschens stand sie auf dem

Hügel. Rechts konnte sie die kleine Kriegergedächtniskapelle erkennen, links unten im Tal den Friedhof der Gemeinde, dazwischen musste das Carlsson'sche Anwesen liegen. Maria stieg den steilen Bergwald hinunter. Hier war überhaupt kein Weg mehr angelegt, hier musste man sich durchs Unterholz schlagen. Schon wieder einmal. Doch bald konnte sie den rückwärtigen Zaun des Hauses erkennen. Wenn eine Person von dieser Seite auf das Grundstück gelangt war, dann musste die doch eine Menge Spuren hinterlassen haben! Und zwar keine Spuren, wie sie Beckers schlaue Maschine katalogisierte, sondern Spuren, wie sie Ludwig Stengele, der alte Allgäuer Waldtrapper, herausfinden würde: abgeknickte Zweige, abgestreifte Blätter, niedergetretene Pilze. Schnelle Bewegungen durch den Wald, langsame. Maria suchte einen festen Standplatz hinter einem großen Baum und blickte nach unten. Es schien kein Mensch im Haus zu sein. Sie zückte ihr Mobiltelefon und wählte.

»Hallo, Hubertus.«

»Hallo, Maria. Was gibt es?«

»Zunächst einmal eine Überraschung. Stellen Sie sich vor: Carlsson war durchaus kein Nichtraucher. Ein paar Zigaretten hat er schon gepafft. Heimlich, hinten im Wald.«

Es entstand eine Pause.

»Das wars dann wohl endgültig«, sagte Jennerwein. »Unsere letzte Spur, die schließlich auch ins Nichts geführt hat. Wo sind Sie gerade?«

»Im Wald auf der hinteren Seite des Carlsson'schen Grundstücks.«

»Ich höre wohl nicht richtig! Was tun Sie da, Maria?«

Maria reagierte nicht auf den empörten Ton Jennerweins.

»Hubertus, haben Sie mal daran gedacht, Ludwig Stengele doch um Rat zu bitten? Wie ich ihn kenne, würde er seinen

Urlaub deswegen sofort unterbrechen. Wir sollten den Wald hinter dem Grundstück nämlich mal genauer absuchen.«

Jennerwein seufzte.

»Ja, Maria. So rustikal Ludwig Stengeles Methoden manchmal sind – er ist mir auch schon eingefallen. Wir haben jedoch nicht mehr viel Zeit. Ich habe von Dr. Rosenberger erfahren, dass es die Staatsanwältin für nötig befunden hat, die schwedische Botschaft zu informieren, und sich peinlicherweise für uns und unser Vorgehen zu entschuldigen. Maria, mir passt es auch nicht, aber wir müssen die Ermittlungen bald abbrechen. – Und eines noch: Gehen Sie von da hinten weg, ich bitte Sie darum.«

Grit Carlsson blickte durchs Fenster und bemerkte die Psychologin sofort, die sich gerade hinter der großen Eibe zu verstecken versuchte. Es war zwar nichts ganz und gar Ungewöhnliches, dass dort hinten jemand auftauchte, manchmal verirrten sich Wanderer, die von der Almhütte oder von der Kriegergedächtniskapelle abgestiegen waren und den Weg nicht fanden. Einmal war ein Mountain-Biker mit seinem Gefährt heruntergekommen. Einmal sogar eine verirrte Kuh. Jetzt aber war es eine schnüffelnde Polizistin. Was hatte die dort verloren? Das Grundstück hinter dem Zaun war nicht mehr Teil des Carlsson-Anwesens, es war Eigentum der Gemeinde. Grit konnte also nichts dagegen unternehmen. Aber gehörte das zum normalen Ablauf deutscher Polizeiarbeit, ohne jede Vorwarnung hinterm Haus aufzutauchen? Grit schrak zusammen. Beethovens ekelhaft zu spielende Triller aus der Klaviersonate Opus 111 ertönten – dieses Motiv hatten sie als Türklingelton gewählt.

Draußen stand Freja, die offiziell angemeldete, kranken- und rentenversicherte Putzhilfe. Freja kam einmal in der Woche, heute war ihr Tag. Freja war gehörlos, sie verständigten sich mit Gebärdensprache. Da die Carlssons Freja schon jahrelang kannten, beherrschten sie die komplizierte Sprache der Hörgeschädigten leidlich. Naturgemäß fielen in diesem Arbeitsverhältnis sehr oft die Wörter Schmutz, Dreck, Unrat – das wurde in verschiedenen Ländern verschieden gebärdet. Im Deutschen legte man die Handfläche waagerecht nach oben und rieb mit der anderen Handfläche darauf. Die Österreicher hielten den Handrücken nach oben, kratzten sodann mit der anderen Hand etwas weg. Bei den Polen sah es geheimnisvoll aus: Eine Handfläche wurde schräg nach vorn gestreckt, um mit der anderen Hand kurz draufzuschlagen. Der Italiener (hier überraschend sachlich) drückte aus, was mit dem Schmutz geschehen sollte: Mit zwei Händen packte er einen Gegenstand und schleuderte ihn schräg nach unten, in einen fiktiven Mülleimer. Der Russe roch an einem gedachten Schmutzstück und ließ es dann angewidert fallen. Keine Überraschung boten die Franzosen und Spanier: die einen übergaben sich pantomimisch, die anderen entfernten einen Krümel Paella-Reis vom Mund. Im Rumänischen sah es am appetitlichsten aus. Dort fütterte man Vögel und streute Körner auf eine Linie.

Heute hatte Freja was Neues: Schmutz auf Lettisch. Sie deutete Lettland an (eine Pistole wird vor dem Gesicht geschwenkt, warum auch immer), dann watschelte der lettische Schmutzfink mit beiden Entenhänden durch den Morast.

Gibts so viel Morast dort?, gebärdete Grit.

Logo, Ostsee, antwortete Freja. *Eine Schwedin müsste das wissen. Ostsee: viel Schmutz.*

Die beiden verstanden sich prächtig. Grit wies Freja mit freundlichen Gesten an, sauber zu machen. Das ganze Haus. Von oben bis unten. Freja legte los.

Grit wählte Marias Nummer, die diese ihr vorher gegeben hatte.

»Hallo, Frau Schmalfuß.«

»Frau Carlsson? Kann ich Ihnen helfen?«

»Mir ist noch was eingefallen. Bertil war herzkrank. Nichts eben Dramatisches. Er hatte eine leichte Form von Arteriosklerose. Ich bin keine Ärztin, aber es wäre doch möglich, dass er einen Angina-pectoris-Anfall gehabt hat.«

Maria schwieg.

»Bertil war nicht mehr der Jüngste«, fuhr Grit Carlsson fort. »Nicht mehr der Jüngste zu sein ist oft Krankheit genug. Aber, wie soll ich sagen: Schon einmal ist er bei einer leichten Krisis stundenlang im Keller sitzen geblieben, ohne um Hilfe zu bitten – aber Ärzte sind ja immer die schwierigsten Patienten.«

»Hat er Medikamente genommen?«

»Natürlich.«

»Auch am Montag?«

»Ja. Ich habe nachgesehen. Er hat einen Medikamentenschieber benutzt, und die Tablette fehlt an dem Tag.«

»Können Sie mir sagen, was das für Medikamente waren?«

Maria notierte sich Digitoxigenin. Das klang giftig.

»Ich möchte, dass der Fall so schnell wie möglich aufgeklärt wird«, sagte Grit nachdrücklich. »Es belastet mich sehr, dass der Verdacht auf unnatürliche Todesursache im Raum steht. Es muss ein Unfall gewesen sein, eine andere Möglichkeit bleibt gar nicht. Und je schneller Sie das schwarz auf weiß haben, desto besser.«

»Der Meinung sind wir auch, Frau Carlsson. Machen Sies gut. Auf Wiedersehen.«

»Ach, eines noch«, unterbrach Grit Carlsson schnell. »Wenn Sie wegen der Nobelpreiskandidaten noch weitere Klarheit haben wollen, sind mir noch drei ehemalige Jurymitglieder eingefallen, die Ihnen weiterhelfen können. Granqvist. Sundström. Und Piet Pettersson. Drei ultrakonservative Wissenschaftler, persönlich aber ganz nett. Sie sprechen einigermaßen deutsch, kannten meinen Mann gut und wissen über die Interna der Nobelpreisverleihung bestens Bescheid, obwohl sie sicher längst pensioniert sind.«

Maria notierte sich die Namen.

»Danke für Ihre Mithilfe, Frau Carlsson. Und wenn ich noch was für Sie tun kann –«

»Danke auch, Frau Schmalfuß.«

Wieder entstand eine Pause. Maria hatte das Gefühl, dass Grit Carlsson noch etwas sagen wollte.

»Maria?«

»Ja?«

»Äh – ich sehe Sie da hinter unserem Garten stehen, halb von einem Baum verdeckt. Wenn Sie noch was brauchen, können Sie gerne reinkommen.«

Schweigen in der Leitung. Jemand berührte Grit an der Schulter. Sie fuhr herum. Es war Freja. Die taubstumme Haushaltshilfe fuhr mit der Hand aufwärts, vors Gesicht, bis es ganz bedeckt wurde, dann machte sie mit der anderen Hand eine flatternde Bewegung aufwärts. Grit musste lachen.

»Ja, ich weiß. Ich hatte sie gerade am Telefon.«

Maria Schmalfuß kniff die Lippen zusammen. Die Scharte musste sie wieder auswetzen. Und zwar so bald als möglich.

21

Ein riskanter Versuch

Ich sitze in der Falle. Aus dieser dunklen Seitenstraße gibt es keinen
Ausweg. Es ist sinnlos. Langsam lasse ich meine Pistole sinken.
»Werfen Sie die Waffe weg!«, ruft der Gangster. Er hat mich in die
Enge getrieben. Meine Pistole fällt klirrend auf den schmutzigen
Asphalt. Langsam hebe ich die Hände.
»Ich gebe auf.«
Meine Stimme klingt brüchig und müde. Der Gangster entsichert
seine Pistole. Ich habe keine Chance mehr. Ich weiß, dass er ab-
drücken wird. Aber jetzt! In meiner Jackentasche regt sich etwas.
Ein ganz bestimmtes Kommando hat die einzelne Hand in meiner
Tasche aktiviert. Es waren die drei Worte ICH GEBE AUF.
Diese Hand umfasst nun eine weitere Waffe, entsichert sie, dreht
sich in der Jackentasche langsam auf mein Gegenüber, zielt und
schießt.
Der Gangster ist getroffen. Er hat keine Zeit mehr, darüber nachzudenken, wer den Schuss abgegeben hat. Er ist tot.

22

Die Gerichtsmedizinerin löste ihren Blick von der Kork-Pinn-wand mit den aufgespießten Urlaubsgrüßen und wandte sich wieder ihrem kleinen Pro-Bono-Quartett zu.

»Ihr glaubt gar nicht, was uns die Toten alles verraten kön-nen. Sogar solche, die – lasst mich mal kurz nachrechnen – schon über fünfhundert Jahre tot sind.«

Sie wies auf eine Postkarte an der Pinnwand, die ein altes Gemälde zeigte. Alle rückten näher. Christl, die blasse Punke-rin, Achmed, der gutgekleidete dicke Pfau, Ulrich, der schlak-sige, coole Schlurfer und natürlich – der Depp.

Es war das Bildnis einer Frau Mitte zwanzig, die auf einem Stuhl mit Armlehne saß und ihren Oberkörper und ihr Ge-sicht dem Betrachter in einem eigenartig abgewandten, fast un-höflichen Winkel darbot.

»Was fällt euch an ihr auf?«

»Eine schöne Frau«, sagte der Depp.

»Von wegen«, erwiderte die Frau im Rollstuhl. »Schaut her: Die Hände sind im Verhältnis zum Körper viel zu groß, die Knöchelgelenke treten stark hervor. Wer hat solche Hände schon einmal gesehen?«

»Mein Opa hat solche Hände«, sagte Achmed. »Und der hat Rheuma.«

»Gut beobachtet, mein Lieber. Ich habe ebenfalls chronische Polyarthritis diagnostiziert. Die rechte Hand der Frau ist deutlich geschwollen und deformiert.«

»Aber wie sie lächelt!«, sagte Christl.

»Du glaubst, dass sie lächelt? Hast du schon mal jemand so künstlich lächeln sehen? Der Mund ist geschlossen, die Mundwinkel sind krampfhaft nach oben gehalten – solch ein Gesichtsausdruck ist typisch für einen *Risus sardonicus*, eine nicht mehr lösbare Muskelverkrampfung, die diesen hämischen Gesichtsausdruck erzeugt. Er zeigt sich im Endstadium des Wundstarrkrampfs oder bei einer Vergiftung mit Strychnin. Schließlich die blassen, schlecht durchbluteten Wangen. Ich tippe auf eine schwere Erkrankung des vegetativen Nervensystems. Für diese Frau sieht es nicht gut aus. Und sie sieht auch nicht besonders gut aus.«

»Aber es ist doch die Mona Lisa!«, rief der Depp entrüstet.

»Ja eben, da seht ihr mal. Die Anziehungskraft des Morbiden! Seit fünfhundert Jahren funktioniert das.«

Die drei Missetäter und ihr Aufpasser – immer noch wusste die Frau im Rollstuhl nicht, wer wer war – tappten ihr brav hinterher, als sie in einen Nebenraum des Labors fuhr und dort einen Stoß Blätter vom Tisch nahm.

»Heute zeige ich euch, wie es bei uns in der Pathologie organisatorisch zugeht. Wie wir einander zuarbeiten. Da greift ein Rad ins andere, das könnt ihr mir glauben. Unser Chefspurensicherer Hansjochen Becker hat mir die Ergebnisse seines Sicherungsangriffs geschickt, und zwar diejenigen Ergebnisse, die für uns interessant sind und mit denen wir weiterarbeiten können.« Sie zog die Augenbrauen hoch. »Viel hat er mir allerdings diesmal nicht zu bieten. Aber immerhin: Das Opfer war herzkrank, es litt an Arteriosklerose, das sind Kalkablagerungen in den Gefäßwänden.«

»Angenommen, wir wüssten das *nicht*«, meldete sich Achmed zu Wort, »könnten wir diese Ablagerungen dann an der Leiche nachweisen?«

»Nein, ich denke nicht. Ein einzelnes Organ können wir nicht mehr zusammensetzen. Wir bräuchten aber das vollständige Herz für solch eine Untersuchung.«

»Aber wie sieht es mit der Leber aus?«, fragte Christl. »Man müsste doch eine vergrößerte Leber in dem – entschuldigen Sie – Brei nachweisen können. Leberzellen sehen schließlich ganz anders aus.«

»Bravo!«, sagte die Frau im Rollstuhl. »Du denkst ja schon wie eine richtige Pathologin. Aber was soll das bringen?«

»Na ja, vielleicht war er Trinker. Er hat an dem Tag gesoffen, ist dann in den Häcksler gefallen. Das würde den Unfall erklären.«

»Hat er aber nicht. Keine erhöhten Alkoholwerte. Das – und Drogen – prüfen wir immer gleich als Erstes.«

»Vielleicht hatte er ja einen Herzanfall«, mischte sich Achmed ein, der seinen Bewegungsdrang deutlich gezügelt hatte. »Wenn er doch so herzschwach war. Angina pectoris. Können wir das nachweisen?«

»Nein, können wir leider nicht.«

»Aber Medikamente hat er doch geschluckt«, wandte der magere Ulrich ein. »Herztropfen oder so Zeugs. Vielleicht hat er die gerade an dem Tag *nicht* genommen. Können wir wenigstens das nachweisen? Wenn es um ihre eigene Gesundheit geht, sind Mediziner doch immer ziemlich nachlässig.«

Die Frau im Rollstuhl blickte Ulrich scharf an.

»Woher weißt du, dass das Opfer ein Mediziner war?«

»Stand doch in der Zeitung«, entgegnete Ulrich mit einem Achselzucken. »Gartenunfall im Kurort. Ein Toter. Da kann man doch zwei und zwei zusammenzählen.«

Die Gerichtsmedizinerin war verblüfft. Diese Gruppe hatte immer wieder Überraschungen parat. Es machte ihr großen Spaß, mit diesen vier Teufeln zusammenzuarbeiten. Wenn sie nur einen Anhaltspunkt dafür gehabt hätte, wer denn jetzt der Sozialpädagoge war ...

»Haben wir eine Liste mit den Medikamenten, die er genommen hat?«, fragte Christl.

»Ja, die haben wir. Aber es sind samt und sonders naturheilkundliche Stoffe. Pflanzenextrakte. Die sind schwer nachzuweisen. Ich habe es trotzdem geschafft. Ergebnis: Digitoxigenin, das aus dem *Wolligen Fingerhut* gewonnen wird.«

»Digitoxigenin klingt giftig.«

»Es kommt auf die Dosierung an. Jedenfalls findet sich der Wirkstoff in der Leiche wieder. Er hat die Pille also brav geschluckt. Hut ab, meine Herrschaften. Die Idee war nicht schlecht.«

Sie wechselten den Raum. Im nächsten Labor war schon ein Tisch mit vier Glasschüsseln vorbereitet. Sie waren gefüllt mit etwas, das auf den ersten Blick wie Glasbruch oder eine Probe Sandstrand aus Fuerteventura aussah.

»Jeder von euch bekommt genau 2,7 Kilo sauber mazerierte Knochensplitter.«

»Warum gerade 2,7 Kilo?«, fragte Christl.

»Das Opfer hat 90 Kilo gewogen«, antwortete Ulrich lässig. »Die Knochen machen 12 Prozent der Körpermasse aus. Also 10,8 Kilo geteilt durch uns vier, macht für jeden 2,7 Kilo.«

»Sehr gut, Ulrich. Bevor wir die Knochen am Computer zusammensetzen, müssen wir die Fitzelchen einscannen. Ich zeige es euch.«

Die Frau im Rollstuhl nahm eines der winzigen Knochenfragmente mit der Pinzette hoch und legte es vorsichtig in den Schacht des Computertomographen. Sofort erschien auf dem Bildschirm ein drehbares 3-D-Bild des Fragments.

»Ihr habt jetzt die Aufgabe, alle diese Splitter einzuscannen. Bitte sucht dabei nach Frakturen und Beschädigungen, die *nicht* von den Schneideklingen des Häckslers stammen. Das sind Schusskanäle, Stichspuren, alte Bruchnarben, Explosionsrückstände.«

Sie drehte einen Bildschirm zu den vier Hilfspathologen.

»Ich fange mit einem Schuss in den Rücken an. Hier seht ihr Billy the Kid, 14. Juli 1881, bekanntlich erschossen von Pat Garrett.«

Der Bildschirm zeigte den glatten Durchschuss des dritten Halswirbels.

»Stammt von einer Long-Rifle-Patrone Kaliber .219 – Eine Kugel hinterlässt im Knochen immer einen typischen Wundkanal. Sucht danach.«

Die Gruppe begann mit der Katalogisierung der Knochensplitter. Die Detektivarbeit am Bone-Synthesizer machte ihnen sichtlich Spaß. Wer stieß als Erster auf die Spur eines gemeinen Schusses in den Rücken? Wer deckte einen Meuchelmord mit dem Küchenmesser auf? Während alle still und konzentriert arbeiteten, dachte die Gerichtsmedizinerin nochmals darüber nach, wer unter den Missetätern denn nun der Sozialpädagoge war. Konnte man sich Christl, die gepiercte Punkerin, als Streetworkerin vorstellen? *Darf ich ein paar Ratten aus dem Labor mitnehmen?*, hatte sie vorhin gefragt. Wie sah es mit Achmed, dem dicken gutgekleideten Geck aus? Er schien ihr der oberflächlichste in der Gruppe. War der ausgerechnet der Aufpasser? Sie hatte jedoch noch keinen Sozialpädagogen mit maßgeschneiderten Klamotten gesehen. Ulrich, der coole

Schlaks? Macht einen auf extralässig, vielleicht, um näher an die Gruppe heranzukommen. Und dann natürlich der Depp. Es gab auch studierte, sozial engagierte Deppen, klar. Aber der da, der nur dumme Sprüche und unpassende Bemerkungen auf Lager hatte? Man konnte natürlich nie wissen.

Nach zwei Stunden war ein Viertel der Knochen bereits eingescannt. Keine Schüsse, keine Stiche, keine Verätzungen, keine Brandspuren, nichts. Eine ganz normale, zerstückelte Leiche eines ehemals stattlichen Mannsbildes mit blondem Schopf, guten Kenntnissen der bayrischen Sprache und einer himmelhoch jauchzenden, barocken Schuhplatteltechnik.

»Haben Sie denn eigentlich keine Angst, Frau Doktor?«, fragte Achmed.

»Wovor soll ich denn Angst haben?«

»Vor uns. Wenn wir jetzt was Brisantes, was richtig Geheimes entdecken, müssen Sie dann nicht befürchten, dass Kriminelle wie wir irgendeinen Unsinn damit anstellen?«

»Nein, durchaus nicht«, sagte die Frau im Rollstuhl. »Erstens ist es wahrscheinlich sowieso ein normaler Gartenunfall. Ohne Einwirkung Dritter, wie es so schön heißt. Und zweitens habe ich es bei euch wohl kaum mit hochkriminellen Schwerverbrechern zu tun.«

»Wenn Sie sich da mal nicht täuschen«, sagte der coole Ulrich, während er den Kopf lässig zurückwarf. »Einer von uns ist Sozialpädagoge, das wissen Sie ja schon. Zwei der anderen haben eine kleine Ordnungswidrigkeit begangen und sind vom Richter zu sozialem Dienst verknackt worden.«

»Aber einer von uns hat richtig was ausgefressen«, sagte Achmed. »Fünfeinhalb Jahre ohne Bewährung. Richtig eklige Sache. Das wollen Sie gar nicht wissen. Aber jetzt muss der Schweinehund Punkte sammeln für eine vorzeitige Entlassung, sofern Sie, Frau Doktor, eine gute Beurteilung schreiben. Deshalb Sozialdienst. Einer von uns muss jeden Abend wieder zurück in den Knast.«

»Bloß wer?«, fragte der Depp.

23

Die Hand Gottes zog den Vorhang auf. Auch eine Messe hat viel an gut einstudierter Theatralik zu bieten, vor allem eine katholische Messe in einem solch barocken Haus wie der Pfarrkirche St. Martin. Prächtige Kostüme, stimmungsvolle Musik, vergilbte Dekoration, eine erhabene Bühne, die dem gemeinen Volk verwehrt bleibt. Dramatische Gesten, ein Monolog von der Kanzel, dann die dreimalige Pausenklingel, dazu Pausenwein, ein begeistertes Abonnementpublikum …

Für Kommissar Jennerwein, Johann Ostler und Maria Schmalfuß war die Totenmesse des verstorbenen Professor Bertil Carlsson alias Suderer Bartl ein Pflichttermin. Da sich der Unglücksfall im Kurort inzwischen weitgehend herumgesprochen hatte und viele wenigstens ein kleines Zipfelchen von dem schauderhaften Geschehen mitbekommen wollten, war die Pfarrkirche St. Martin an diesem Mittwoch Nachmittag gesteckt voll.

»Die Chance, die die Trauerfeier bietet, lasse ich mir nicht entgehen«, hatte Jennerwein gesagt.

»Gute Idee«, fügte Polizeihauptmeister Ostler hinzu. »Wenn ein Einheimischer etwas mit der Sache zu tun hat, dann verrät er sich vielleicht.«

»Schön wäre es natürlich«, sagte Maria, »wenn wir uns während der Messe hinter dem Altarbild verstecken könnten, um

126

durch drei geheime Gucklöcher das gesamte Kirchenschiff zu beobachten.«

»Aber Frau Schmalfuß!«, rief Ostler kopfschüttelnd. »Ich glaube nicht, dass der Pfarrer so etwas zulässt.«

Maria kicherte.

»War ja auch nicht ganz ernst gemeint.«

»Wir werden uns in der Kirche verteilen«, entschied Jennerwein. »Wenn etwas Auffälliges geschieht, dann nehmen wir SMS-Kontakt auf. Wir halten uns so gut es geht im Hintergrund. Vergessen Sie nicht: Wir ermitteln nicht offiziell.«

Die Blechbläser schmetterten ein markerschütterndes Kyrie eleison, alle Besucher hatten sich auf die abgewetzten Kirchenbänke gesetzt und lauschten den schauerlich schönen Klängen. Ganz vorne links saß die frisch verwitwete Frau Carlsson. Blond, mit einem Schuss ins Flachsig-Gelbe, groß gewachsen, schlank und muskulös ragte sie aus der Masse auf wie eine edel geschnitzte Galionsfigur eines Wikingerschiffes. Weihrauch umwölkte sie, das Haar war asketisch streng nach hinten zu einem Knoten gebunden. Sie hatte die Totenmesse zusammen mit dem Ersten Vorsitzenden Leonhard Wörndle geplant, man hatte sich für ein althergebrachtes Bauernrequiem entschieden.

Die Musik folgte der traditionellen Liturgie, sie war trotzdem urbayrisch. Es war eine Komposition des Hilfspfarrers Sebastian Pirxl aus dem neunzehnten Jahrhundert, dirigiert wurde das schmetternde Blech von einem wackeren Kirchenmusiker, der es von der Empore aus verstand, dieses Requiem so markerschütternd jenseitig wie möglich darzubieten. Das Gloria prasselte auf die Köpfe der Gläubigen und Sensationsgierigen ein. Ganz hinten stand das Ehepaar Schnitzy.

»Nicht grade billig, die Musik«, flüsterte er ihr zu. »Da ist ja die halbe Kurkapelle am Werk.«

»Aber sie geht ins Gemüt«, erwiderte sie.

Und dann die Hauptfigur des heutigen Stücks. Das war nicht etwa der Pfarrer, der gerade mit den Messdienern würdigen Schrittes aus der Sakristei trat. Gefürchtet bei allen Schauspielern ist nämlich diejenige Bühnenkonkurrenz, die wenig, dafür umso markanteren Text hat. Oder, im schlimmsten Fall: gar keinen. Bertil Carlsson war heute der stumme Mime, der im Mittelpunkt stand. Sein Sarg war vor dem Altar aufgestellt, auch über und über mit Blumen geschmückt, so dass man nur ab und zu die schwedische Fichte durchblitzen sah.

»Ich frag mich, *was* da wohl drin sein wird«, raunte Schnitzy seiner Frau zu.

»Heutzutage kann man mit guten Geräten eine Leiche sicher so herrichten, dass niemand was merkt.«

»Ich glaube nicht, dass sie *den* wieder zusammengeflickt haben. Sonst wäre er ja offen, der Sarg.«

»Vielleicht hat man in Schweden keine offenen Särge.«

»Jetzt gib Ruhe. Knie dich hin. Das Credo fängt an.«

Das war ein Bild: Alle Kirchenbesucher knieten jetzt mit gesenkten Köpfen da, nur Grit Carlsson stand aufrecht und richtete den Blick starr aufs Altarkreuz. Eine winzig kleine Haarsträhne hatte sich aus ihrem strengen Knoten gelöst. Doch jetzt drehte sie den Kopf leicht zur Seite. War das dort drüben nicht …? Aber sie konnte sich auch täuschen. Ihr Blick blieb am Sarg ihres Mannes hängen. Mit einem Ruck machte sie sich davon los und drehte sich rasch zu ihrer Handtasche um. Jeder hinter ihr konnte erkennen, dass sie tapfer versuchte, die

Tränen zurückzuhalten. Sie presste ein Taschentuch vor den Mund, und die Frau in der Bank hinter ihr beugte sich vor und legte ihr tröstend die Hand auf die Schulter.

Das Credo bestand musikalisch aus einem himmelwärts steigenden Bläsereinsatz. Eine warmtönende Bassstimme erklang zur rechten Zeit, der Bassist war der Liebeneiner Maximilian, den meisten Kirchenbesuchern wohlbekannt, denn er sang auch in mehreren Volksmusikformationen mit, er war zudem Stadionsprecher beim Eishockey, und in manchen Kaufhäusern riss es den einen oder anderen Besucher, wenn aus dem Kaufhauslautsprecher der Liebeneiner Maximilian »Wir schließen in wenigen Minuten« gurrte. Der Maximilian war ein dummer, hässlicher und charakterschwacher Mensch, aber er hatte eine herrliche Stimme, und drum war er dort droben auf der Empore gut aufgehoben.

Auch Jennerweins Blick war am blumengeschmückten Sarg hängengeblieben, er jedoch machte sich keine Gedanken über den Inhalt. Er machte sich Gedanken darüber, was zu diesem Inhalt geführt hatte. Er hatte sich bisher unauffällig umgesehen, um die Gläubigen, so gut es eben ging, zu mustern. Einige kannte er, viele grüßten ihn stumm nickend. Er war jedoch nicht so ortskundig wie Johann Ostler oder gar Franz Hölleisen. Jennerwein verfolgte eine andere Strategie. Manchmal spürte er die Unsicherheit, die von einem Gesetzesbrecher ausging. Das klappte nicht immer – gerade die Profis konnten sich sehr gut verstellen, aber dieses Gespür hatte ihm schon oft geholfen, wenn Kalkül, Logik und Indizien versagt hatten. Jennerwein konzentrierte sich. Er stand unter Hochspannung. Dies war vielleicht die letzte Gelegenheit, eine Spur aufzunehmen.

Der Pfarrer begann mit der Predigt. Seine sonore Stimme ergoss sich von der bombastisch verzierten Kanzel über die Köpfe der Trauergemeinde. Es war viel von Wahlheimat, Assimilation und dem Aufgehen in einer fremden Kultur die Rede. Natürlich schleuderte der Pfarrer auch einige Bibelzitate ins Volk: Hiob, 1,1 – Genesis, 2,8 – Prediger, 7,29 – wie Granaten schlugen die Sprüche in der sündigen Menge ein. Tadelnd blickte der Pfarrer auf ein Ehepaar, das hinten im Gang stand und seine ausgetüftelte Predigt zerquatschte.

»Nein, das ist kein Zirbelholz«, sagte Schnitzy.

Denn die Gerechten werden im Lande wohnen ...

»Ein Zirbelholz sowieso nicht, das schaut mir eher nach lackierter Fichte aus«, erwiderte sie.

Und die Frommen werden darin bleiben ...

»Bei uns lackiert man das Fichtenholz beim Sarg nicht in dieser Art.«

Die Gottlosen werden aus dem Lande ausgerottet ...

»Bei uns nicht, aber es könnte ja eine schwedische Fichte sein.«

Und die Verächter werden daraus vertilgt ...

»Schmarrn, die werden doch nicht extra aus Schweden –«

Und die Sünder werden gerichtet werden mit dem Schwert ...

»Vielleicht gibts ja bei IKEA schon fertige Särge.«

Das Benedictus fuhr ihnen mitten in die Spekulationen. Maria Schmalfuß hatte ebenfalls die meisten der Anwesenden ins Auge gefasst. Etwas Verdächtiges war ihr dabei nicht aufgefallen. Sie sah sich nochmals um. Da vorne kniete Jennerwein, wie im Benedictus-Gebet versunken. Man würde den Fall wohl zu den Akten legen müssen. Vielleicht wäre ja doch noch einmal der Gardasee anzudenken. Riva del Garda. Cappuccino in einem Strandcafé, leichte Brise, Mandolinenmusik im

Hintergrund. Ballettartige Bewegungen der Kellner ... Maria sah sich unauffällig um. Wo war Ostler? Auf der Empore? An einem der Seitenaltäre? Ganz hinten zwischen den Stehenden? Maria blickte wieder nach vorne. Ihr Blick fiel auf die Altarwand. Der namensgebende heilige Martin reichte dem Bettler den halben Mantel, sein Pferd blickte hinunter ins Kirchenschiff, etwa auf den Mittelgang. Die Augen des Pferdes waren sehr lebendig gemalt. Um Gottes willen, Johann Ostler hatte doch nicht etwa ...

Ostler hatte. Eine kleine Kirchenspende genügte, und der Pfarrer hatte ihm erlaubt, sich hinter dem wuchtigen Altarbild mit dem heiligen Martin von Tours (Schutzpatron der Reisenden, Armen, Bettler, Flüchtlinge, Gefangenen, Abstinenzler und Soldaten) ein Plätzchen zu suchen. Und durch das Bohrlochauge des prächtigen Rosses ins Kirchenschiff zu spähen. Ostler stand unbequem auf einem wackligen Hocker. Aber jetzt! Ostler stockte der Atem. In der siebten Reihe links stand ein Mann auf. Der war ihm schon die ganze Zeit aufgefallen, weil er ihn keiner einheimischen Familie zuordnen konnte. Es war eine durch und durch großstädtische Erscheinung, ganz in Schwarz gekleidet, von gedrungener Gestalt, mit pomadigen Haaren. Es war einer, der so gar nicht in diese Szenerie passte – ausgerechnet der stand jetzt auf, griff nach seinem Spazierstock, sah sich flüchtig um, bekreuzigte sich nicht und machte Anstalten, die Kirche zu verlassen. Ostler zögerte keinen Augenblick. Es war keine Zeit mehr, eine SMS abzusetzen. Er sprang von seinem wackligen Hocker, eilte in die Sakristei, vorbei an den verdutzten Ersatz-Ministranten. Er riss die Tür auf und stürmte ins Freie. Ostler spurtete um die Kirche herum, dann lugte er vorsichtig um die Ecke. Da vorne ging der Fremde. Er schwang den Spazierstock, blieb ab und zu stehen und betrachtete die Wipfel der Bäume. Trotz aller urbanen Eleganz hatte er etwas Kastenartiges, Kompaktes, er war vielleicht einer von jenen, die früher Kraftsport oder Bodybuilding betrieben haben. Jetzt sah er sich um – Ostler zog den Kopf zurück. Der kompakte Schrank verließ das Kirchengelände und bewegte sich in Richtung Ortsmitte. Vor einem Friseurgeschäft blieb er stehen und beobachtete eine Zeitlang den Betrieb im Inneren. Oder sah er sich im spiegelnden Fenster nach Verfolgern um? Jetzt ging er schnell weiter, wurde noch schneller, als er zur belebten Fußgängerzone gelangte. Ostler kam sich ein wenig lächerlich vor. Von rechts und links wurde er gegrüßt, manche wollten ihm zur Beförderung gratulieren, er versuchte ein dienstliches Gesicht aufzusetzen und winkte ab. Allein war es fast unmöglich, jemanden unbemerkt zu verfolgen. Entweder war der urbane Kraftprotz ein Superprofi, der ihn irgendwo hinlocken wollte – oder ein blutiger Laie, der ihn nicht bemerkte. Ostler kam ins Schwitzen. Plötzlich blieb der Mann stehen. Er beugte sich vor, schien etwas entdeckt zu haben. Er blickte durch die Fensterscheibe eines Cafés, dann ging er kurzentschlossen hinein und setzte sich dort an einen Tisch. Ostler dachte noch einen kurzen Augenblick daran, die anderen per SMS zu informieren und um Verstärkung zu bitten, doch irgendein Polizeihauptmeisterimpuls drängte ihn dazu, ebenfalls ins Café Pumpernickel zu gehen und sich an den Nebentisch zu setzen.

»Einen Kaffee bitte«, sagte Ostler leise zum Kellner.

»Sehr wohl, Herr Ostler«, schnarrte der Kellner mit einer markanten Baritonstimme.

»Welche Ehre, die Polizei bei uns zu haben!«, rief der Wirt lauthals und kam an den Tisch.

»Ah, da schau her, der Gendarm Ostler!«, brüllte ein Mann an der Theke.

»Was führt Sie hierher, Polizeihauptmeister?«, stimmte der schwerhörige Schankkellner an der Theke mit ein. »Der Dienst oder unser Caffè Macchiato?«

Tolle verdeckte Ermittlung, dachte Ostler. Der schwarz gekleidete Kasten, den er verfolgt hatte, schien jedoch von alldem nichts mitbekommen zu haben. Er hatte sich in sein Handy vertieft, wählte eine Nummer. Ostler machte den anderen Zeichen, ihn in Ruhe zu lassen. Sie warfen sich ironische Blicke zu. Ostler hatte jetzt Gelegenheit, Gesicht und Haltung des Mannes zu studieren. Pechschwarz gefärbte Haare. Eng beieinanderliegende, stechende Augen. Der Mann strahlte etwas Verschlagenes, Bösartiges aus. Ostler war sich sicher: Mit dem stimmte etwas nicht. Dieser geschleckte Holzklotz war gefährlich. Er überprüfte unauffällig den korrekten Sitz seiner Dienstwaffe, er vergewisserte sich, dass die Handschellen griffbereit waren, er fingerte nach seinem Mobiltelefon, um endlich eine SMS abzusetzen. Der Mann telefonierte nun, er sprach so laut, dass Ostler ihn gut verstehen konnte, aber er sprach in einer fremden Sprache. Ostler hörte eine Weile zu. Der Mann legte lachend auf. Ostler entschloss sich, ihn anzusprechen.

»Entschuldigen Sie, Sie waren doch gerade in der Kirche, bei der Totenmesse des verstorbenen Herrn Carlsson?«

Der andere sah ihn erstaunt an.

»Sprechen Sie Deutsch?«, fragte Ostler.

»Ja, ich spreche Deutsch. Wir in Schweden lernen das in der Schule.«

Aha, ein Schwede. Das war natürlich gleich zweimal verdächtig. Ostler hatte die eine Hand an der Heckler & Koch, die andere am baumelnden Achter.

»Darf ich Ihren Namen erfahren?«

»Backlund. Nils Backlund.«

»Warum haben Sie die Kirche verlassen?«

»Weil ich Blasmusik hasse. Aber warum interessiert Sie das?«

»Ich bin Polizeihauptmeister Johann Ostler. Ich ermittle in dem Fall Carlsson. Was haben Sie für eine Beziehung zu dem Verstorbenen?«

»Ich war sein Friseur. Bertil war ein guter Freund von mir.«

Viele Gemeindemitglieder mussten unwillkürlich an die Trompeten von Jericho denken, als die Schlussmusik der Messe von der Empore herabdonnerte, der treibende und stampfende Rhythmus war der kompositorische Versuch, Tote aufzuwecken. Marias Blick fiel auf das Altarbild. Das Auge des Pferdes hatte sich verändert! Das hieß wohl, dass Ostlers Spähposten unbesetzt war. Und in dem Moment plodderte auch schon ihr Mobiltelefon in der Tasche.

Die Musik veränderte sich, sie wurde weicher und sentimentaler. Man erwartete wieder den warmtönenden Bass des Liebeneiner Maximilian (»Wir schließen in wenigen Minuten«) – aber stattdessen sang nun eine Frau, ein warmer, kräftiger Mezzosopran, der die schwedische Nationalhymne anstimmte. *Du gamla, Du fria, Du fjällhöga nord ...* Du alter, Du freier, Du gebirgiger Norden. Aber diese Stimme! Einige Besucher im Kirchenschiff wurden unruhig und flüsterten sich etwas zu. Auch Jennerwein kam die Stimme bekannt vor. Er schloss die Augen. In seinem Kopf tauchten Songs auf wie *Fernando, I Have A Dream, Super Trooper ...* Und jetzt die schwedische Nationalhymne? Viele drehten sich um und blickten nach oben. Doch es war niemand auf der Empore. Es war eine Einspielung.

»Siehst du«, sagte der Trachtenvereinsvorsitzende Leonhard Wörndle zu seiner Frau, »jetzt hat er es doch geschafft!«

»Was?«

»Der Bartl hat mir immer erzählt, dass das sein größter Wunsch ist. Dass die Anni-Frid von ABBA die schwedische Nationalhymne für ihn singt.«

»Ach die ist das? Schade, dass er keinen Kopf mehr dafür hat.«

24

Lieber Ostler, lieber Hölleisen!

Wir sind gerade in London gelandet, und wir sind sofort zum Highgate Cemetery gefahren, wo der Karl Marx liegt. Wir haben die *Internationale* an seinem Grab gesungen, das heißt, wir haben es versucht, aber wir haben den Text nicht mehr ganz zusammengebracht. Und was die Engländer für Grabsprüche auf den Steinen stehen haben! Chief Inspector Brown, bei dem wir uns gemeldet haben, hat uns die außergewöhnlichsten gezeigt. Einer hat uns besonders gefallen:

STERBEN
IST EINE BESONDERS PENETRANTE ART,
SICH WICHTIG ZU MACHEN

Gut, gell? Der Chief Inspector (der uns ein wenig an den Jennerwein erinnert) hat gesagt, dass es deswegen sogar Anzeigen gegeben hat, wegen Störung der Totenruhe. In unserer Zeit als Bestatter sind uns manchmal auch g'spassige Inschriften untergekommen. Der Schlangenpfiff Herbert hat damals einen alten Werdenfelser Spruch in Granit setzen lassen:

WER EINEN ANSTAND HAT,
DER STIRBT BEIZEITEN

Das müsst ihr euch vorstellen, was man sich da als noch lebender Grabbesucher denkt! Ein schlechtes Gewissen bekommt man! Die Brotrück Vroni aber hat den Vogel abgeschossen. Bei der steht drauf:

EINE GUTE WURST
BRAUCHT KEINEN SENF

Seit Jahren rätseln die Leute, was das zu bedeuten hat! Meine eigene Oma hat den Spruch immer in Bezug auf Schminken und Mode gebraucht. Das könnte bei der Brotrück Vroni auch passen. Aber am wahrscheinlichsten ist es eine Anspielung darauf, dass sie *nie* verheiratet war.

Wir sind es schon – Don't Worry, Be Happy –
Ursel und Ignaz

25

Johann Ostler war fest davon überzeugt, dass eine Person, die mitten in einer katholischen Messe aufsteht und die Kirche verlässt, ohne sich zu bekreuzigen, von Haus aus verdächtig ist. Seine Hand verschmolz mit der Dienstwaffe.

Backlund und Ostler saßen sich im Nebenraum des Café Pumpernickel gegenüber. Ostler hatte den Wirt gebeten, den Raum für das Publikum zu sperren.

»Ich fühle mich geehrt«, sagte Backlund ironisch. »Man traut einem kleinen Friseur aus Stockholm offensichtlich ein nicht unerhebliches Verbrechen zu! Man verfolgt mich mit beträchtlichem Polizeiaufgebot … Um was geht es eigentlich?«

Ostler entging die Häme Backlunds nicht.

»Ich darf Ihnen ein paar Fragen stellen. Woher wussten Sie von Carlssons Tod?«

Backlund lächelte. Nach Ostlers Geschmack lächelte der Schwede schon wieder ausgesprochen unverschämt. Aber er versuchte, sich nicht provozieren zu lassen.

»Ich bin Friseur.«

Backlund machte eine Pause, als würde das die Frage schon beantworten.

»Einige Kunden haben es mir erzählt«, fuhr er fort. »Mein Laden liegt ganz in der Nähe des Karolinska-Instituts. Mancher Nobelpreisträger hat sich schon von mir die Haare schneiden lassen. Sehen Sie sich mal die Bilder der Preisträger an – meine Handschrift ist unverkennbar. Der *Backlund'sche Style*.«

»Sie haben also aus dunklen Quellen von Carlssons Tod erfahren. Das will ich einmal so stehen lassen. Jetzt eine andere Frage: Wann sind Sie angereist?«

»Heute Morgen.«

»Zeigen Sie mir doch mal Ihr Flugticket.«

»Ich bin mit dem Zug gefahren. Ich habe Flugangst.«

»Gibt es einen Beleg dafür? Zum Beispiel eine Fahrkarte?«

Backlund verdrehte die Augen, stand auf und durchwühlte seine Taschen, Ostler beobachtete ihn misstrauisch. Er drückte den Knauf seiner Heckler & Koch so fest, dass das Plastik knackte.

»Nein, tut mir leid, das Ticket muss ich wohl weggeworfen haben. Aber halt! Jetzt fällt mir was ein.«

Er schlug sich theatralisch an die Stirn. Der Mann konnte einen wirklich in den Wahnsinn treiben.

»Ich habe mich im Zug mit einer reizenden Dame unterhalten. Die kann sich sicher noch an mich erinnern. Moment, ich habe doch ihre Telefonnummer irgendwo aufgeschrieben –«

Backlund durchsuchte seine Taschen erneut und warf einen Haufen zerknitterter Zettel auf den Tisch.

»Fehlanzeige. Vielleicht habe ich ihr ja auch *meine* Telefonnummer gegeben. In diesem Fall müssten wir warten, bis sie anruft.«

Dieser Schwede ging Ostler ganz gewaltig auf die Nerven. Er hatte den Verdacht, dass Backlund schon mehrere Tage im Ort war. Ihm kam eine Idee: Er würde ein paar Gästehäuser anrufen, die es nicht ganz so genau mit den Anmeldeformularen nahmen und bei denen Backlund abgestiegen sein könnte.

Die Tür öffnete sich. Jennerwein und Maria traten ein und blickten Ostler fragend an. Der erhob sich, stellte Backlund und die Polizisten einander vor, gab auch eine kurze Zusammenfassung der Ereignisse.

»Dürfte ich bitte Ihren Ausweis sehen?«, fragte Jennerwein höflich.

»Darf ich zunächst bitte *Ihre* Ausweise sehen?«, entgegnete Backlund blasiert.

Das war lästig, aber nach dem deutschen Polizeiaufgabengesetz korrekt. Ostler und Maria zückten ihre Dienstausweise, Jennerwein zeigte seine Messingmarke. Backlund betrachtete besonders Ostlers winziges Symbol staatlicher Macht interessiert. Der Titel *Obermeister* war durchgestrichen und durch den Begriff *Hauptmeister* ersetzt. Wollte Backlund Zeit schinden? Oder war das die legendäre skandinavische Gelassenheit? Es verstrichen Minuten, bis der Friseur alle Legitimationsdokumente genau studiert hatte. Das Ermittlungsteam beobachtete ihn schweigend. Plötzlich fiel Jennerweins Blick auf das Lederetui, in dem seine Dienstmarke steckte. Er war einer der ganz wenigen Polizisten, die ihren Ausweis und die Marke zusammen in so einem Mäppchen trugen. Wann hatte er die Marke eigentlich das letzte Mal gezückt? Er wusste es nicht mehr. Im Inneren des Etuis befand sich ein kleiner, stricknadeldicker Spitzstichel, mit dem man Schlösser öffnen konnte, das Überbleibsel irgendeiner Fortbildungsveranstaltung der Kollegen vom Raubdezernat.

»Na, dann scheint ja so weit alles in Ordnung zu sein«, spottete Backlund und gab Ausweise und Dienstmarke zurück.

»Wie lange haben Sie vor, hier in der Gegend zu bleiben?«, fragte Jennerwein beiläufig, als er seine Marke wieder einsteckte. Den Stichel musste er bei Gelegenheit wieder herausnehmen. Jemand könnte auf falsche Gedanken kommen.

»Ein paar Tage vielleicht.«

»Darf ich Ihre Adresse im Ort wissen? Nur für den Fall, dass wir weitere Fragen haben.«

»Ich bin heute erst angekommen, ich muss mir noch ein Hotel suchen.«

»Eine letzte Frage, Herr Backlund. Vielleicht können Sie uns helfen. Sie haben Herrn Carlsson gut gekannt. Fällt Ihnen jemand ein, der Interesse an seinem Tod haben könnte?«

Backlund lachte auf.

»Soll ich Ihnen wirklich eine Liste mit allen internationalen Pharmafirmen geben, und von jeder dieser Firmen wiederum eine Riesenliste mit allen Mitarbeitern, die in den letzten zwanzig Jahren im Bereich Produktentwicklung beschäftigt waren? Bertil hatte Gegner, klar. Diejenigen, die nicht zum Kreis der Gesalbten gehörten, waren meist nicht begeistert von der Entscheidung der Jury. Aber er ist seit fünf Jahren ausgeschieden. Deshalb bin ich überzeugt davon, dass kein Mitarbeiter Hü der Firma Hott den Juror Bertil Carlsson nach all den Jahren umbringt, nur weil der Forscher Brrr, der in der Firma Hott arbeitet, den Preis nicht bekommen hat.«

»Sie kennen sich bestens aus im Nobelpreisgeschäft.«

»Das liegt an meiner speziellen Kundschaft. Ich habe mich schon früh auf das Stylen von hochdekorierten Wissenschaftlerköpfen verlegt. *Backlund – Unter dieser Frisur steckt immer ein kluger Kopf.*«

»Wie sieht es mit persönlichen Feinden aus?«, fragte Maria. »Hatte Carlsson welche?«

»Nicht dass ich wüsste.«

»Gab es Konkurrenz und Streitigkeiten innerhalb der Jurymitglieder?«

»Eigentlich nicht. Rangeleien, ja. Granqvist, Sundström und Pettersson. Die drei legten sich immer mit allen anderen an.

Das waren die Oldies. Sie zitierten sehr oft aus dem Testament des alten Nobel: *Nutzen für die Menschheit* und so. Carlsson war ziemlich offen für Neues. Die drei hingegen waren konservative alte Scheißer. Richtige Kotzbrocken. Reaktionäre, wie sie im Buche stehen. Pettersson war der Schlimmste.«

»Ihr Urteil ist hart, Herr Backlund.«

»Sie haben kein Trinkgeld gegeben. Aus Rache habe ich ihre Haare immer gegen den Wirbel geschnitten.«

»Es wäre schön, Herr Backlund«, sagte Jennerwein, »wenn Sie uns im Lauf des Tages mitteilen würden, in welchem Hotel Sie untergebracht sind. Wir haben vielleicht noch ein paar Fragen.«

»Darf ich ganz offen sein?«, fragte Backlund unvermittelt und geheimnisvoll.

»Ja, natürlich.«

»Sie würden alle drei einen Haarschnitt vertragen.«

Unverschämter Kerl, dachte Maria. Sie wandte sich ab. Sie hatte gerade heimlich ein iPad-Foto von Backlund geschossen. Sie tippte noch eine Nachricht ein und schickte sie weg: *Kennen Sie diesen Mann?* Wörndles Handy surrte, er öffnete die MMS-Nachricht. Er besah sich das Bild genau und simste umgehend zurück: *Nie gesehen.*

Leonhard Wörndle, der Erste Vorsitzende des Volkstrachtenvereins, wandte sich wieder seinem Besucher, dem Wolzmüller Michl, zu. Der war in seiner Eigenschaft als Polizeizeichner zu ihm gekommen. Er sollte eine Phantomskizze des Fremden erstellen, der Wörndle nach Carlsson gefragt hatte. Der Wolzmüller Michl war ein verschlossener, maulfauler Geselle, lediglich beim Malen und Zeichnen blühte er auf, in diesen Disziplinen leistete er tatsächlich Großartiges. Er wurde von

Jennerweins Team bei schwierigen Fällen engagiert, wenn zum Beispiel die am Computer erstellten Phantombilder versagt hatten. Der Wolzmüller hatte die Gabe, das Wesentliche, Eigentliche an einer Person zu erfassen, und das konnte er mit wenigen Strichen skizzieren. Die Arbeit mit Leonhard Wörndle gestaltete sich allerdings schwieriger als gedacht. Er konnte sich an das Aussehen des Mannes, der sich nach Carlsson erkundigt hatte, überhaupt nicht erinnern.

»Ich glaube, er hat ein ovales Gesicht gehabt«, sagte Wörndle, und nachdenkliche Falten erschienen auf seiner sonst so rosigen Stirn.

»Oval oder rund oder eckig, das nutzt mir nichts«, entgegnete der Michl unwirsch. »Das kann ich nicht zeichnen. Mach die Augen zu und nenn mir ein Viech, das dir bei diesem Menschen einfällt.«

»Ein Viech? Wie du meinst. Er hat so was Fanatisches gehabt. Stechende Augen. Er hat ausgesehen wie ein Fuchs oder ein Wolf. Ein hechelnder Wolf.«

»Was für eine Farb fällt dir bei dem ein?«

»Silbern, vielleicht auch grau.«

»Und wie hat er dich angeschaut? Mit was für einem Ausdruck? Von oben herab? Grantig? Lauernd?«

»Eher erschöpft.«

Das war die Technik des Aushilfspolizeizeichners Michl Wolzmüller. Nach vielen Rückfragen und Korrekturen war mit Hilfe eines dicken Zimmermannsbleistifts ein brauchbares Phantombild von dem Mann entstanden, der Leonhard Wörndle besucht hatte. Es war eine schlanke, fast schon ausgezehrte und verhuschte Gestalt, von der man den Eindruck gewinnen musste, dass sie sich gegen etwas auflehnte. In den

Augen dominierte ein nibelungentreuer Hundeblick, hinter dem man jedoch ein Wesen ahnte, das jederzeit bereit war, zuzubeißen.

»Und? Hat er ungefähr so ausgeschaut?«

»Ja, das kommt hin«, sagte Wörndle. »Ovales Gesicht, wie ich gesagt habe.«

Wörndle fotografierte das Bild mit der Handykamera und schickte es per MMS an Maria Schmalfuß. Bildunterschrift: *So schaut er aus!* Maria war gerade mit Ostler und Jennerwein auf dem Weg zurück aufs Polizeirevier.

»Da, sehen Sie mal her, das scheint der Mann zu sein, der sich vor zwei Wochen nach Bertil Carlsson erkundigt hat. Wolzmüller hat ganze Arbeit geleistet.«

Alle betrachteten die Phantomzeichnung. Eine ausgemergelte Gestalt mit stechenden Augen stierte sie an.

»Dieser Mann ist so ziemlich das Gegenteil von Backlund«, sagte Jennerwein. »Backlund ist ein Tanzbär. Oder ein Auerhahn. Der da ist ein Wolf, der einer Fährte folgt.«

»Sollen wir eine Fahndung starten?«, fragte Ostler.

»Nein«, sagte Jennerwein. »Dazu ist es noch zu früh. Das kriegen wir zudem mit den wenigen Ermittlungsergebnissen nie und nimmer genehmigt. Dr. Rosenberger drängt zur Eile. Wenn wir nicht bald Fakten vorweisen, wird die Akte geschlossen. Ich hingegen bin immer noch der Meinung, dass es sich lohnt, weiterzumachen. Ich bin überzeugt davon, dass wir es mit einem Verbrechen zu tun haben. Vielleicht sogar mit einem, das ein anderes, noch schwerwiegenderes, verdecken soll. Ich schlage vor, wir warten, bis die Beerdigung zu Ende ist. Dann gehen wir zu Grit Carlsson und konfrontieren sie mit dem neuesten Wolzmüller'schen Werk.«

Jennerwein stand auf und wiegte den Kopf.

»Ein eigenartiger Fall. Wir haben überhaupt nichts in der Hand. Der ermittlerische Instinkt drängt uns jedoch dazu, weiterzuforschen.«

»Wir haben irgendetwas übersehen«, sagte Maria. »Etwas ganz Offensichtliches und Naheliegendes.«

Johann Ostler ging in den Nebenraum und griff zum Telefonhörer. Er wollte die Zeit nutzen. Auch er spürte den ermittlerischen Instinkt in sich brodeln. Ihm wurde dieser Backlund immer verdächtiger. Er wählte eine Nummer, die er auswendig wusste.

26

»Annamirl Amsel, Bayrische Stuben.«

»Johann Ostler, Bayrische Polizei.«

»Servus, Joey.«

»Servus, Annamirl. Ich rufe wegen einem Gast an.«

»Das denke ich mir schon, dass du nicht bei mir übernachten willst. Oder vielleicht doch? Hat dich die Sabine am Ende nausg'schmissen?«

»Der Gast, den ich meine, hat höchstwahrscheinlich vor ein paar Tagen eingecheckt.«

»Wie heißt er?«

»Wie er heißt? Jetzt tu doch nicht so: Als ob bei euch die Gäste schon jemals die vorgeschriebenen Anmeldeformulare ausgefüllt hätten!«

»Und warum rufst du ausgerechnet mich an?«

»Weil Annamirl Amsel die Erste im Alphabet ist.«

»Ich hab einen Kellner, der Zitzmann heißt. Vielleicht sollte ich den heiraten.«

»Der, nach dem ich suche, ist ein Mannsbild, er hat einen breiten Brustkorb, blaue Augen –«

»Wie blau?«

»Ein wässriges Schwedenblau. Ein halbertes Blau. Nix Blaues und nix Grünes.«

»So genau schau ich mir die Gäste nicht an.«

»Ungefähr eins achtundsiebzig groß. – Schreibst du mit?«

»Nein, ich habe die Augen zu und konzentrier mich auf den blauaugerten Mann eins achtundsiebzig mit breitem Brustkorb.«

»Und was soll jetzt der Kellner Zitzmann denken, wenn du mit mir telefonierst und die Augen genüsslich geschlossen hast?«

»Ich hab sie ja nicht *genüsslich* geschlossen. Eher konzentriert.«

»Und dann hat er so was Schrankartiges.«

»Bauernschrank oder Einbauschrank?«

»Rustikale Eiche. Genauso hoch wie breit.«

»Hm. Mal überlegen. Einer fällt mir ein, der hat vor ein paar Tagen eingecheckt, das war ein richtiger Hulk. Der hat so einen quakerten Gang gehabt, so einen gocklerten, wie wenn er vor lauter Kraft gar nicht mehr laufen könnte. Aber das ist nicht der, den du suchst.«

»Warum nicht?«

»Das war eine Frau.«

»Das hilft mir nicht weiter.«

»Ein anderer ist mir aufgefallen, der hat kein Wort gesagt, hat nur das Geld hergelegt für drei Nächte. Der war jetzt kein durchtrainierter Bodybuilder, sondern eher so ein unförmiger Klotz, ein breitschädliger. Ein grober Teufel.«

»Irgendwie brutal?«

»Das kannst du laut sagen. – Das ist ja witzig: Da kommt er gerade die Treppe herunter!«

»Er ist jetzt bei dir?«

»Ja, er will anscheinend den Schlüssel abgeben. Warte einen Moment. – *Grüß Gott, der Herr! Ist alles recht?*«

»So freundlich habe ich dich noch nie erlebt, Annamirl.«

»Psst, Joey! Ich will ihn doch bloß hinhalten. – *Wollen Sie einen Spaziergang machen? Wo solls denn hingehen?*«

»Nein, Annamirl, der kann es auch nicht sein. Meinem Verdächtigen bin ich vor zwanzig Minuten noch gegenübergestanden, der kann jetzt nicht aus seinem Hotelzimmer kommen.«

»Schad. Das wäre ein schöner Verdächtiger gewesen. Dann habe ich noch einen, der hat so was Geschlecktes, Großstädtisches. Wie ein rausgebackener Tannenzapfen. So ein Künstlertyp. Schon auch groß und breit, aber eben künstlerisch groß und breit.«

»Künstlerisch?«

»Der stolziert mit einem Spazierstock herum. Zieht dauernd einen Zettel raus und schreibt was auf.«

»Das ist der, den ich suche! So ein hagebuchener Lackl?«

»Genau. So ein spitzwinklerter Hackstock, so ein windschiefer.«

»Wir verstehn uns. Das ist er. Wann ist er angereist?«

»Grade eben. Vor fünf Minuten. Er hat sogar seinen Namen aufgeschrieben. Nils Backlund.«

»Annamirl, das ist er! – Aber sag einmal, irrst du dich nicht? Ist der nicht vielmehr vorgestern angereist? Oder noch früher?«

»Nein, den hab ich zuvor noch nie gesehen. Aber der hat so was Halbschaariges: elegant und brutal. Beschützt du mich vor dem, Joey?«

»Nein, wenn er heute erst angekommen ist, dann ist er nicht gefährlich. Dann brauchst du keinen Schutz.«

»Schad.«

Polizeihauptmeister Johann Ostler beschloss, Backlund trotzdem im Auge zu behalten.

27

Grit Carlsson stand im Garten und schnitt ein paar Buchs-
baumzweige. Sie kam gerade von der Beerdigung ihres Mannes. Eine endlose Schlange hatte sich gebildet, um zu kondolieren. Es hatte eine halbe Stunde gedauert, bis sie jedem die
Hand geschüttelt hatte. So beliebt war der Suderer Bartl im
Ort gewesen. Die Schützenkompanie hatte einen Ehrensalut
geschossen, es ertönten unzählige Trommelwirbel, alle Vereine
bis hin zum Steinheberclub hatten ihre Fahnen ins Grab ge-
senkt. Beim Kondolieren hatte sich jeder ein paar besonders
tröstende und originelle Worte einfallen lassen. Es war sicherlich eine schöne Leich' gewesen. Aber jetzt wollte Grit allein
sein.

Sie schlenderte im Garten umher. Die stumme Freja arbeitete
im Haus, sie hatte Anweisungen bekommen (eine Faust vor-
gestreckt, mit der anderen Hand auf dem Handrücken gerie-
ben), gründlich aufzuräumen, ein paar Sachen in Kisten zu
verpacken. Grit hätte eigentlich Lust gehabt, sich ans Klavier
zu setzen, doch wenn sie das Haus nicht für sich alleine hatte,
spielte Grit ungern. Auch Bertil war immer unterwegs gewesen, wenn sie sich über das Elfenbein beugte, um die gemein
schwere Chopinetüde Nr. 7 (›Der Daumenbrecher‹) zu üben.
Grit schlenderte weiter im Garten herum. Waren diese Polizisten eigentlich bei der Beerdigung gewesen? Das einheimische

Urviech Ostler, der unauffällige Kommissar Jennerwein und die spinnenbeinige Psychologin Maria Schmalfuß – diese drei hatte sie nach der Messe gar nicht mehr gesehen.

Wehmütig ließ sie den Blick über den Garten schweifen. Das alles würde Bertil Carlsson nie mehr genießen können. Sie holte ihre Kamera und schoss ein paar Bilder. Die leibhaftige Blauregen- und Knöterich-Explosion, die sich am Haus hochrankte. Die halb verdeckte Inschrift *Beim Suderer.* Plötzlich hatten sich drei Gestalten ins Bild geschoben, die am Gartenzaun aufgetaucht waren.

»Entschuldigen Sie, Frau Carlsson, dass wir Sie stören.«

»Das tun Sie nicht. Kommen Sie herein.«

Ostler, Maria und Jennerwein hatten sich entschlossen, Grit Carlsson trotz des Beerdigungstages nochmals aufzusuchen.

»Nochmals unser herzliches Beileid«, sagte Ostler.

»Danke«, entgegnete Grit. »Möchten Sie eine Tasse Kaffee?«

Sie setzten sich ins Wohnzimmer, Maria blickte sich um. Ihr fielen sofort die Umzugskisten auf, die in der Ecke aufgestapelt waren. Sie machte Jennerwein ein Zeichen, doch der nickte wissend zurück. Er hatte sie schon längst bemerkt. Eine beneidenswerte Gabe, dachte Maria: Dieser Mensch checkt mit einem Blick das Wesentliche in einem Raum. Warum nur wendet er diese Gabe nicht auf mich an?

»Frau Carlsson, wir sind gekommen, weil wir Ihnen etwas sehr Wichtiges zeigen wollen.«

Maria holte ihr iPad heraus und öffnete den Entwurf von Wolzmüller.

»Das ist eine Skizze unseres Polizeizeichners. Kennen Sie diesen Mann?«

Grit blickte starr auf den Bildschirm. Sie nahm das iPad in die Hand und betrachtete die Zeichnung aufmerksam. Sie holte ihre Lesebrille, setzte sie auf, nahm sie wieder ab. Sie schüttelte den Kopf, erst unmerklich leicht, dann immer stärker und zittriger. Sie kniff die Augen zusammen, schlug die Hände vors Gesicht und wandte sich ab. Sie wurde von einem Weinkrampf gepackt, der in ein heiseres, röchelndes Schreien überging.

»Sollen wir einen Arzt rufen, Frau Carlsson?«

Grit schnäuzte sich.

»Nein, es geht schon wieder. Sie entschuldigen mich einen Moment –«

Sie erhob sich und verließ den Raum. Es dauerte nicht lange, da kam sie wieder herein. Sie rang sichtlich um Fassung.

»Frau Carlsson, es ist vermutlich doch der unrechte Zeitpunkt –«, begann Jennerwein. »Wir kommen vielleicht heute Abend wieder.«

Die Beamten machten Anstalten, sich zu erheben.

»Nein, nein, bleiben Sie nur.« Grit schniefte. »Ich kenne diesen Mann. Ich kenne ihn sogar sehr gut. Ich weiß nicht, woher Sie diese Zeichnung haben. Es war ein Schock für mich. Ich war kurz davor, Sie anzulügen. Aber Sie bekommen es ja irgendwann doch raus.«

Maria legte Grit die sanfte, feingliedrige Psychologenhand auf die Schulter.

»Frau Carlsson, Sie müssen jetzt keine unüberlegten Aussagen machen.«

Grit befreite sich aus Marias Umarmung.

»Ich habe mich mit diesem Mann vor ein paar Tagen getroffen. Heimlich, außerhalb des Kurortes. Heimlich ist vielleicht der falsche Ausdruck. Bertil sollte davon nichts wissen, aber nur, weil ich ihn nicht beunruhigen wollte. Dieser Mann heißt

Ole Jökelsund. Und Ole Jökelsund ist nicht etwa mein Liebhaber. Er *war* mein Liebhaber. Vor einer Ewigkeit. Fünfunddreißig Jahre ist das jetzt her. Ja, ich hatte damals eine kurze Affäre mit ihm. In der Zeit, in der ich Bertil schon kannte. Der hat nie von der kurzen Episode erfahren. Ole ist dann kurz darauf ausgewandert. Ich habe die ganzen Jahre nichts mehr von ihm gehört. Bis vor ein paar Tagen.«

»Kannten sich Ihr Mann und Jökelsund?«, fragte Jennerwein.

»Ja, das war ja das Delikate an der Geschichte. Die beiden waren enge Freunde. Warten Sie, ich habe sogar ein gemeinsames Foto.«

Sie kramte ein Foto aus der Kommode. Es zeigte eine Schneelandschaft. Im Hintergrund standen zwei Männer. Beide lachten in die Kamera, beide trugen dicke Wollmützen und hielten ihre Ski in der Hand. Beide waren schlank, sportlich und blond.

»Das war bei einem Langlauf. In Riksgränsen, so um 1979 herum. Kurz danach hatte ich die Affäre mit ihm angefangen. Und dann ist er ausgewandert.«

»Und jetzt ist er plötzlich wieder aufgetaucht«, stellte Ostler fest.

»Ja, stellen Sie sich das mal vor. Nach so vielen Jahren. Er hat sich gemeldet und mich um ein Treffen gebeten. Was sollte ich tun? Ich habe zugesagt. Wir haben uns an der Kreuzung von zwei Almwanderwegen getroffen. Wie gesagt: heimlich. Niemand hat uns gesehen. Ole hat sich sehr verändert. Es war für mich schrecklich anzusehen, wie ausgemergelt er aussah. Als ob er krank wäre.«

»Was wollte er von Ihnen?«

»Er hat mich um Geld gebeten.«

»Haben Sie ihm welches gegeben?«

»Ja. Er hat es genommen und ist verschwunden. Er hat mir nicht gesagt, wohin. Er hat geschworen, mich nie wieder zu behelligen.«

»Wie viel Geld?«

»Eine erhebliche Summe.«

»Nun gut. Aber wenn die ganze Geschichte fünfunddreißig Jahre her ist, hätten Sie Ihrem Mann dann nicht einfach die Wahrheit sagen können?«

»Es ist besser so«, sagte Grit mit leiser Stimme. »Es *war* besser so.«

Eine Pause trat ein. Maria warf Zucker in ihren Kaffee und rührte unendlich lange in ihrer Tasse herum.

»Und Sie haben keine Ahnung, wohin Ole Jökelsund verschwunden ist?«, fragte Ostler.

»Nein.« Grit richtete sich auf. »Ich will es auch gar nicht wissen. Sie scheinen mir richtig tüchtige Polizisten zu sein. Das ist mir von Anfang an schon aufgefallen. Ich dachte mir, ich sage Ihnen das mit Ole, bevor Sie es selbst herausbekommen und falsche Schlüsse daraus ziehen. Denn es handelt sich hier nicht um ein Eifersuchtsdrama. Und wenn wir schon dabei sind, Klartext zu reden: Ich habe vorher Ihre Blicke gesehen, Frau Schmalfuß und Herr Jennerwein. Sie haben die Kisten in der Ecke ganz richtig interpretiert. Ich packe. Ich ziehe um. In diesem Haus will ich nicht mehr leben. Ich habe schon einen Makler beauftragt, der das abwickeln wird.«

»Frau Carlsson, das kann ich gut verstehen. Wir müssen Sie aber trotzdem bitten, uns im Falle, dass Sie den Kurort verlassen, Ihre neue Adresse mitzuteilen.«

»Natürlich. Es wird sicher noch einige Tage dauern. Ich habe vor, nach Schweden zurückzugehen. Ich werde Sie über meine Schritte informieren.«

Grit stand auf, ein Lächeln überflog ihr verheultes Gesicht.

»So, jetzt ist es raus. Und mir ist wohler dabei. Entschuldigen Sie nochmals. Aber ich denke, dass diese Sache mit dem Unfall meines Mannes überhaupt nichts zu tun hat.«

Jennerwein wiegte den Kopf.

»Nun, Frau Carlsson, wir werden trotzdem versuchen, Herrn Jökelsund ausfindig zu machen.«

Jennerwein, Ostler und Maria standen auf.

»Ach, eines noch«, sagte Grit. »Der schwedische Botschafter kommt heute Abend zu mir. Und noch ein paar andere Leute. Zu einem – wie sagen Sie im Deutschen dazu?«

»Leichenschmaus?«

»Wenn Sie wollen, sind Sie natürlich herzlich eingeladen.«

Jennerwein, Ostler und Maria lehnten dankend ab und verabschiedeten sich.

»Was halten Sie davon?«, fragte Jennerwein, als sie außer Hörweite waren.

»Ich habe sehr widersprüchliche Signale von Frau Carlsson empfangen«, antwortete Maria. »Ihr Verhalten entspricht auf keinen Fall den üblichen Trauermustern. Das Kübler-Ross'sche Trauermodell *Schock-Leugnung-Bewältigung* greift hier nicht. Ich habe zum Beispiel noch nie jemanden gesehen, der so schnell damit begonnen hat, die weltlichen Spuren des Verstorbenen zu beseitigen. Und stellen Sie sich vor: Sie hat sich überhaupt nicht von mir trösten lassen.«

»Also, ich glaube der Frau«, sagte Ostler. »Wenn jemand den Gatten umbringt und mit dem Liebhaber verschwinden will, dann stößt er doch die Polizei nicht mit der Nase auf diesen Liebhaber. Wir haben vorher von Ole Jökelsund gar nichts gewusst. Und ohne sie hätten wir nie etwas von ihm erfahren. Ich glaube eher, dass mit diesem Backlund etwas nicht stimmt.«

»Trotzdem werden wir versuchen, Jökelsunds Aufenthaltsort zu ermitteln«, sagte Jennerwein bestimmt. »Leiten Sie die üblichen Schritte ein, Ostler. Wir verfolgen außerdem die Nobelpreisspur. Ich habe von den Kollegen in Stockholm die Listen angefordert, mit Medizinern, die den Nobelpreis *nicht* erhalten haben. War nicht ganz leicht, sie zu bekommen. Die Listen unterliegen natürlich der strengsten Geheimhaltungspflicht.«

»Und die widersprüchlichen Signale von Frau Carlsson?«, schnaubte Maria. »Um die kümmere ich mich dann eben selbst.«

Jennerwein hatte Maria selten so sauer gesehen. Bemerkenswert, dachte er. Wenn es um die professionelle Ehre geht, sind wir doch alle empfindlich.

Sie waren jetzt im Revier angekommen.

»Sollen wir Ludwig Stengele und Nicole Schwattke mal die bisherigen Protokolle des Falles schicken?«, fragte Ostler. »Das würde die beiden sicher interessieren. Und vielleicht hat einer von ihnen eine Idee.«

»Tun Sie das, Polizeihauptmeister. Wann können wir denn wieder mit Hölleisen rechnen?«

»Hölli? Sein Fortbildungsseminar dauert die ganze Woche. *Interkulturelle Kompetenz für die bayrische Polizei* – so was kann sich ziehen. Ich habe auch schon mit ihm telefoniert. Wussten Sie zum Beispiel, Chef, dass in Griechenland das Zeigen der offenen Handfläche eine extreme Beleidigung ist? Sogar beim Abschiedswinken zeigt man den Handrücken. Was für uns natürlich meschugge aussehen muss.«

»Nein, das wusste ich nicht.«

»Soll Hölli das Seminar womöglich unterbrechen? Oder soll ich einen anderen Kollegen bestellen?«

»Nein, für solche Personalanforderungen müssten wir schon einen dringenderen Verdacht aus dem Hut zaubern.«

So war es bei der Polizei. Bei bestimmten Entscheidungen des Bundespersonalvertretungsgesetzes (BPersVG) zur Personalanforderung (PAfo) nützten noch so untrügliche Gefühle überhaupt nichts.

28

Motte Viskacz beugte sich angespannt über die Computertastatur. Seine Miene zeigte null Regungen. Man konnte überhaupt keine Schlüsse daraus ziehen. Das ist eine weitere Facette des Kulturverfalls: Menschliche Gesichter sind auch nicht mehr das, was sie einmal waren.

Auf einen Schlag, so etwa Ende des vorigen Jahrhunderts, sind sieben Milliarden Gesichter austauschbar, blass und unansehnlich geworden. Früher sprach man noch von einer *interessanten Physiognomie*, das war zum Beispiel ein ausdrucksvolles Antlitz mit heraustretenden Wangenknochen und einer betont breiten Kinnpartie, die etwas Tatkräftiges und Verwegenes ausstrahlte. Früher hagelte es noch scharfe Blicke, die auf Gemeinheit und Schadenfreude schließen ließen. Da wimmelte es von kühn geschwungenen Augenbrauen, schmalen, schwindsüchtigen Schläfen, melancholischen Wangen, verstohlenen Silberblicken, schamvoll niedergeschlagenen Glutaugen, verheißungsvoll wulstigen Lippen –

Heute: Sieben Milliarden Menschen und ein Gesicht, nämlich das sattsam bekannte, augenflackernde Manga-Kieselaugen-Gesicht, das starr in einen Computerbildschirm glotzt. Züge und Mienenspiele kann man heutzutage getrost vergessen. Aus den Antlitzen sind Benutzeroberflächen geworden. Aber es gibt einen schwachen Trost: Die Hände haben die Bedeutung der Gesichter übernommen. In der postfacialen Ära huschen ausdrucksstarke Finger über die Computertastaturen, wie scheue Rehe, endlos grasend, nervös hin und her tänzelnd wie Balletteleven oder wie stramme Greifer, willensstark und zupackend, wenn sie von Taste zu Taste hüpfen. Herrlich, diese Choreographie von STRG plus ALT plus F12 – ein muskelbetonter Pas de deux von Daumen und Kleinfinger, genauer gesagt des ›kurzen Daumenspreizers‹ (*musculus abductor pollicis brevis*) und des ›Kleinfingergegenstellers‹ (*musculus opponens digiti minimi*), möge nachschlagen, wer Zeit dazu hat.

Motte Viskacz ließ genau diese seine zehn strammen Kleinkünstler auf der Tastatur seines GetacX500-Rechners tanzen. Er hielt inne, hob seine Hände in die Luft und betrachtete sie. Schade, dachte er. Er hatte die klobigen Greifer seines blöden Vaters geerbt, plump, unregelmäßig geformt, von hässlichen Adern durchzogen. Aber sobald die Greifmonster auf der Tastatur tanzten, verwandelten sie sich in zehn Rudolf Nurejews. Mottes Gedanken schweiften ab. Auch dieser komische Emil hatte sich mit Fingern und Händen beschäftigt. Soviel Motte mitbekommen hatte, interessierte er sich für die gezielte Stimulierung von menschlichen Muskeln, speziell von Handmuskeln. Da steckte irgendetwas Therapeutisches, Krankenpflegerisches dahinter – warum aber dann diese Geheimniskrämerei? Motte stöberte in seinem Schulwissen Biologie. Muskeln, Nerven, Hirn. Wenn ein Muskel sich bewegen sollte, dann musste erst das Hirn arbeiten. Oder etwa nicht? Motte recherchierte im Netz – wo auch sonst. Eine Pressemitteilung eines wissenschaftlichen Organs fiel ihm gleich als Erstes ins Auge. *Gehirn speichert Fingerfertigkeit modulweise.* Neueste Forschungen hätten ergeben, dass sich das Gehirn hochkomplexe Bewegungsabläufe sozusagen merkt. Verinnerlicht. Speichert. Motte übersprang einige hirnforscherische Fremdwortkaskaden. Die Muskelbewegungen würden in Erinnerungsbausteinen gespeichert und könnten so schnell abgerufen werden. Das hatte ein Versuch mit Musikern gezeigt. Fünfzig professionelle Geiger spielten eine bestimmte Tonfolge immer und immer wieder, während der Bereich des Gehirns lokalisiert wurde, der dabei Aktivitäten zeigte. Dann wurde dieser Bereich Tage später mit einer – wie hieß das nochmals? – transkraniellen Magnetstimulation gekitzelt, und siehe da: Die Finger zuckten, ohne dass die Geiger etwas dazu tun mussten. Ihre Musikerhände vollführten genau die Bewegungen, die für die jeweiligen Takte nötig waren. Das ging vollkommen automatisch und sozusagen subkortikal.

Motte lehnte sich zurück. Interessant war das schon. Aber biologische Prozesse waren immer so hochkompliziert, gleichzeitig aber auch schwammig und ungenau. Da gab es weder Nullen noch Einsen, die Yins und Yangs der digitalen Jetztzeit. Trotzdem war Mottes Interesse schwer geweckt. Er wollte sich das genauer erklären lassen. Er hatte Emil vor zwei Wochen noch einmal um ein Treffen gebeten. Wieder unternahmen sie eine Wanderung in der Umgebung. Sie hatten sich ein ruhiges Plätzchen auf dem Esterberg gesucht, nach dem geschäftlichen Teil, nämlich einigen Erläuterungen Mottes zur korrekten Softwarebenutzung, waren sie ins Plaudern gekommen.

»Sie sind Mediziner?«, fragte Motte.

Emil lachte ein bitteres Lachen. Das war überhaupt eine ziemlich verbitterte, ausgemergelte Gestalt. Wenn er sprach, geriet er leicht in Rage, das böse Flämmchen des Fanatismus leuchtete in seinen Augen. Er war überhaupt nicht cool. Vorsicht, dachte Motte. Aufpassen!

»Medizin studieren, das war mein Traum«, versetzte Emil. »Ich wollte Chirurg werden. Ging nicht. Zu arm. Zu weit hinter dem Eisernen Vorhang. Mit zwanzig ist der Traum aus einem bestimmten Grund endgültig geplatzt. Ich habe jedoch in Krankenhäusern gearbeitet. Als Pförtner, Putzkraft, OP-Helfer. Ich habe Ärzten über die Schulter geschaut. In meiner Freizeit habe ich mich mit wissenschaftlicher Literatur beschäftigt, ich habe alles gelesen, was ich in die Finger bekam. Mein besonderes Interesse galt den willkürlich steuerbaren Prothesen. Ein uralter Traum der Menschheit. Du kennst doch die Galvanischen Experimente?«

»Die Geschichte mit den präparierten Froschschenkeln? Eklig. Haben wir in Bio mal gemacht. Stellen Sie sich vor: in echt! Als ob es dafür keine Simulation gäbe. Aber unser Biolehrer hat sicher nicht einmal gewusst, was eine Grafikkarte ist.«

»Mich haben die Experimente fasziniert. Muskeln können mit Hilfe von Stromstößen bewegt werden. Ich habe das Experiment übrigens nie mit Fröschen durchgeführt. Ich hasse Tierversuche. Ich bin Tierfreund.«

Emil blickte Motte so scharf an, dass diesem ein Schauer durch den ganzen Körper lief. Er bekam langsam Angst vor diesem Mann.

»Hören Sie«, sagte Motte, »wenn Sie damit andeuten wollen, dass Sie Menschenversuche gemacht haben – dann will ich das gar nicht wissen.«

»Ich habe keine *Menschen*versuche gemacht«, sagte Emil leise. Er hatte das Wort Menschen in einer Weise betont, dass es auch wieder merkwürdig klang.

»Ich habe am Anfang ausschließlich theoretisch geforscht. Mir stand kein Labor zur Verfügung. Dann bekam ich eine Anstellung als Gerätewart bei einem Physiotherapeuten. Invasive Magnetfeldtherapie. Bioresonanz. Schon mal gehört?«

»Eigentlich nicht«, antwortete Motte unsicher.

Auf was wollte dieser Typ hinaus? Konnte man überhaupt glauben, was er da erzählte? Andererseits: Er hatte so einen scharfen, überzeugenden Ton drauf, vor allem, wenn er von seinem Spezialgebiet sprach.

»Da werden Muskelstränge mit leichten Elektroimpulsen aktiviert. Der Physiotherapeut hat mir das gezeigt. Ich weiß es noch wie heute. Es war ein kalter, nebliger Herbsttag. Da schoss mir der Gedanke durch den Kopf: Wenn man nur dasjenige Hirnareal fände, das für bestimmte Bewegungen einzelner Gliedmaßen zuständig ist! Wenn man es gezielt stimulieren könnte! Es gab damals keine geeigneten Computer. Als es sie gab, konnte ich sie mir nicht leisten. Lieber Shakespeare, *du* hast mir die Software beschafft, die ich brauche. Ich bin dir außerordentlich dankbar dafür.«

Wieder lag ein scharfer, giftiger Ton in seiner Stimme. War dieser Mensch eine Bedrohung für ihn? Er wurde jedenfalls nicht so recht schlau aus Emil. Trotzdem war Motte fasziniert. Emil schien ein wirkliches Ziel zu haben. Eine Vision. Vermutlich eine gefährliche Vision, aber eben eine Vision. Motte hatte natürlich Vorkehrungen zu seinem Schutz getroffen. Nur für den Fall eines körperlichen Angriffs. Er hatte für sein kleines Tablet, das er stets bei sich trug, eine kleine Zusatz-App heruntergeladen und modifiziert. Es war ein olfaktorisches Gadget, das Gerüche aufnehmen und, in beschränktem Rahmen, analysieren konnte. Das kleine Ding ›roch‹ gewissermaßen die Pheromone der Aggression, die einem Gewaltakt vorausging. Wenn der andere kurz vor dem Angriff stand, wenn jemand in die Nähe kam, von dem Gefahr ausging, war Motte vorgewarnt. Dann konnte er seinen Elektroschocker zücken. Wenn die Königskobra den Angstschweiß des Karnickels riecht, dann muss doch umgekehrt auch das Karnickel das Jagdfieber der Königskobra schnuppern können. So dachte Motte.

»Sie wollen also lediglich eine Simulation?«, fragte er Emil. »Sie schleppen mir keine Zombies her? Wir bauen keine Frankensteins zusammen?«

Emil schüttelte den Kopf.

»Wie sagte der große Alfred Nobel? Wir machen etwas, was *der Menschheit den größten Nutzen bringt.*«

29

Kommissar Jennerwein stand am Fenster, massierte sich die Schläfen mit Daumen und Mittelfinger und blickte hinaus auf die Wiese hinter dem Polizeirevier. Er verfolgte einen bestimmten Gedanken.

Jeder hat schon einmal versucht, das Denken aufzugeben. Viele haben es sich klassischerweise am Silvesterabend vorgenommen. Doch die wenigsten haben es geschafft. Wohl denen, die überhaupt nicht erst damit angefangen haben, damals auf dem Pausenhof, verbotenerweise, und aus purer Angabe. Der Entschluss, dieses gefährliche Laster zu beenden, ist zu begrüßen, doch die Rückfallgefahr ist groß, vor allem bei Sonnenuntergängen und während des Telefonierens. Oder nach dem Kino! Der Film ist zu Ende, hinaus ins Freie, und dann ein Gedankenblitz, der durch den ganzen Körper fährt – ahhhh! Man sollte sich aber nichts vormachen. Man ist ja schon ein abhängiger Denker mit zwei, drei Einfällen am Abend. Manche fahren da noch mit dem Auto heim. Es gibt viele Gründe, Schluss zu machen: gesundheitliche, psychische, finanzielle, soziale. Auf jeden Fall, so raten Ärzte und Psychologen, sollte man aufhören zu denken, weil man es will.

Kommissar Jennerwein wollte nicht. Er war besessen von diesem Laster, und er machte sich auch keine Sorgen über die Folgen. Er war süchtig nach tiefen, hemmungslosen Gedankenzügen. Sobald ein Fall von ihm Besitz ergriffen hatte, konnte und wollte er nicht davon ablassen. Er war Denker mit Leib und Seele. Auch momentan wieder. Was hatte Nils Backlund gesagt? *Deshalb bin ich überzeugt davon, dass kein Mitarbeiter Hü der Firma Hott den Juror Bertil Carlsson nach all den Jahren umbringt, nur weil der Forscher Brrr, der in der Firma Hott arbeitet, den Preis nicht bekommen hat.* Das war doch ein ganz neuer, bedeutender und weiterführender Aspekt. Er sollte das Augenmerk nicht nur auf die enttäuschten Forscher richten, sondern auch auf die dahinter stehenden Firmen der pharmazeutischen und medizintechnischen Industrie. Vielleicht vor allem auf diese.

Inzwischen waren die Listen gemailt worden, die Namen aller Kandidaten für den Nobelpreis *Physiologie oder Medizin*, die das Komitee des Karolinska-Instituts zu prüfen hatte. Es war eine unüberblickbare Menge von Daten. Allein für das Jahr 1999 waren Tausende von medizinischen Forschern vorgeschlagen worden, von schwedischen wie von ausländischen Wissenschaftlern. Aus diesen Vorschlägen wählten die Komitees eine Longlist, aber auch die war noch groß genug. Es war illusorisch, alle diese Personen, die abgelehnt worden waren, zu überprüfen. Ostler schüttelte den Kopf.

»Ich habe mich sowieso gewundert, warum die schwedischen Kollegen die Listen rausgerückt haben, ohne sich zu sträuben. Jetzt weiß ich, warum: Mit dieser Lawine von Namen kann ja wirklich niemand etwas anfangen.«

»Das ist richtig«, sagte Jennerwein. »So kommen wir nicht weiter. Wer weiß, ob wir überhaupt die vollständigen Listen bekommen haben! Ich schlage vor, wir nehmen Kontakt zu diesen drei Komiteemitgliedern auf, die Grit Carlsson und auch Nils Backlund genannt haben.«

Er blätterte in seinen Notizen.

»Granqvist. Sundström. Und Piet Pettersson. Die drei Ultrakonservativen.«

Jennerwein rief im Sekretariat des Komitees an. Granqvist und Sundström waren schon vor Jahren gestorben. Piet Pettersson war über neunzig. Er ging sofort ans Telefon. Seine Stimme klang erstaunlich jung.

»Pettersson. Was gibts?«

»Hier spricht Hauptkommissar Jennerwein aus Deutschland. Darf ich laut stellen, damit mein Team mithören kann? Ich habe hier im Süden einen Fall zu untersuchen, der Ihren Kollegen Carlsson betrifft.«

»Schlimme Sache, ja. Ich habe davon gehört. Was wollen Sie wissen?«

Auch Pettersson sprach gutes Deutsch, wenn auch mit einem stärkeren Akzent als Backlund.

»Wir möchten ein Drittverschulden ausschließen.«

»Was? Ein Drittverschulden ausschließen? Also Verdacht auf Mord? Oder Totschlag?« Pettersson lachte gefühllos. »Wie kommen Sie denn auf so etwas?!«

»Es gibt einige Ungereimtheiten. Können Sie sich denn vorstellen, dass –«

»Halten Sie mich nicht für pietätlos, Kommissar, aber da muss ich jetzt schon lachen. Bertil Carlsson war der friedlichste und umgänglichste Mensch, den ich kenne. Carlsson hat sich sogar die Mühe gemacht, mit den Wissenschaftlern, die nicht in die engere Wahl gekommen sind, zu reden. Er hat die Ablehnungen begründet, geduldig erklärt, warum der und nicht jener den Preis bekommen hat. Beim Literaturnobelpreis, ja, da hat es manchmal fast Schlägereien gegeben. Aber die Mediziner, insbesondere die in der Forschung, das sind klare, kühle Köpfe mit einer festgelegten Lebensplanung. Die Unwahrscheinlichkeit, den Preis zu bekommen, ist allen bewusst. Niemand macht sich Illusionen, niemand rechnet im Ernst damit. Ich habe in meinem ganzen Leben noch mit keinem aus der Liste gekickten Kandidaten gesprochen, der irgendwie mit dem Schicksal gehadert hätte. Kurzum: Ich schließe aus, dass sich jemand ausgerechnet an dem friedfertigen Carlsson rächen wollte.«

»Glauben Sie, dass er persönliche Feinde hatte?«

»Da gilt dasselbe. Er hat niemandem etwas Böses getan.«

Pause in der Leitung.

»Außer vielleicht –«

»Ja?«

»Außer der Sache mit diesem – wie hieß er noch gleich? – Jökelsund! Genau. Ole Jökelsund.«

Alle im Raum warfen sich erstaunte Blicke zu. Jeder war höllenwach.

»Ist verdammt lange her«, fuhr Pettersson dazwischen. »War aber damals eine recht turbulente Geschichte. Grit musste sich zwischen Jökelsund und Carlsson entscheiden, aus ihr ist dann aber schließlich Frau Carlsson geworden. Na ja, und nach ein paar Jahren Ehe hat sie dann doch eine Affäre mit Jökelsund angefangen. Alle wussten es. Nur Carlsson nicht. Vielleicht hat er aber auch nur so getan. Ich habe Jökelsund nur ein paarmal gesehen. Er war genauso ein Sportsmann wie Carlsson. Groß, stark, dominant. Sie steht wohl auf solche Kaliber.«

»Wie lange ist das genau her?«, fragte Maria.

»Dreißig, fünfunddreißig Jahre vielleicht.«

»Herr Pettersson, das ist eine lange Zeit. Können Sie sich so genau daran erinnern?«

»Junge Frau«, entgegnete Pettersson scharf, »ich weiß

manchmal nicht mehr, wo ich meine Brille hingelegt habe, aber solche Sachen vergesse ich nicht.«

»So habe ich das nicht gemeint –«

»Und wie ist es mit Jökelsund weitergegangen?«, fragte Jennerwein.

»Der soll nach dieser Sache ausgewandert sein. Wohin, weiß ich nicht. Ich habe nie mehr von ihm gehört. Ist mir eigentlich auch egal. Und jetzt entschuldigen Sie mich.«

Jennerwein bedankte sich bei Piet Pettersson und verabschiedete sich von ihm.

»Wir müssen Interpol einschalten!«, rief Maria »Ole Jökelsund, das ist unser Mann!«

Jennerwein schüttelte den Kopf.

»Maria, Sie wissen doch: Wir haben immer noch keinen Beweis dafür, dass ein Mord stattgefunden hat. Das ist ja unser Problem! Wir können uns nicht so weit aus dem Fenster lehnen.«

»Wenn das nicht geht, müssen wir wenigstens an Grit Carlsson dranbleiben. Das werden die Oberen doch wohl bewilligen!«

30

»Wenn mir das mal nicht nach dem Würfelbein aus der rechten Fußwurzel Carlssons aussieht!«

Die Gerichtsmedizinerin wies auf den Bildschirm, auf dem das dreidimensionale Abbild eines winzigen Knochenbruchstücks zu sehen war. Sie zog das Gebilde auf einen Raster, der die Silhouette eines Menschen darstellte.

»Und ab jetzt ist es wie bei einem ganz normalen Puzzle. Wir setzen die Knöchelchen zu einem Skelett zusammen. Mit einem Schwund von ein paar Prozent müssen wir rechnen, manche Knochen sind vollkommen zerrieben worden.«

»Woher haben Sie gewusst, dass dieses Fuzzelchen ausgerechnet das Würfelbein ist?«, fragte Christl.

»Viele Knochen haben eine andere Färbigkeit, die Knochen der Gliedmaßen sind heller als die des Rumpfes. Verschiedene Knochenbereiche zeigen auch unterschiedliche Oberflächenstrukturen. Ich würde sagen, ihr puzzelt jetzt mal schön. Wenn ihr Fragen habt – ich bin in der Nähe.«

Die Gruppe begann zu arbeiten. Eine halbe Stunde lang passte kein einziges Puzzleteil. Kein einziges. Alle maulten und schimpften vor sich hin, also hatte die Frau im Rollstuhl Erbarmen und gab ein paar Hinweise.

»So sieht der Schädelknochen aus. Der hat eine besondere Oberflächenstruktur. Das Nasenmuschelbein zum Beispiel findet man aus den ganzen Bruchstücken schnell heraus.«

Es vergingen zwei weitere Stunden. Und langsam, ganz langsam, setzten Christl, Achmed, Ulrich und der Depp etwas zusammen, was halbwegs nach einem Menschen aussah. Carlsson wurde zum zweiten Mal erschaffen. Durch eine illustre Gesellschaft von drei Gesetzesbrechern mit unterschiedlichem Strafmaß, ihrem gesetzlich vorgeschriebenen Aufpasser und einer leicht sadistisch veranlagten Frau im Rollstuhl. Alle hatten großen Spaß dabei.

Der linke Fuß Carlssons nahm langsam Gestalt an, der rechte ebenfalls. Schemenhaft stieg der Suderer Bartl wieder aus dem Reich der Brösel auf, ins Reich der Schatten und Knochenwesen. Eine Schläfe entstand, der Brustkorb, ein Knie. Achmed wandte sich an die Gerichtsmedizinerin.

»Frage. Wenn wir das Skelett zusammengesetzt haben, dann gibt es doch so eine Methode, bei der man sieht, wie der Mensch lebend ausgesehen hat.«

»Du meinst ein generisches Modell?«

»Ja, ich hab mal was davon gelesen.«

»Diese Technik steckt noch in den Anfängen. Sie ist sehr unzuverlässig. Außerdem wurde bisher nur versucht, Köpfe und Gesichter nach Schädelvorlagen zu modellieren. Aber wenn wir mit unserem Skelett fertig sind, können wir das ja ausprobieren. Erwartet aber bitte nicht von mir, dass ich dann Frau Carlsson herbitte und ihren Mann identifizieren lasse.«

Es wurde die Schädeldecke rekonstruiert, außerdem große Teile der Wirbelsäule und fünf Rippen. Bertil Carlsson bekam auch langsam ein Gesicht, diesmal im wahren Sinn. Alle vier Puzzler waren so eifrig am Werk, ihre Blicke waren so stur und verbissen auf immer kleinere Details gerichtet, dass sie etwas sehr Offensichtliches übersahen.

»Ich weiß, dass ich der Depp in der Gruppe bin«, ertönte eine leise, verzagte Stimme.

»Jetzt kommt wieder was«, flüsterte Ulrich halblaut.

»Ich weiß, dass ihr mich so nennt. Den Deppen. Aber ihr habt alle etwas übersehen. Und mir ist es aufgefallen.«

»Was denn?«

»An dem Skelett fehlt eine Hand. Die linke.«

31

BRAȘOV/RUMÄNIEN, MAI 1987

Das ist der Augenblick, auf den ich so lange gewartet habe! Mein ›Patient‹ ist soeben aus der Narkose erwacht.

Ich betrete das abgedunkelte Krankenzimmer. Hinter mir drängen die Mitglieder meines Teams herein. Alle halten den Atem an. Eine einzelne Hand liegt auf dem Bett. Ein Pfleger entfernt gerade sorgfältig die letzten Verbände. Ruhig liegt sie da. Die Finger sind weiß und feingliedrig.

»Das war einmal ein guter Chirurg«, flüstere ich halblaut. »Mit dieser Hand hat er schon Tausende von Operationen durchgeführt.«

Dr. Draganovic setzt seine Brille ab und tritt näher. Da: Die Hand bewegt sich. Ihre Finger krallen sich im Bettlaken fest.

Dr. Draganovic zuckt erschrocken zurück. Seine Augen weiten sich. Ungläubig schüttelt er den Kopf.

»Ist es möglich? In den Nervenerinnerungen sind alle Bewegungen gespeichert?«

»Ja«, antworte ich. Dann lasse ich einen Moment verstreichen.

»Aber die Hand macht jetzt, was *ich* will.«

Anna Sophia ließ das Tagebuch auf ihren Schoß sinken und starrte nach draußen in die beginnende rötlich schwarze Abenddämmerung. Ein Frösteln durchlief sie. Sie war gleichzeitig abgestoßen und fasziniert.

Wer um Gottes willen hatte so etwas geschrieben? Ein Mediziner? Ein Wissenschaftler? Ein Psychopath? Sie blätterte in den Seiten des Tagebuchs. Die Ränder waren bedeckt mit Skizzen von medizinischen Apparaturen, chemischen Formeln und Versuchsanordnungen. Es sah nicht so aus, als würde es sich um eine fiktive Erzählung handeln.

Das.

War.

Real.

Ein brennendes Gefühl des Entsetzens breitete sich in ihr aus. Sie lief zur Tür und überprüfte, ob sie auch wirklich abgesperrt war. Sie rüttelte am verschlossenen Fenster. Alles verriegelt. Gott sei Dank. Nervös strich sie sich eine Haarsträhne aus dem Gesicht. Warum war das Manuskript in dem kleinen Verschlag versteckt worden? Nachdenklich ging sie in der Hütte auf und ab. Draußen hörte sie die heiseren Schreie der Raben. Zögernd legte sie den letzten Scheit Holz in den Kamin und las weiter.

Ja, ich werde dasselbe mit dir machen, Professor Doktor Bertil Carlsson! Ich werde dich töten, du Kurpfuscher und Quacksalber! Ich werde deine feingliedrige Hand am Leben erhalten, und du wirst Zeuge deiner eigenen Beerdigung sein.

Dann wird herrliches Wetter sein in Nacka oder wo du auch immer beerdigt wirst. Schau, da vorne siehst du schon deine Witwe, deinen Sarg, dein für dich bestimmtes offenes Grab. Du erinnerst dich vielleicht jetzt langsam, dass ich dich angegriffen und betäubt habe. Das, was da im Sarg liegt, ist dein nutzloser Rest, Carlsson. Du bist im Krankenbett aufgewacht und musstest feststellen, dass du nur noch aus deiner eigenen Hand bestehst. Dort vorne wird dein Sarg ins Grab versenkt, ich stehe unter den Trauergästen, und ich lasse dich zusehen, von meiner Jackentasche aus …

Die bedrohliche Schwärze der Nacht senkte sich langsam über die Berge. Anna Sophia hatte den ganzen Tag am Fenster gelesen. Das Holz war nun verbraucht. Düsteres Zwielicht erfüllte den Raum. Große, bleierne Müdigkeit überfiel sie. Anna Sophia schlief im Sitzen ein. Ihre Träume waren schreckensvoll.

32

Polizeihauptmeister Ostler schaltete das kleine Küchenradio an, das im Besprechungszimmer stand. Es war ein uraltes Modell, die Radioprogramme waren noch mit einem großen, verkratzten Aluminium-Drehknopf einzustellen, und dieser Knopf war irgendwann vor langer Zeit auf *Bayern 1* eingerostet, dem *Sender für die reifere Generation*. Momentan wandte sich eine warme, weiche Frauenstimme mit charmantem bayrischen Akzent an die Hörer und kündigte einen Softsoftsoftrocktitel von Rocco Granata an. In das schmalzige Geschnulze mischte sich Donnergrollen von draußen. Der Himmel verdunkelte sich zusehends. Vom Wettersteingebirge her streckten die ersten Regenmacher ihre zotteligen Köpfe aus der luftigen Kulisse: schwarzgefärbte Nimbostrati, rohe, unförmige Wasserträger, die in wenigen Minuten die bis dahin blitzblaue Himmelsbühne überschwemmen würden. Der Volksmund hatte wieder einmal recht gehabt:

Hat da Wetterstoa an Sabi[3],
Wird as Wetta misarabi.
Hat da Wetterstoa an Huat[4],
werds Wetta morgen wieda guat.

---

[3] Säbel, langgezogene Wolke unterhalb des Wettersteingipfels
[4] Hut, runde Wolke über dem Gipfel.

Heute Nacht würde das Wetter *miserabi* werden, denn hinter der Wettersteinkulisse war ohrenbetäubendes Gegrolle zu vernehmen.

»Da zieht sich was zusammen! Mein lieber Schwan!«

Johann Ostler schloss das Fenster im Polizeirevier, auch hier lag eine gewittrige, gereizte Stimmung in der Luft. Der Fall war ungelöst, sie steckten fest. Mehr noch: Der Fall war kurz davor, für immer im Archiv zu verschwinden. Dr. Rosenberger hatte angerufen.

»Solch ein Ermittlungsaufwand! Und dann so wenig Ergebnisse!«

»Ich bin mir dessen bewusst«, hielt Jennerwein entgegen. »Aber es ist meine feste Überzeugung, dass da etwas nicht stimmt. Und dass es sich lohnt, weitere Anstrengungen zu unternehmen. Wenn wir jetzt aufhören, dann war alle Mühe umsonst.«

Dr. Rosenberger, der Polizeioberrat mit dem sonoren Bariton, schlug einen besänftigenden Ton an.

»Sie sind mein bester Mann, Jennerwein. Und Sie haben ein Spitzenteam, das Ihnen, wie ich hörte, sogar aus dem Urlaub zuarbeitet. Wenn ich nur solche Mitarbeiter hätte! Aber Sie können nicht einfach ins Blaue hinein weitermachen. Ich muss meine Personalressourcen bündeln. Es gibt dringendere, wichtigere Fälle. Der schwedische Botschafter hat sich auch schon gemeldet und nachgefragt, was da los ist. Dem kann ich kaum sagen, dass einer meiner Beamten eine *feste Überzeugung* hat.«

»Dr. Rosenberger, wenn Sie damit sagen wollen, dass die hohe Diplomatie über dem Gesetz steht –«

»Jennerwein, seien Sie nicht kindisch. Das war kein offizielles Gespräch. Ich bin mit ihm befreundet, er hat ein Anwesen am Starnberger See, ich habe ihn ein paarmal besucht –«

175

»Ach, daher weht der Wind! Vom Starnberger See! Herr Dr. Rosenberger, ich hätte mir mehr Unterstützung von Ihnen erwartet!«

Jennerwein hatte sich wütend verabschiedet. Und das zornige Schweigen hatte minutenlang angehalten. Maria rührte in ihrem Kaffee. Rocco Granata sang ungerührt seine Kaugummi-Hits aus den Sechzigern. Zu allem Überfluss war auch noch Staatsanwältin Frau Dr. Antonia Beissle, eine Intimfeindin des Kommissars, vorbeigekommen.

»Ich will morgen die Akte Carlsson auf meinem Schreibtisch sehen«, zischte sie. »Und zwar am besten mit einem fetten Abschlussvermerk!«

Sie hatte die Augenbrauen hochgezogen und war grußlos abgerauscht. Alle wussten, was das bedeutete. Der Fall war so gut wie beendet.

Ostler verriegelte nun auch das zweite Fenster. Der Himmel war jetzt ganz aufs Donnern eingestellt. Am Horizont sah man noch den käsigen Mond, schwer angeknabbert von einer gigantischen Wolkenratte. Das Gewitter würde ihn bald verschlungen haben. Jennerwein und Maria blickten sich kurz an. Eine Fahrt zum Gardasee lohnte sich nun wirklich nicht mehr.

»Liebe Kinder, jetzt kommt euer Betthupferl«, tönte es wie zum Hohn aus dem kleinen Radio. »Eure Sendung des Bayrischen Rundfunks – wie jeden Abend um fünf Minuten vor acht.«

So etwas hatten sie noch nie erlebt. Dass ein Fall abgebrochen worden war. Dass sich Jennerwein gegen Dr. Rosenberger nicht hatte durchsetzen können. Dass sie es trotz aller Anstrengungen nicht geschafft hatten, das Böse am Schopf zu packen und wenigstens ein bisschen aus dem Sumpf zu ziehen.

Keiner hatte den Nerv, aufzustehen und das Radio auszuschalten. Da die liebliche Eröffnungsmusik der uralten Betthupferl-Sendung die dicke Luft gut überdeckte, ließ man sie laufen.

🔊 *Liebe Kinder,*
heute erzähle ich euch ein rumänisches Märchen, nämlich
das vom Nachtgreif Răzvan und dem schlauen Hand-
werksburschen

Der Nachtgreif Răzvan war ein hässlicher Vogel, denn er
hatte weder ein prächtiges Federkleid noch einen bunten
Schnabel, er hatte nicht einmal Flügel, stattdessen trug er
zwei große, knochige Hände auf dem Rücken, mit denen
er schwerfällig herumflatterte. Diese Flügelhände über-
dauerten aber nur einen einzigen Flug, dann brauchte er
wieder neue. Răzvan hatte einen Diener, der ihm täglich
neue Hände besorgen musste, deshalb wurde er der Hand-
sammler genannt. Dieser Handsammler schlich also nachts
in die Dörfer und stahl Hände. Es waren Hände von rei-
chen Herren und schönen Damen, feingliedrige Hände
von Künstlern und Zuckerbäckern, aber auch grobkno-
chige von Schmieden und Bauern. In den Dörfern herrschte
am Morgen oft großes Wehklagen, wenn jemand auf-
wachte und bemerkte, dass ihm die Hände fehlten.

Die Leute wussten sich keinen Rat, doch eines Tages kam
ein Handwerksbursche in eines der Dörfer. Dem erzählte
man die Geschichte von Răzvan, dem Nachtgreif, und
dessen Knecht, dem Handsammler. Der Handwerksbur-
sche fasste einen Plan, die beiden zu überlisten. Er baute
aus Holz, Eisen und Materialien, die nur ihm bekannt wa-
ren, zwei kleine Maschinen. Es waren künstliche Hände.

Er lockte den Handsammler an, indem er seine eigenen Hände aus dem Fenster hielt. Doch als der Handsammler sie abschneiden wollte, zog der schlaue Handwerksbursche sie schnell zurück und legte ihm stattdessen seine mechanischen Apparaturen hin. Der Handsammler bemerkte den Schwindel nicht, wie jeden Abend trug er die neuen Hände zu seinem Herrn. Răzvan, der Nachtgreif, legte sie an und stieg hoch auf in die Lüfte. Die mechanischen Handflügel flogen besser als alle Hände, die er bisher bekommen hatte, doch sie hörten nicht auf zu fliegen, sie trugen ihn immer höher. Und in ganz klaren Nächten, wenn man sehr genau hinschaut, sieht man Răzvan, den Nachtgreif, heute noch am Abendhimmel um den Mond kreisen.

Das, liebe Kinder, war euer Betthupferl ⋛▶

Sowohl Maria wie auch Ostler und Jennerwein mussten schmunzeln. Der Ärger war zwar nicht verraucht, aber doch gemildert.

»Also gut, dann können wir diesen Fall eben nicht lösen«, sagte Jennerwein. »Dann bleibt uns nichts anderes übrig, als einen Gartenunfall mit tödlichen Folgen anzunehmen. – Rufen Sie Stengele und Nicole an, sagen Sie ihnen, dass sie sich nicht weiter bemühen sollen.«

Alle erhoben sich.

»Haben wir überhaupt drei Regenschirme?«, fragte Maria.

Nein, es gab keinen einzigen im Revier.

Wütend prasselte der Regen auf das Dachfenster des Sudererhauses am Kramerhangweg 5. Das Glas war dick und einbruchsicher. Eine Katze hatte in der Nähe des Fensters unter einer Dachgaube Zuflucht gesucht. Blitze erhellten in unregelmäßigen Abständen die schwarz gekleidete Trauergesellschaft, die man in der großen Wohnküche erkennen konnte. Es waren an die zwanzig Personen, man sah sie nur undeutlich und schemenhaft durch die Schlieren des abfließenden Wassers. Bei einer hageren und wild gestikulierenden Figur hätte man sich auch einbilden können, einen Vertreter der hohen Politik vor sich zu sehen. Keinen Zweifel gab es bei dem stämmigen, kastenartigen Mann, der am unteren Ende der breiten Holztreppe stand.

Nils Backlund fühlte sich nicht wohl in dieser Gesellschaft. Der muskulöse Friseur war es zwar gewohnt, sich mit prominenten Zeitgenossen zu unterhalten, aber nur in deren Rücken, wenn er ihnen die Haare wusch oder schnitt. Da war er nicht schüchtern. Aus dieser Position heraus hatte er schon mit manchem Vertreter des Königshauses, mit mancher Koryphäe der Wissenschaft parliert. Aber von Angesicht zu Angesicht? Backlund trat ein paar Schritte beiseite. Er betrachtete die Fotografien an der Wand. Ihm fiel auf, dass kein einziges persönliches Bild dabei war. Einige helle Flecke verrieten, dass kürzlich Bilder abgehängt worden waren. Er sonderte sich von der Gesellschaft ab und stieg die Wohnzimmertreppe hinauf. Er tat dies beiläufig, wie um einige Kunstdrucke an der Wand zu betrachten. Er geriet langsam aus dem Gesichtskreis der Trauergesellschaft, die inzwischen bei fröhlicheren Unterhaltungen angelangt war. Die Kondolenzphase schien vorüber zu sein. Am oberen Ende der Treppe angekommen, warf Backlund einen letzten Blick zurück. Niemand beachtete ihn. Er schlich einen halbdunklen Gang entlang. Eine der Türen stand offen, vorsichtig betrat er den Raum. Er konnte ja immer noch behaupten, das Badezimmer gesucht zu haben. Backlund sah sich um. Das also war das Arbeitszimmer von Bertil Carlsson!

Backlund trat an die riesige Pinnwand und las die Zettel. Er schien etwas zu suchen. Und schließlich fand er es. Hastig riss er das Foto von der Wand und steckte es ein. Dann hörte er Schritte. Er löschte das Licht, spähte in den Gang und sah, dass ein Gast, der sich im Sudererhaus wohl bestens auskannte, ins Bad ging. Backlund eilte den Gang zurück, lehnte sich am oberen Ende der Treppe lässig ans Geländer, wie wenn er gelangweilt hinunterblicken würde in die große Wohnküche, in der sich nun alle Trauergäste versammelt hatten und um den altmodischen Herd standen. Bald würde es den angekündigten Abendimbiss geben, denn Grit Carlsson war gerade über einen riesigen gusseisernen Topf gebeugt und offensichtlich dabei, der stummen Haushaltshilfe gestische Anweisungen bezüglich der Speisenzubereitung zu geben. Grit Carlssons Finger flatterten mit dem Handrücken nach vorn, mit der anderen Hand drehte sie so etwas wie eine Kurbel. Sie probierte ein Löffelchen. Dann gestikulierte sie wieder: Daumen und Zeigefinger zusammen an die Lippen geführt, und mit einem lauten Schmatz und großen Augen wieder weggerissen. Das internationale Zeichen für *Spitze gekocht! Picobello! Wie bei Muttern!*

»Was ist das eigentlich?«, fragte ein kleiner, gedrungener Mann mit langem, aufgezwirbeltem Schnauzbart und dickem Hals. Aus dem rötlichen, fröhlichen Gesicht blitzten kleine, wache Augen. Es war ein Bayer, wie er im Buche stand. Er konnte sicher gut schuhplatteln.

»Vitakorva«, antwortete Grit. »Sozusagen die schwedische Weißwurstsuppe. Man gibt zwanzig feinste Weißwürste in einen Topf mit brodelndem Wasser und kocht sie etwa zwei Stunden aus. In den letzten zwanzig Minuten gibt man noch ein Gläschen süßen Senf und zwei bis drei Laugenbrezen in die Masse.«

Grit nahm den Topf vom Herd und trug die heiße Vitakorva

hinaus ins Esszimmer. Die Menge applaudierte mit vielen Hm-s! und Oh-s!

Die Katze, die von oben durchs Dachfenster blickte, drehte sich angeekelt weg.

Einen Moment lang beleuchtete ein greller Blitz die Szenerie. Ein heftiger Donnerschlag zerriss die Nacht. Dann ergoss sich nur noch tiefschwarzer, fetter Regen über das Werdenfelser Land.

33

»Eine fehlende Hand?«, rief Ostler. »Wie kann das sein!«

Der Morgen war noch lau und frisch, die Luft, die über den Wiesen und Feldern stand, kündigte einen heißen Tag an. Die kleine Crew um Jennerwein hatte gerade am Besprechungstisch Platz genommen, um das Abschlussprotokoll des Falles zu erstellen, da war diese Nachricht hereingeplatzt, die alles änderte.

Jennerwein schüttelte den Kopf.

»So etwas habe ich noch nicht erlebt. Dass ein so offensichtliches Merkmal so lange übersehen worden ist! Die Gerichtsmedizinerin hat wirklich alles über die Leiche herausgefunden – bis hin zu der Tatsache, dass Carlsson ein paar Zigaretten vor seinem Tod geraucht hat. Und dann übersieht sie eine fehlende Hand!«

Maria schob den Abschlussbericht von sich weg.

»War denn Carlsson einhändig? Wir wissen doch, dass er begeisterter Handwerker war. Das ist aber in so einem Fall nicht oder zumindest schwer möglich.«

»Sonderbar ist das schon«, warf Ostler ein. »Vielleicht hat er eine Prothese getragen. Heutzutage gibt es doch täuschend echt aussehende, bewegliche Handattrappen. Aber ob man damit ganz allein schwere Gartenarbeit verrichten kann?«

Jennerwein schüttelte den Kopf.

»Eine Prothese? In der Auffangwanne des Häckslers wurden keine Bestandteile entsprechenden Materials gefunden.«

»Soll ich gleich Frau Carlsson anrufen?«, fragte Ostler diensteifrig. »Die müsste es doch am besten wissen.«

»Nein, warten Sie«, sagte Jennerwein nachdenklich. »Wir sollten dieses Ermittlungsdetail – sofern es denn überhaupt ein zielführendes ist – noch nicht an Grit Carlsson weitergeben. Wir sind auf einer neuen Spur. Jetzt wissen wir zum ersten Mal etwas, was sonst niemand wissen kann. Das will ich nutzen. Das sollten wir nicht gleich an die große Glocke hängen. Verbinden Sie mich mal mit unserem traditionsbewussten Ersten Vorsitzenden.«

»Wörndle, Volkstrachtenverein.«

»Jennerwein, Kriminalpolizei.«

»Herr Jennerwein! Sie haben sich entschlossen, das Schuhplatteln anzufangen?«

»Ich habe lediglich eine Frage.«

»Schade.«

»Ist denn das Schuhplatteln auch für Menschen mit einem Handikap geeignet?«

»Das kommt auf das Handikap an.«

»Gibt es bei Ihnen im Verein zum Beispiel jemanden mit einer Handprothese?«

»Nein, nicht dass ich wüsste.«

»Danke, das wars schon für heute.«

Jennerwein wählte die Nummer der Gerichtsmedizinerin.

»Guten Morgen, Hubertus«, begrüßte diese ihn fröhlich. »Ich dachte mir schon, dass Sie anrufen. Wir haben inzwischen weitere Details herausgefunden. Es gibt Anhaltspunkte dafür, dass die Hand sauber und professionell abgetrennt worden ist.«

»Von einem Chirurgen?«

»Möglich.«

»Es ist nicht sicher?«

»Drum sage ich ja *möglich*. Wir untersuchen das noch. Die saubere Abtrennung könnte auch von einer der scharfen Häckslerklingen stammen. Wenn das so ist, dann könnte auch ein Tier die Hand verschleppt haben.«

»Ein Tier? Aber wie soll das in die fest verschlossene Auffangwanne gekommen sein? Und wenn – Beckers schlaue Maschine hätte doch dann sicher eine Blutspur außerhalb gefunden.«

»Vielleicht auch nicht. Es wäre doch Folgendes möglich: Carlsson fällt mit dem Oberkörper voraus in den Häcksler. Eine Klinge reißt ihm die Hand ab und schleudert sie in hohem Bogen weg. Haben Sie schon einmal einen Apfel in einen Küchenmixer gesteckt und dabei vergessen, den Deckel zuzumachen? Die Klingen zerschreddern den Apfel, reißen dabei aber manchmal auch kleine Stücke heraus. Die können meterweit fliegen. Ist mir letzthin erst passiert. Das Ergebnis war eine ziemliche Sauerei in der Küche.«

»In unserem Fall könnte die Hand in einen der angrenzenden Büsche geschleudert worden sein.«

»Zum Beispiel. Oder in eines der Nachbargrundstücke. Dann kommt ein Fuchs, ein Marder oder eine Eule und trägt das Leckerli weg.«

»Das hinterlässt aber Spuren. Zum Beispiel wieder Blutspuren.«

»Vielleicht auch nicht. Ameisen oder ähnliche Insekten machen sich schnell über Blutreste her. Schon nach ein paar Stunden haben Becker und seine SceneCam keine Chance mehr. Außerdem könnte die Hand immer noch ganz ruhig und friedlich an einer Stelle liegen, an der sie überhaupt nicht gesucht worden ist. Haben Sie schon in der Dachrinne nachgesehen? Im Gartenteich? Oder in dem kleinen Bach, der durch das Grundstück fließt?«

»Ich werde das überprüfen.«

»Ich sehe mir mit meinem Team inzwischen die Schnittkante der Hand genauer an.«

»Tun Sie das. Wie macht sich denn Ihr neues Team?«

»Das schlägt sich wacker.«

»Mein Team ist zurzeit etwas reduziert, wir sind nur zu dritt. Der Rest: Urlaub in Französisch-Guayana, neunzigster Geburtstag in Recklinghausen, Fortbildung in Sachen Interkulturelle Kompetenz.«

»Gratuliere. Da werden Ihre Mitarbeiter ja gut erholt, wohlgenährt und hochgebildet zurückkommen.«

»Das werden wir sehen.«

»Na dann, viel Erfolg.«

»Gleichfalls.«

»Ich finde, wir sollten auch noch über etwas anderes nachdenken«, sagte Maria, nachdem Jennerwein aufgelegt hatte. »Wäre es nicht auch möglich, dass jemand mit der Abtrennung der Hand etwas Symbolisches, Rituelles ausdrücken wollte?«

»Eine Markierung, wie bei Mafia-Opfern?«, sagte Ostler. »Aber niemand konnte doch wissen, dass uns die fehlende Hand auffällt. Bei dem Zustand der Leiche.«

»Die Hand könnte jemandem geschickt worden sein«, fuhr Maria fort. »Als Warnung oder Drohung. Ich erinnere an den Film *Der Pate*. Don Vito erzwingt bei einem Filmproduzenten eine Hauptrolle für seinen Patensohn, indem er dem Filmproduzenten nachts den abgetrennten Kopf von dessen Lieblingspferd unter die Bettdecke legt.«

Ostler schüttelte sich.

»Eine Hand bedeutet dann wahrscheinlich *Pfoten weg!* oder so etwas.«

Jennerwein verteilte die Aufgaben, er selbst übernahm es, das Suderer-Grundstück nochmals abzusuchen, diesmal ohne SceneCam. Er schellte an der Türglocke, innen ertönten ein paar Takte Klaviermusik.

Grit öffnete. Tränen standen in ihren Augen.

»Frau Carlsson, darf ich mich nochmals im Garten umsehen?«

»Fühlen Sie sich wie zu Hause«, sagte Grit. »Sie entschuldigen, dass ich mich nicht um Sie kümmere, ich bin gerade beim Packen. Wenn Sie was brauchen, rufen Sie mich bitte.«

Das traf sich gut. So konnte er ungestört suchen, ohne sagen zu müssen, nach was er suchte. Er gab sich einen Radius von fünfundzwanzig Metern vor. Er untersuchte den Waldboden hinter dem Gebäude. Er rüttelte an einem Wacholderstrauch. Er fand hinter dem Haus eine Leiter, bestieg das Dach und inspizierte dort die Dachrinnen. Er suchte im Schuppen nach einer Rohrreinigungsspirale und stocherte damit in den Regenfallrohren. Er durchsiebte den Teich mit einem Käscher, er blockierte den künstlich zirkulierenden Bach mit ein paar großen Steinen. Nichts, nichts und noch einmal nichts. Im Haus bewegte sich ein Vorhang. Das stumme Gesicht Frejas erschien.

Maria Schmalfuß machte sich inzwischen über die Symbolik von abgetrennten und verschickten Händen kundig. Sie telefonierte und suchte im Netz. Die chinesischen Triaden zum Beispiel arbeiteten mit abgetrennten Fingern.

Daumen: Schließ dein Geschäft.

Zeigefinger: Verlass die Stadt.

Mittelfinger: Zahl deine Schulden (letzte Warnung).

Ringfinger: Töte die Person auf beiliegendem Foto.

Kleiner Finger: Töte dich selbst.

Klare Sache bei den Chinesen. Über die Symbolik und Semantik von kompletten Händen fand sie jedoch nichts Brauchbares.

Nicole Schwattke, die diensteifrige junge Kriminalkommissarin, die sonst dem Team mit Rat und Tat zur Seite gestanden hatte, saß in einem Nebenzimmer der Gastwirtschaft *Westfälischer Friede* in Recklinghausen-Datteln und recherchierte im Netz. Die Familienfeier tobte im Hauptraum, die neunzigjährige Jubilarin erhob das Glas, Nicole hatte sich kurz abgeseilt. Ostler hatte ihr die Protokolle des Falls zugeschickt, sie war auf dem Laufenden. Eine fehlende Hand also. Sie klinkte sich ins Intranet der Polizei ein und suchte nach Kriminalfällen, bei denen abgetrennte Hände eine Rolle spielten. Nichts. Wenigstens nichts Brauchbares. Die Schwattkes riefen aus dem Hauptraum zum Nachtisch.

»Komme gleich«, rief Nicole.

Ihr kam eine Idee. Im benachbarten Dortmund gab es ein Institut für deutsche Polizeigeschichte. Reine Fahrzeit: zwanzig Minuten.

»Aber zum Kaffee biste wieder da.«

Dortmunder Zentralcomputer. Suchbegriffe: Hände, abgetrennt – ergab viertausend Treffer. Hände, abgetrennt, verschwunden, ungeklärt – noch immer über hundert Treffer. Der Chef des Instituts, ein alter Haudegen, pensionierter Streifenpolizist, Westfale durch und durch, blickte ihr über die Schulter.

»Was suchste denn?«

Nicole erklärte es.

»Hände? Nee.«

Er verschwand, kam nach zehn Minuten wieder.

»Jetzt ist mir was eingefallen. Eine Sache bei Interpol. In den achtziger Jahren. Ich war ganz neu, darum hat mich das beeindruckt. In einem Krankenhaus. Da fehlten bei Verstorbenen Gliedmaßen. Meist Hände. Wahrscheinlich ein Perverser.«

»Wo?«

»In einer rumänischen Kleinstadt. Aber da haben wir nichts drüber. Wir archivieren hier nur die Geschichte der deutschen Polizei.«

Nicole schickte eine Mail an Ostler. *Ergebnisse dürftig. Trotzdem viele Grüße, muss jetzt zurück zum Geburtstag von Großtante Henriette.*

Sie war rechtzeitig zum Kaffee wieder da. Großonkel Ferdinand stellte gerade einen Gast vor, der nicht zur Verwandtschaft gehörte. Es war eine hexenhaft aussehende Frau, sogar die Warze auf der Nase fehlte nicht. Sie ging von Gast zu Gast und las jedem unter allgemeinem Hallo! und So was aber auch! aus der Hand. Nicole schickte eine weitere Mail an Ostler.

Können Sie mir einen Gefallen tun? Der Chef steht oft locker da, die Hände auf dem Rücken verschränkt. Fotografieren Sie für mich die linke Handfläche? Aber heimlich – es soll eine Überraschung für ihn werden, wenn ich wiederkomme.

Hauptkommissar Ludwig Stengele saß am Strand von Cayenne in Französisch-Guayana und langweilte sich schrecklich. Die paar Treffen mit den alten Kameraden von der Fremdenlegion füllten den Tag nicht aus. Er wäre lieber bei den Ermittlungen dabei gewesen. Aber wenn er jetzt zurückflog, war der Fall wahrscheinlich schon um die Ecke. Er betrachtete zwei Fußabdrücke im Sand. Auf Stengeles Gesicht erschien ein hoffnungsfroher Ausdruck. Er schloss auf einen Mann zwischen 30 und 40 Jahren, Gewicht nicht unter 80 Kilo, rechter

Fußabdruck ausgeprägter, also eine Last auf der rechten Schulter. Breit abgerollter Fußabdruck: der Mann war gelaufen, gerannt, und er war vermutlich ein Profi beim Laufen. Tempo: rasend schnell. Aber mit solch einer Last auf der Schulter? Er war in Richtung Meer gelaufen, zu einem Steg, an dem Boote anlegten. Schmugglerboote? Bewaffnete Dschunken von mobilen Killerkommandos? Stengele seufzte. Eine Meereswelle hatte die Spuren verwischt. Er musste hier weg.

»Sind Sie denn vorangekommen, Ostler?«, fragte Maria Schmalfuß im Revier, nachdem beide drei Stunden telefoniert und gemailt hatten.

»Also, ich glaube, diesen Ole Jökelsund, den können wir vergessen. Der hat 1979 seine Wohnung in Schweden aufgelöst, er hat seine Daueraufträge gekündigt und ist dann auf Nimmerwiedersehen verschwunden. Er ist wohl tatsächlich ausgewandert. Auch die Listen mit den ausgesonderten Nobelpreiskandidaten sind nicht zielführend. Das würden wir mit einem Riesenteam in Jahren nicht schaffen. Ach ja: Nils Backlund hat angerufen. Er hat mir seine Handynummer gegeben. Falls wir Fragen haben.«

»Und sonst?«

»Sonst nichts.«

Das war eine kleine Notlüge von Polizeihauptmeister Johann Ostler. Er hatte auch Ursel und Ignaz Grasegger angemailt. Halboffiziell, denn der Chef sah es nicht gern, wenn verurteilte Straftäter in die Ermittlungen einbezogen wurden. Aber eine harmlose Frage? Die konnte man doch stellen.

34

Lieber Johann!

Uns gehts gut, wir sind von London nach Stockholm
weitergeflogen, zum Skogskyrkogården. Den Friedhof
hat uns der arme Suderer Bartl empfohlen, jetzt liegt er
selber auf einem, möge er in Frieden ruhen. Die
berühmteste Tote hier ist die Greta Garbo, man hat kaum
aufs Grab sehen können, so viel Leute sind drum rum
gestanden. Jetzt aber zu deiner Frage, lieber Johann. (Wir
dürfen dich doch wieder duzen? Aus der Entfernung
schadet es ja nichts.) Von abgetrennten Händen in
größerem Ausmaß haben wir noch nie etwas gehört, aber
eine ähnliche Geschichte ist uns selber einmal passiert. Der
Mann von der alten Birnkammer Bäuerin ist gestorben,
und wir sollten die Beerdigung ausrichten. Jetzt gibt es ja
bei jeder Leich' irgendeinen Sonderwunsch. Die
Birnkammerin also hat uns gebeten, ihr eine Hand ihres
Mannes zu überlassen. Rein rechtlich,
bestattungsgesetztechnisch spricht natürlich nichts
dagegen. Der Leichnam gehört ihr, und ob wir jetzt eine
Locke abschneiden oder eine Hand, das ist gehupft wie
gesprungen. Sie wollte sie präparieren lassen und auf den
Esstisch an seinen Platz legen. Als ewige Mahnung. Jetzt
haben wir den unvollständigen Birnkammer Hansi

beerdigt, doch kaum vergehen ein paar Tage, da stirbt sie auch. Was blieb uns übrig: Wir haben seine Hand aus dem Kühlschrank geholt und zu ihr ins Grab gelegt. Wir haben uns vorgestellt, wie dereinst in ferner Zukunft jemand Augen macht, wenn er das Grab öffnet. Aber solche Sachen in größerem Stil? Bei uns jedenfalls nicht.

Viele Grüße von Greta Garbo –
deine Graseggers

Vorgriff

Die Häckslerwalzen schienen sich immer schneller zu drehen. Das Klirren der aufeinanderschlagenden Eisenteile wurde langsam unerträglich. Fieberhaft fingerte Kommissar Jennerwein nach seiner Dienstmarke aus Messing.

Jennerwein wusste, dass er sich mit einer Hand nicht mehr lange an der verrosteten Eisenstange festhalten konnte. Als er mit der anderen, der gebrochenen Hand versuchte, in die Hosentasche zu greifen, überrollte ihn ein Orkansturm von beißenden Schmerzen. Schnell zog er die Hand zurück. So ging es nicht. Er musste es anders versuchen. Jennerwein atmete ein paarmal tief durch, dann zog er sich mit einer gewaltigen Kraftanstrengung einhändig an der Stange hoch, bis es ihm möglich war, den anderen Arm mit der Ellenbeuge einzuhängen. Er stieß einen heiseren Schmerzensschrei aus. Die Muskeln seines Arms glühten, seine Hand schien zu zerbersten. Mit der unversehrten Hand griff er jetzt vorsichtig in die Tasche und zog die metallene Dienstmarke aus dem Etui. Er spähte noch einmal kurz nach unten, dann ließ er die Marke in den schmalen Spalt zwischen den beiden Hauptwalzen fallen. Er hoffte inbrünstig, dass er jetzt das gleiche bremsende Knirschen hörte wie damals vor Jahren in der Polizeikantine. Sekunden verstrichen. Doch die schneideklingenbestückten Walzen des Häckslers rotierten knirschend weiter, als ob nichts geschehen wäre. Jennerwein richtete ein Stoßgebet zum Himmel. Er fluchte. Das Hängen in der Ellenbeuge verursachte ihm Krämpfe. Aber jetzt! Endlich begann die Maschine zu ruckeln und zu stottern. Das Messingstück war in der Mechanik hängen geblieben. Die beiden Walzen quietschten kurz auf, dann kamen sie zu einem vorläufigen Stillstand. Jennerwein atmete durch. Er musste es wagen. Jetzt sofort. Er löste den Arm und ließ sich fallen.

Er stürzte zwei oder drei Meter nach unten, dort krachte er mit der Hüfte auf eine scharfkantige Seitenblende, und sofort geriet er mit dem Unterkörper in den Trichter oberhalb der Klingenwalzen. Sein rechtes Bein ragte schon bis zum Oberschenkel ins Innere des Häckslers, das andere hielt er angewinkelt am Körper. Die Transportwalzen hatten den rechten Fuß eingeklemmt, er versuchte, das Bein herauszuziehen. Es war unmöglich. Er steckte in dieser Höllenmaschine fest. Wie zum Hohn prangte direkt neben seinem Kopf das kleine Firmenschild des Herstellers. *Hasselnöt & Efterfragåd*. Die Klingenwalzen unter ihm begannen zu ruckeln und zu zittern. Das Kratzgeräusch hörte sich an, als ob sich die Dienstmarke aus Messing aus der Verkeilung lösen würde. Die Transportwalze riss bereits an seinem Bein. Abermals fiel sein Blick auf das Firmenschild. Er hatte sich von Hansjochen Becker die Funktionsweise des Häckslers beschreiben lassen. Hinter dem postkartengroßen Blechschild musste sich der Kabelschacht für die Elektrik befinden. Vielleicht konnte er die Drähte herausreißen und auf diese Weise das Gerät lahmlegen. Er griff an das Blech, um es zu lockern, doch es war mit zwei Schrauben an der Innenwand befestigt. Aussichtslos. Doch dann fiel ihm der Spitzstichel ein. Der kleine stricknadelförmige Stichel, der eine verbreiterte, gehärtete Spitze hatte und der jetzt in dem leeren

Etui steckte. Die Walzen ruckten mächtig an. Ihm blieb nicht mehr viel Zeit. Blut färbte seine Finger. Mit zittriger Hand versuchte er die rostigen Schrauben des Firmenschilds zu lösen. Er hatte nur noch wenige Sekunden.

35

Grit Carlsson stand im Arbeitszimmer ihres Mannes und betrachtete die große Pinnwand. Sie war vollständig bedeckt mit verschiedenfarbigen Zetteln voller Adressen, Telefonnummern und Namen. Es waren handgezeichnete anatomische Skizzen dabei, Fotos, Zeitungsausschnitte und Postkarten. Man hätte einen Archäologen gebraucht, um die unterste Schicht freizulegen. Ihr Blick blieb an einem Zettel mit ein paar handgeschriebenen Zeilen ihres Mannes hängen. Die wackelige, eher schülerhafte Handschrift von Bertil passte so gar nicht zu seiner hünenhaften Erscheinung. Sie musste lächeln. Doch dann überwand sie sich und nahm die Zettel einen nach dem anderen ab, um sie in einen großen Pappkarton zu werfen. Ein einzelnes, vergilbtes Blatt glitt ihr aus der Hand und trudelte zu Boden. Als sie den Zettel aufhob, fiel ihr Blick auf die unterstrichenen Worte … *bionische Technik … myoelektrische Handprothese …* Das übliche Medizinerchinesisch. Sie verstand nicht viel von Medizin. Jedenfalls nicht mehr als andere Leute. Sie warf auch diesen Zettel in die Kiste. Bertil würde ihn nicht mehr brauchen.

Grit räumte auf in Professor Carlssons Reich. Sie feierte damit ihre kleine, private Totenandacht. Dann schweiften ihre Gedanken zum gestrigen Abend. Es war eine angemessene Trauerfeier gewesen, die Bertil gefallen hätte. Bis es dann gegen halb neun geklingelt hatte und dieser Backlund vor der Tür stand. Grits erster Impuls war es gewesen, den Friseur hinauszukomplimentieren, doch einem ungewissen Gefühl folgend, hatte sie ihn gebeten zu bleiben. Seine Worte des Beileids waren theatralisch, ohne die vornehme Zurückhaltung, welche die anderen Gäste auszeichnete. Nach einer halben Stunde hatte Grit ihn dabei ertappt, wie er dem schwedischen Botschafter einen Gratis-Haarschnitt anbot. Ein Rüpel. Auch in anderer Hinsicht war er ihr unangenehm aufgefallen. Sie hatte ihn dabei beobachtet, wie er alle Gegenstände in der Wohnung unverschämt genau musterte. Es war ihr fast so vorgekommen, als ob er etwas Bestimmtes suchte. Was war dieser Backlund für ein Typ? Harmlos? Eine Bedrohung?

Grit unterbrach ihre Aufräumarbeiten. Sie betrachtete das gemeinsame Hochzeitsfoto. Sie nahm es ab, drehte es um und las die liebevolle Widmung. Sie legte das Bild mit einem Seufzer in die Kiste. Dann stellte sie die Kiste zu den anderen. Alle trugen die Aufschrift *Verbrennen*.

Freja kam ins Zimmer: Faust nach vorne mit gleichzeitiger Drehbewegung, ein Handkantenschlag auf die Seite.

»Mit der Küche bist du also fertig«, erwiderte Grit und gebärdete gleichzeitig dazu. Bei ihr sah es nicht ganz so flüssig aus wie bei Freja.

»Das ging ja schneller, als ich dachte«, fuhr sie fort. »Fang jetzt bitte mit dem Bad an.«

Wie viele Hörende sprach Grit den Text laut mit, auf diese Weise fielen ihr die Gesten leichter.

»Ist Jennerwein weg?«, fragte Grit ungeduldig.

Freja nickte. Dann tippte sie sich mit der rechten Hand auf die rechte Schulter.

»Ach ja? Gerade eben erst, aha. – Was hat er denn so lange gemacht?«

Einen Zeigefinger Richtung Ohr, eine Schulter nach oben gezogen, mit der anderen Hand so etwas wie Spaghetti mit einer Gabel aufwickeln.

»Im Wacholderbusch? Wirklich?«

Ein Ellbogen nach oben, Streicheln einer imaginären Katze, ein Gewicht stemmen, Stich mit zwei Fingern schräg nach unten.

»Das ist ja eigenartig. – Aber jetzt beeil dich, Freja. In zwei Stunden kommt der Makler. Da sollen die wichtigsten Räume sauber sein.«

Grit Carlsson fing mit dem Verbrennen der papierenen Hinterlassenschaft von Bertil an. Beide hatten sich, gleich nachdem sie eingezogen waren, einen soliden Wohnzimmerkamin einbauen lassen, durch dessen Glasscheibe an so manchem Winterabend ein herrliches Feuer knisterte. Jetzt brannte das Feuer vermutlich das letzte Mal, zumindest für Grit. Sie ging mit großer Sorgfalt vor. Sie achtete darauf, dass jedes Stück Papier oder Pappe, jedes noch so kleine Fitzelchen auch wirklich Feuer fing. Eine Ehrenurkunde vom Volkstrachtenverein: *Für insan Bartl!* Ein zusammengehefteter Briefwechsel mit dem Finanzamt Stockholm. Und dann das handgeschriebene Notizblatt, das ihr vorhin schon aufgefallen war: … *bionische Technik … myoelektrische Handprothese …* Es schien ihr, als ob sich das Feuer hier besonders genussvoll festfräße.

Was sollte sie nur mit der ganzen Trachtenkleidung von Bertil anfangen? Mit den unzähligen Lederhosen, Trachtenjoppen, Hüten und Hemden? Mit den bestickten Seidentüchlein, Wadlstrümpfen und Haferlschuhen? Das alles konnte sie doch nicht einfach in den Hausmüll werfen. Oder gar in die Altkleidersammlung geben. Sie musste die Kleidungsstücke verbrennen. Aber wie verbrannte man Lederhosen? Sie entschloss sich, die Sachen erst einmal in den Lastwagen der Speditionsfirma verladen zu lassen, der in den nächsten Tagen nach Schweden fahren sollte. Sie richtete ihren Blick zum Ofen. Der größte Teil der Pinnwand war inzwischen Asche und Staub. Doch ein türkisfarbener Liebesbrief hatte sich quer gelegt und kippte zur Seite. Er bekam dadurch eine winzige Gnadenfrist. Grit erkannte ihn gleich als einen der ihren, sie hätte den Inhalt wörtlich wiedergeben können. Grit seufzte. Das war in der Tat die zweite Bestattung von Bertil Carlsson alias Suderer Bartl. Gegen Ende der Verbrennungsaktion fiel ihr noch eine Postkarte von Julius Axelrod in die Hände, dem amerikanischen Medizinnobelpreisträger von 1970 (*»für die Entdeckungen der Signalsubstanzen in den Kontaktorganen der Nervenzellen«*):

Wer von inneren Werten redet, hat noch nie bei einer Operation zugesehen.

Ins Feuer damit. Sie musste hier weg, das war sicher. Bald kam der Makler, dann war sie dieses Haus endlich los, das mit so vielen Erinnerungen verbunden war. Sie versuchte diese Gedanken abzuschütteln und sich auf den bevorstehenden Umzug zu konzentrieren. Doch in ihrem Kopf tauchten immer wieder die drei gleichen Namen auf: Jökelsund, Pettersson und Backlund. Und was hatte Freja ihr gebärdet? Warum hatte Jennerwein ausgerechnet den Wacholderstrauch durchsucht? Eine Erinnerung stieg in ihr auf. Ein Bild stand ihr plötzlich vor Augen. Sollte da etwa … Sie holte sich ein Lexikon und setzte sich an den Schreibtisch. Nach ein paar Seiten fuhr sie erschrocken zusammen. Ein sorgenvoller Zug erschien auf ihrem Gesicht. Sie verstaute das Buch sorgfältig und verließ das Zimmer. Sie musste handeln. So schnell als möglich. Hoffentlich war es nicht schon zu spät.

36

Polizeioberrat Dr. Rosenbergers sonore Stimme schallte durchs Telefon.

»Gibt es was Neues im Fall Carlsson, Kommissar Jennerwein? Ich meine: in Bezug auf die fehlende Hand?«

»Bisher leider nicht. Wir sind aber dran.«

»Trotz der neuen Entwicklung kann ich Ihnen nicht mehr als ein paar Tage Zeit geben. Dann müssen wir den Fall abschließen. Die Staatsanwältin drängt.«

»Ich weiß. Ich kenne sie.«

»Auch die Presse sitzt mir schon im Nacken. Sogar ein paar schwedische Zeitungen haben Kontakt mit mir aufgenommen. Jennerwein, ich bitte Sie: Bringen Sie den Fall zum Abschluss!«

Der Polizeioberrat legte grußlos auf.

Jennerwein lehnte sich zurück. Sie hielten gerade die rauchlose Rauchpause ab. Alle standen hinter dem Polizeigebäude auf der Terrasse, niemand rauchte. Maria rührte in ihrer Kaffeetasse herum, Ostler biss in seine Leberkäsesemmel, er hatte noch drei weitere mitgebracht.

»Wollns eine, Chef?«

Jennerwein lehnte dankend ab. Er konnte sich am besten konzentrieren, wenn er hungrig war. Das war ein Restposten aus seiner Zeit als Streifenpolizist. Die schlechtesten Beschatter oder Observatoren waren diejenigen, die gerade Brotzeit gemacht hatten. Die besten waren die Ausgehungerten, denen der Sinn eigentlich nach einem fetten Burger stand.

»Ich habe übrigens heute im Haus Carlsson noch eine zweite Frau gesehen«, sagte Jennerwein in die Jausenstille hinein. »Ich hatte den Eindruck, dass sie mich schon eine Weile beobachtet hatte. Vom ersten Stock aus. Als ich hochblickte, hat sie sich zurückgezogen. Sie war wesentlich jünger als Grit Carlsson, dunkelhaarig, schlank, blasser Teint. Sie trug eine geblümte Kittelschürze, es wird also die Haushaltshilfe der Carlssons sein. Genauer gesagt: gewesen sein. Wissen Sie da was Genaueres, Ostler?«

»Wenn Sie die geheimnisvolle Frau am Fenster einmal etwas ausführlicher beschreiben könnten, Chef? Vielleicht war es eine Einheimische.«

»Als sie mich gemustert hat, hat sie die Augen zusammengekniffen, so, als ob sie kurzsichtig wäre, sie hatte etwas von einem Reh, das Witterung aufgenommen hat, auf dem Sprung, jederzeit bereit, zu fliehen.«

Maria und Ostler hörten aufmerksam zu. Man hatte in Bezug auf Personenbeschreibungen einiges vom Wolzmüller Michl gelernt. Ostler nickte.

»Ja, das könnte die sein, die ich auch in der Kirche gesehen habe. Den Namen weiß ich nicht, aber die ist mir im Ort schon ein paarmal über den Weg gelaufen. Beim Einkaufen. Ah! Die ist einmal beim Gemüsetandler vor mir gestanden und hat gestikuliert wie der Teufel. Die ist taubstumm!«

»Gehörlos«, verbesserte Maria milde.

»Gut, dann eben gehörlos, aber in diesem Fall ist es jedenfalls nicht schwierig, ihren Namen herauszubekommen.«

Ostler führte zwei, drei Telefonate.

»Sie heißt Freja Helmer«, sagte er, nachdem er aufgelegt

hatte. »Wohnhaft etwas außerhalb des Kurorts. Zuverlässige Haushaltshilfe, beste Referenzen, ist bei verschiedenen Adressen beschäftigt.«

»Danke, Ostler«, sagte Jennerwein. »Gut gemacht.«

»Ist Ihnen sonst noch etwas auf dem Grundstück aufgefallen, Hubertus?«, fragte Maria.

»Nein, jedenfalls nichts bezüglich einer weggeschleuderten Hand. Ich würde sagen, wir warten die Ergebnisse der gerichtsmedizinischen Untersuchung ab. So wie ich die Frau Doktor kenne, findet sie sicherlich heraus, auf welche Weise die Hand abgetrennt worden ist.«

»Während Sie weg waren, Hubertus, ist uns noch eine Idee gekommen, die zu verfolgen wir für lohnend halten«, sagte Maria. »Wir haben ja zunächst die Mediziner ins Auge gefasst, denen der Nobelpreis versagt geblieben ist. Eine hoffnungslose Suche, genauso zum Scheitern verurteilt wie die Suche nach einzelnen Firmen hinter diesen Abgewiesenen.«

Jennerwein nickte zustimmend.

»Aber wie wäre es damit: Jemand bekommt den Nobelpreis zwar, aber er hat bei seinen Forschungen gemogelt, vorhandene Ergebnisse abgeschrieben, umgeschrieben oder so etwas. Bertil Carlsson hat das herausbekommen, und jetzt droht demjenigen die Aberkennung. Das ist doch viel wahrscheinlicher! Carlsson hatte als Rentner Zeit, die Entwicklungen in der medizinischen Forschung zu beobachten. Er kannte sich immer noch gut aus.«

»Ist das so?«

»Frau Carlsson hat mir erlaubt, einen Blick in sein Arbeitszimmer zu werfen. Hunderte von medizinischen Büchern. Tausende von Zetteln an der Wand, meist mit medizinischen Skizzen. Das sah mir nicht danach aus, als ob er mit dem Thema

Medizin ganz abgeschlossen hätte. Aber nun zu meiner Theorie: Carlsson kommt dem Schummler auf die Schliche. Carlsson ist ein gutherziger Typ, er hängt das nicht gleich an die große Glocke. Er nimmt Kontakt zu dem Schwindler auf, bittet ihn um ein Gespräch, der Typ kommt hierher, ein Wort gibt das andere, der Typ bringt ihn um.«

»Das wäre möglich«, sagte Jennerwein, und eine Schubkarre voll Skepsis schwang in seiner Stimme mit. »Das würde den Kreis der Verdächtigen stark einschränken.«

»Wir könnten natürlich eines machen«, sagte Ostler. »Wir rufen die Hotels im Kurort und im Landkreis an und fragen, ob folgende Leute hier abgestiegen sind –« Er hielt einen beschriebenen Zettel hoch. »Die Preisträger der zwanzig Jahre, in denen Carlsson Jurymitglied war!«

»So eine Hotelbefragung bedürfte einer richterlichen –«

»Die Hälfte der Hotels habe ich schon angerufen«, sagte Ostler verschmitzt. »Wäre doch schad, wenn wir auf halber Strecke stehenbleiben.«

Jennerwein seufzte.

»Aber ich hätte noch eine weitere Idee«, sagte Ostler, und er konnte den Stolz nicht verbergen. »Die Nobelpreisjury soll doch eigentlich die besten und nützlichsten wissenschaftlichen Resultate prämieren. Aber was ist, wenn die Jury korrupt ist? Wenn sie von einer Firma den Auftrag erhält, ganz bewusst und gezielt einen Trend zu setzen? Die Jury und eine Pharmafirma könnten zusammenarbeiten, indem ein Wissenschaftler prämiert wird, der eine Krankheit sozusagen aus dem Hut zaubert, wogegen diese Firma dann den Wirkstoff schon fix und fertig erforscht hat. Ich weiß jetzt den Fachausdruck nicht –«

»Sie meinen *Disease mongering*, also Krankheitserfindung«,

sagte Maria. »Dabei werden ganz normale Lebensabläufe zu therapiebedürftigen Krankheiten umgeschrieben. Damit lässt sich viel Geld verdienen. Orangenhaut bei Frauen, Haarausfall bei Männern, das sind so Beispiele. Es wird immer noch gestritten, ob nicht ADHS auch dazugehört.«

»ADHS als eine von der Pharmaindustrie gekaufte Diagnose?«, fragte Jennerwein ungläubig.

»Es gibt gewichtige Stimmen, die dieser Auffassung sind.«

»Eine Verschwörung?«

»Disease mongering ist wirklich ein ernstzunehmendes Phänomen heutzutage, Hubertus.«

Jennerwein stand auf.

»Aufgabenverteilung. Sie, Ostler, rufen weiter bei den Hotels an. Ich kümmere mich um die Spur, auf die uns Nicole Schwattke gebracht hat und die nach Rumänien führt. Und Sie, Maria, denken noch einmal über die Symbolik von Händen nach. Carlssons Spezialgebiet war ja wohl nicht die Handchirurgie, auch nicht in seiner aktiven Zeit. Vielleicht lohnt es sich aber, herauszufinden, wer von den Preisträgern darüber geforscht hat.«

Maria nickte.

Ostler hatte den Telefonhörer schon in der Hand.

»Charmehotel Bergblick, mein Name ist – «

»Polizeihauptmeister Ostler. Ich möchte den Chef sprechen.«

»Der ist leider – «

»Jetzt passen Sie auf, Fräulein. Jetzt gehen Sie rein zum alten Blatterberger, stören ihn bei seiner Zeitungslektüre und rufen ihn ans Telefon. Sagen Sie nur einen Namen: Ostler.«

Wenige Sekunden vergingen. Ostler konnte manchmal einen richtig deftigen Ton draufhaben.

»Blatterberger. Servus Johann.«

»Servus. Sag einmal, hast du das Hotelmelderegister grade griffbereit –«

Jennerwein nahm inzwischen Kontakt zu den rumänischen Kollegen in Bukarest auf. Es gab eine Kommissarin, die Deutsch sprach. Das Problem: Vor der Öffnung des Eisernen Vorhangs wurde so ziemlich alles unter Verschluss gehalten. Nach der Öffnung allerdings wurde so ziemlich alles unter Verschluss gehalten, was das Regime für wert gehalten hatte, unter Verschluss zu halten. Aber sie werde sich kümmern. Abgetrennte Hände?

»Ganz genau. Abgetrennte Hände, Frau Kollegin.«

»Das war bei uns in Rumänien eine Art Schauermärchen, das uns als Kinder erzählt wurde. Wenn du dir die Hände nicht wäschst, kommt der Handsammler und reißt sie dir ab. Der Handsammler mag schmutzige Kinderhände, hieß es. Er sammelt sie, brät sie und isst sie auf.«

»Reale Vorkommnisse haben Sie nicht?«

»Ich tu mich mal um.«

Hände, Hände, Hände, dachte Maria. Wo anfangen? Hände waren praktisch ein Symbol für alles. Für den menschlichen Fortschritt, den Beginn der Geisteskraft. Für die Kunst. Für die Einfühlsamkeit. Für den Verstand. Plötzlich fiel es ihr ein: Sie selbst hatte doch vor langer Zeit schon einmal etwas über Hände geschrieben, gleich nach dem Psychologiestudium. Sie hatte verschiedene Jobs gehabt, auch solche, die sie heute nicht mehr annehmen würde: Werbepsychologie, Beratung von Politikern. Und Zeitschriftenartikel. Maria hätte fast laut aufgelacht im nüchternen Zimmer des Polizeireviers. Es war ein Artikel für eine Boulevardzeitschrift gewesen, mit dem Honorar hatte sie sich einen Urlaub in Südfrankreich leisten können. Eigentlich nur die Hinfahrt – aber der Zeitungsbeitrag musste noch irgendwo im Netz herumschwirren. Sie lud sich den Artikel herunter, druckte ihn aus und hängte ihn an die Pinnwand, neben die Postkarten der Graseggers.

Ihre Hände sprechen Bände!

aus: LYSETTE, die hippe neue All-Age-All-Gender-Zeitschrift
Rubrik: Persönlichkeitstest

Wie halten Sie ein Buch in den Händen, wenn Sie es lesen? Die Art und Weise, wie Sie das tun, sagt viel über Ihre Persönlichkeit und Ihren Charakter aus. Unsere Psychologin hat für Sie die häufigsten Lese-Typen zusammengestellt. Vielleicht erkennen Sie sich wieder!

Scheu & zurückhaltend

Sie legen das Buch während des Lesens auf Ihre offenen Handflächen? Sie lassen die Hände gleichsam unter den Buchdeckeln verschwinden? Wenn Sie Ihre Hände auf diese Weise verstecken, dann sind Sie sicherlich ein aufmerksamer und gewissenhafter Leser. Aber Sie sind auch ein ängstlicher und schreckhafter Mensch. Sie sind manchmal ein richtiger Hasenfuß!
Unser Tipp: *Packen Sie das Leben beherzter an.*

Dominant & herrisch

Sie umklammern das Buch spinnenartig? Zeige-, Mittel-, Ring- und Kleinfinger greifen dabei über den oberen Seitenrand, die Daumen sind seitlich zu sehen? Dann sind Sie ein machtbesessener Zeitgenosse, der notfalls über Leichen geht.
Unser Tipp: *Legen Sie den Roman kurz beiseite und lockern Sie Ihre Finger. Seien Sie auch sonst lockerer.*

Skeptisch & altmodisch

Sie halten das aufgeschlagene Buch mit der einen Hand, die dabei eine Art Vase bildet, während die andere Hand dauernd in Bewegung ist? Sie greifen während des Lesens zum Weinglas, zupfen am Ohrläppchen, trommeln auf der Tischplatte herum? Dann sind Sie ein zutiefst konservativer und risikoscheuer Mensch. Sie haben an allem etwas auszusetzen, neigen zu Depressionen und haben einen deutlich zu hohen Blutdruck.

Unser Tipp: *Legen Sie den Roman beiseite. Schreiben Sie einen eigenen.*

Selbstgenügsam & bescheiden

Sie fassen das Buch an den unteren Rändern an, so dass Ihre Hände zwei Greifzangen gleichen? Dann sind Sie einer jener Menschen, mit denen man gut auskommt, die immer freundlich und friedfertig sind, denen nie ein böses Wort über die Lippen kommt. Sie sind bescheiden, tolerant, gütig und zuvorkommend. Solche Menschen sind mitunter eine rechte Plage.

Unser Tipp: *Seien Sie kein Fußabtreter. Nehmen Sie Ihr Leben in die – Hand.*

Melancholisch & feinsinnig

Sie legen das Buch aufgeschlagen auf den Tisch, ohne es zu berühren? Womöglich stützen Sie auch noch die Ellbogen auf und vergraben das Gesicht in den Händen? Dann sind Sie der sogenannte Ohrenschützer-Typ. Ihresgleichen sieht man oft in Bibliotheken und in Cafés. Sie sind eine Augenweide. Aber Vorsicht! Dieser Typ von Leser hat große Bindungsängste.

Unser Tipp an die anderen: *Gehen Sie schnell vorbei.*

Jung & expeditiv

Sie legen das Buch auf die Knie, tippen auf die Seiten und blättern mit einer Art Wischbewegung um? Dann wollen Sie sich keinerlei Zwängen unterwerfen, Sie suchen am liebsten Ihre eigenen Wege. Sie sind vertraut mit dem Chaos und schöpfen daraus souverän

Kreativität. Sie wollen sich vom Mainstream abgrenzen und fühlen sich den anderen haushoch überlegen.

Lassen Sie mich raten: *Sie sind Anfang zwanzig und tragen Designerklamotten von Abercrombie & Fitch.*

Brutal & rücksichtslos

Sie klappen beim Lesen die Seiten eines Buches im 180°-Winkel um, so dass sich die Buchdeckel berühren? Sie nehmen das geschundene Buch in eine Hand, scheuen sich auch nicht, damit Insekten zu erschlagen, einen wackelnden Tisch abzustützen oder das Buch beim Grillen als Brandbeschleuniger zu verwenden? Sie reißen Seiten heraus, um darauf etwas zu notieren? Dann sind Sie ein mieses, selbstsüchtiges Geschöpf.

Warnung an die anderen: *Allergrößte Vorsicht ist geboten!*

Exklusiv & snobistisch

Sie mieten sich beim Studentenschnelldienst einen ›Buchhalter‹ und Seitenumblätterer, der vor Ihnen sitzt und das aufgeschlagene Buch hält? Wenn Sie zu dieser Art von Lesern gehören, wollen Sie sich ›die Hände nicht schmutzig machen‹. Sie verschränken meist die Arme vor der Brust, mit einem kurzen, herrischen Nicken geben Sie den Befehl zum Umblättern. Sie haben auch sonst sehr viel Spaß im Leben.

Unser Tipp: *Weiter so. Warum sollten Sie etwas ändern?*

37

Im rechtsmedizinischen Labor hatte die Frau im Rollstuhl den *Großen Atlas der Stich-, Hieb-, Biss- und Schusswunden* aufgeschlagen. 34. Auflage, diesmal mit dem Extrateil *Explosionswunden*. Anfangs gab es bei den vier Azubis der Pathologie noch ein paar angeekelte Iiihs! und Ääähs!, aber jetzt beugten sie sich über die bunten Bilder schon fast wie die Profis. Auf Seite 208 konnte man sehen, was ein Alligator anrichten kann, wenn er richtig sauer ist. Oder hungrig. Was bei einem Alligator aber vermutlich dasselbe ist.

»Normalerweise nützt uns ja der Tierfraß was«, sagte die Gerichtsmedizinerin. »Denkt bloß an die ganzen Insektenlarven und Käferbisse, die man zur Bestimmung des Todeszeitpunkts heranziehen kann. In unserem Fall aber hat so ein dummes Viech die Hand einfach weggetragen. Sitzt jetzt irgendwo in seinem Bau und knabbert an einem Zeigefinger. Lacht sich vermutlich kaputt über das, was wir hier machen.«

»Da schau her! Das ist ja interessant!«

Ulrich hatte eine neue Seite aufgeschlagen. Auf dem Bild war ein abgerissener Finger zu sehen.

»Richtig, eine Quetschwunde. So eine Wunde kann sehr viel aussagen, sie kann uns aber auch in die Irre führen. Da gab es mal einen Fall, bei dem ein Zahntechniker eine tödliche

Schusswunde, die er einem Konkurrenten beigebracht hat, durch eine Bisswunde zu kaschieren versuchte.«

»Er hat –«

»Nein, nicht er selbst. Er hat ein Wolfsgebiss dazu benützt, er hat es nachgebaut und damit sozusagen zugeschnappt. Verlasst euch also nicht auf den ersten Eindruck. In unserem Fall werden wir jetzt untersuchen, was dieser Schnitt oder Riss oder was auch immer an Carlssons Hand bedeutet. Wie die Abtrennung zustande gekommen ist. Es ist übrigens gar nicht so leicht, einen Knochen mit einem Schlag zu trennen. So scharf das Schwert oder das Beil auch sein mag. Wer von euch kocht?«

Niemand meldete sich.

»Unter vier Leuten muss doch einer kochen können! Nicht? Aha: Generation Chicken Wings: *Good looking, sad cooking.*«

Man sah es ihr an: Auf diesen Augenblick hatte sich die Frau im Rollstuhl schon den ganzen Morgen gefreut. Sie griff in eine Plastiktüte mit der Aufschrift *Metzgerei Moll*, holte ein paar Kalbsfüße heraus und warf sie auf den Tisch. Die vier Probonos schauten sich verwundert an. Die Gerichtsmedizinerin legte einen der Knochen auf ein Brett. Dann holte sie eine Art Hackebeil heraus, dessen Klinge mit einem ledernen Schoner geschützt war.

»Das ist ein chinesisches Küchenbeil. Es ist superscharf. Ich habe es für diesen Versuch extra nochmals nachgeschliffen. Jeder von euch darf mal probieren. Aber wie gesagt: Vorsicht.«

Mit dem nötigen Respekt vor dem Messer nahm der dicke Achmed das chinesische Beil in beide Hände. Er holte aus, schlug ächzend zu, halbierte den Kalbsfuß zwar sauber, doch konnte man schon auf den ersten Blick erkennen, dass die Klinge den Knochen nicht glatt zertrümmert, sondern zersplittert hatte. Nun war Christl dran. Sie hatte einen anderen Plan. Sie besorgte sich zunächst starkes Klebeband und fixierte den Knochen damit auf dem Holzbrett. Sie schlug nur halb so kräftig zu, auch leicht schräg, und mit einer gewissen Richtungsgebung nach vorn, um so zu treffen, wie ein Fallbeil trifft. Doch auch dieser Knochen zeigte Splitterbildung. Der Nächste war Ulrich, der Ultracoole. Er ließ sich Zeit. Er befühlte den Kalbsfuß zunächst von allen Seiten, dann prüfte er durch Knicken und Drehen, wo das Gelenk saß.

»Sehr gut!«, lobte die Frau im Rollstuhl.

Daraufhin schnitt er die Haut und das Fleisch an dieser Sollbruchstelle so ein, dass das Gelenk frei lag. Dann erst schlug er zu. Er hatte sich bemüht, nur die flachsige Bandverbindung zu treffen. Doch auch auf diese Weise wurde die Gelenkhöhle stark beschädigt. Der Depp schließlich säbelte seinen Kalbsfuß auseinander, wie man Brot schneidet. Das Messer sank ins Gewebe, durchschnitt auch die äußere Knochenschicht relativ glatt. Beifälliges Gemurmel erhob sich: Hatte der Depp vielleicht die richtige Idee gehabt? Ausgerechnet der Depp? Aber nein, auch mit dieser Schnitttechnik riss er brüchige kleine Stücke aus dem Knochen, die sich verquirlt aufbogen, manche Fetzen flogen sogar im Raum herum. Der Depp hatte die meisten Zerquetschungen und Läsuren am Versuchsobjekt verursacht. Der Depp eben.

Die Gerichtsmedizinerin säuberte das Beil und packte es wieder in den Klingenschutz.

»Wir sehen also«, sagte sie zufrieden, »dass kein Knochen mit einem noch so scharfen Beil, und erst recht nicht mit einer viel weniger scharfen Häckslerklinge, so sauber abgetrennt werden kann, wie diese Hand abgetrennt worden ist. Nicht einmal am Gelenk.«

Sie wies auf das dreidimensionale Tomogramm auf dem Computerbildschirm, das Carlssons Knochenpuzzle zeigte.

»Die wahrscheinlichste Möglichkeit, wie das so sauber und glatt funktioniert, ist folgende. Und jetzt passt mal ganz genau auf.«

Ein listiger, fast verschlagener Ausdruck erschien auf ihrem Gesicht. Sie nahm ein Skalpell aus einer sterilen Tüte, holte einen fünften Kalbsfuß und legte ihn auf das Brett. Sie blickte auf ihre Armbanduhr.

»Hoffentlich beherrsche ich es noch. Und los!«

Das Schauspiel, das jetzt folgte, war atemberaubend. Die Gerichtsmedizinerin verwandelte sich in eine Maschine. In eine Schneide- und Häckselmaschine. In einen japanischen Fugu-Meister. Sie bewegte die Klinge des Skalpells so schnell, dass man den Bewegungen kaum folgen konnte. Sie schnitt die Außenhaut ein, bohrte und kreuzte mit dem Messer, dass Gelenke krachten und Sehnen schmatzten. Sie schnitt Bänder frei, die wie durchgeschnittene Gummiseile durch die Luft flogen, dann fuhr sie mit dem Skalpell mitten ins Gelenk hinein und hebelte es auf. Schließlich hatte sie den Kalbsfußknochen tranchiert wie ein Rotisseur eines Luxusrestaurants. Sie hielt die beiden Teile hoch und sah erneut auf die Uhr.

»Fünfzehn Sekunden! Neuer Rekord.«

Die Gruppe der vier konnte nicht anders, als zu klatschen.

»Danke. Aber seht her. Das nenne ich einen sauberen Schnitt! Natürlich ist es kein im mathematischen Sinn glatter Schnitt, aber sauberer als eure Beilschnitte. Das ist eine sogenannte Exartikulation. Das hat nichts mit feuchter Aussprache zu tun, es ist vielmehr die Amputation einer Gliedmaße im Gelenk. Dazu brauche ich keine Säge, keinen Knochenbrecher, mir genügt ein Skalpell. Was ihr gerade gesehen habt, ist der sogenannte Ruloff'sche Schnitt. Der wird gemacht, wenn es schnell gehen muss. Bei Notamputationen zum Beispiel, wie sie im Krieg üblich sind. Oder bei Unfällen. Dabei darf ich nicht zimperlich sein. Bei der menschlichen Hand muss ich zwischen dem Griffelfortsatz der Elle und dem Mondbein schneiden. Dabei muss ich mit dem Skalpell so knapp am Griffelfortsatz vorbei, dass dieser immer auf eine charakteristische Weise beschädigt wird.«

Die Gerichtsmedizinerin entsorgte das Skalpell und wusch sich die Hände.

»Ihr werdet euch nun fragen, weswegen ich euch das gezeigt habe. Ganz einfach. Der Schnitt bei Carlssons Hand ähnelt dem Schnitt, den ich hier gerade gemacht habe. Der Griffelfortsatz ist beschädigt. Und zwar nicht zufällig, er wurde vielmehr in typischer Weise lädiert. Da aber Carlsson weder im Krieg gewesen ist noch einen schweren Unfall hatte, bleibt nur eine einzige Möglichkeit. Jetzt überlegt mal.«

»Er hat die Hand also kurz vor dem Sturz in den Häcksler verloren?«, fragte Christl ungläubig. »Und zwar mit einem – wie hieß der – Ruloff'schen Schnitt?«

»Kurz vor dem Sturz, richtig. Mit genau dieser Methode. Er muss bewusstlos gewesen sein, als jemand den Schnitt vorgenommen hat. Ihr habt gesehen, wie schnell das geht. Schließlich hat dieser Jemand Carlsson in den Häcksler gestoßen. Eine groteske Möglichkeit, eine Möglichkeit, bei der man sich fragt, was das für einen Sinn haben soll. Aber in sich ist sie schlüssig.«

»Dann war es also doch kein Unfall«, murmelte Achmed, der Pfau.

Nein, das war es nicht.

»Störe ich?«, fragte eine dunkle Stimme in ihrem Rücken. Alle zuckten erschrocken zusammen, einschließlich der abgebrühten Gerichtsmedizinerin. Zu bizarr war die Spekulation, die sie gerade angestellt hatten. Die Frau im Rollstuhl hatte sich als Erste gefasst.

»Nein, Sie stören nicht. Kommen Sie nur herein, Hubertus!«

Jennerwein begrüßte die Anwesenden, die Gerichtsmedizinerin stellte ihn vor.

»Und wie immer kommen Sie genau zum richtigen Zeitpunkt, Kommissar.«

»Ja, wir haben was entdeckt!«, platzte Christl heraus.

Die Gerichtsmedizinerin fasste die Ergebnisse des Versuchs kurz zusammen.

»Hm«, machte Jennerwein. »Sind Sie wirklich sicher?«

»So sicher, wie ich hier sitze«, entgegnete die Ärztin.

Eine Veränderung ging in Jennerwein vor. Seine Augen blitzten auf. Er hatte also doch einen echten Fall. Das Herumstochern im Nebel hatte ein Ende.

»Großartig. Endlich einmal etwas Handfestes.«

Alle kicherten.

»Ach so, ja, ich verstehe. Aber die Sprache ist nun mal durchsetzt von Hand-Metaphern. – Wie hoch, schätzen Sie, ist die Wahrscheinlichkeit einer Abtrennung kurz vor dem Tod?«

»Achtzig Prozent. Neunzig Prozent.«

»Aber warum sollte man jemandem die Hand abnehmen?«, mischte sich Christl ein. »Und ihn anschließend töten?«

»Gute Frage«, sagte Jennerwein. »Zur zweiten Frage: Niemand sollte von der Amputation erfahren. Zur ersten Frage: Wenn wir darauf die Antwort wissen, dann haben wir den Mörder!«

Eine Pause trat ein. Alle schauten auf Jennerwein, der nachdenklich auf die zertrümmerten Kalbsfüße blickte.

»So fühlt sich also ein echter Durchbruch in den Ermittlungen an«, sagte Christl.

»Ja, so fühlt sich das an. Eines noch. Das ist auch der eigentliche Grund, warum ich persönlich vorbeigekommen bin. Wir wollen die ganze Sache mit der Hand noch unter Verschluss halten. Aus ermittlungstaktischen Gründen. Auch die Presse soll es nicht erfahren. Die Information darf diesen Raum nicht verlassen.«

Jennerwein blickte die vier Helfer einzeln an.

»Aber Sie sind ja alle Beamte oder Angestellte des öffentlichen Dienstes. Sie kennen die entsprechenden Paragraphen zur Verschwiegenheitspflicht, was rede ich also.«

Die Gerichtsmedizinerin wollte gerade zu einem Äh... ansetzen, doch Ulrich, der coole Ulrich, unterbrach sie mit einem »Geht klar, Chef. Wir schweigen«.

Auch alle anderen nickten.

Da hatte sie nun den Salat. Sie konnte nur hoffen, dass das gutging. Dass niemand von ihnen das Geheimnis ausplauderte. Jennerwein verabschiedete sich. An der Tür blieb er nochmals stehen und wies auf die zerschmetterten Knochenteile.

»Kalbsfüße, hm?«

»Ja, die haben in etwa den Umfang und die Festigkeit von menschlichen Unterarmknochen. Lediglich Elle und Speiche sind bei Paarhufern miteinander verwachsen. Der Griffelfortsatz sitzt ungefähr an derselben Stelle. Für meine Demonstration waren Kalbsfüße genau das Richtige.«

»Ich habe etwas anderes gemeint«, sagte Jennerwein lächelnd. »Ich habe daran gedacht, was man mit Kalbsfüßen noch anstellen könnte, außer sie roh zu zertrümmern.«

»Ach, Sie meinen eine Suppe. Nach dem Rezept von Hildegard von Bingen? Mit Galgant, Bertram, Quendel, Muskat und Ysop! Das hatte ich sowieso vor.«

Jennerwein verabschiedete sich mit einem genüsslichen Hmm!

Auch ihre Schützlinge hatten Dienstschluss.

»Wir treffen uns morgen wieder«, rief die Frau im Rollstuhl und packte die Kalbsknochen ein.

Der Depp ging nachdenklich nach Hause. Er hatte noch nie in seinem Leben mit Medizin zu tun gehabt, schon gar nicht mit Gerichtsmedizin. Aber diese Arbeit gefiel ihm. Die schrittweise, klare, logische Vorgehensweise, die in diesem Fachgebiet wohl notwendig und an der Tagesordnung war! Er erkannte, dass ihm das sehr lag. Er hatte sich inzwischen Fachbücher besorgt, die er mit großem Eifer studierte. In seinem Deppenkopf schwirrten die Termini nur so herum: Mazeration … Ruloff'scher Schnitt … Griffelfortsatz …

Auch zu Hause ratterte es weiter in seinem Kopf. Der Ruloff'sche Schnitt. Der zerstörte Griffelfortsatz. Fieberhaft arbeitete er die ganze Nacht. Im Morgengrauen, nach zehn Tassen Kaffee, kam er auf eine weitere Erklärung für einen zersplitterten Griffelfortsatz. Er wollte aber noch nicht damit herausrücken, bevor er nicht vollständige Gewissheit hatte.

Er wollte nicht als Depp dastehen.

38

An der fettigen Fensterscheibe prangte der schmutzige Abdruck einer Hand. Er befand sich in Hüfthöhe, die Finger zeigten schräg nach oben. Kommissar Ludwig Stengele fragte sich, wie der Handabdruck dort unten hingelangt war. Der Mensch, der ihn verursacht hatte, musste am Boden gesessen, vielleicht sogar gelegen sein. Es war die linke Hand eines mittelgroßen bis kleinen Mannes, wahrscheinlich ein Einheimischer. Die Finger waren vollständig gespreizt, er musste sich kräftig abgestützt haben, auf der Seite des kleinen Fingers stärker als auf der Daumenseite, also nach links. Es gab winzige Rutschspuren von oben nach unten. Stengele beugte sich hinunter zum Boden, um nach weiteren Spuren zu suchen. Nach Kampfspuren, Blutspuren.

»Ist Ihnen nicht gut?«, fragte der Barmixer.

»Mir ist nur … dieser Handabdruck aufgefallen«, stotterte Stengele.

Der Barkeeper machte ein bekümmertes Gesicht.

»Das tut mir jetzt schrecklich leid«, sagte der Barkeeper. Er nahm einen Lappen und wischte den Fleck weg. Stengele warf sofort einen Blick auf die Hände des Mannes. Aber diese Pranken waren viel zu groß.

»Sie müssen entschuldigen, ich hatte noch keine Zeit, sauberzumachen. Mein Sohn spielt immer dort unten und hinterlässt Patzer mit seinen Honighänden.«

Er deutete mit dem Daumen nach hinten, von dort kam ein kleiner Junge angerannt. Er lief an Stengele vorbei und kroch unter den Tisch. Der Kleine trug an der linken Hand ein Pflaster. Stengele bestellte einen Highball und kippte ihn ärgerlich hinunter. Französisch-Guayana. Er wurde noch wahnsinnig in diesem verdammten Ferienparadies.

Von der Strandbar bis zum Meer waren es nur ein paar Schritte. Dort stieg eben schon wieder eine jener Strandschönheiten an Land, von denen es hier nur so wimmelte. Sie glich dem Bondgirl Ursula Andress *(James Bond jagt Dr. No)*, nur dass sie dunkelhäutig war – und Ludwig Stengele nicht James Bond. Hatte die nicht vorhin im Hotel schon dauernd zu ihm hergesehen?

»Darf ich mich setzen?«, fragte sie, auf Französisch, und Stengele erwiderte, ebenfalls in perfektem Französisch:

»Ja.«

Stengeles Französisch ging natürlich weit über dieses eine Wort hinaus, er beherrschte die Sprache außerordentlich gut, fast akzentfrei, wie viele Alemannen. In Ludwig Stengeles Fall kam jedoch noch die Legion dazu. Und Claire. Aber das war eine andere Geschichte.

»Sie sprechen Französisch?«, fragte die dem Meer Entstiegene. Sie schüttelte ihr nasses Haar und bestellte einen Drink.

»Woher kommen Sie?«

»Aus Bordeaux«, log er.

Sein Mobiltelefon klingelte. Endlich. Der lang ersehnte Anruf aus dem Kurort.

»Ich brauche Ihre Hilfe, Stengele.«

»Ich höre, Chef.«

»Aber zuerst mal: Wie geht es Ihnen dort drüben?«

»Stinkfad ist mir. Ich hätts nicht machen sollen. Ich hätt lieber in den Allgäuer Alpen wandern und klettern sollen, wie immer. Hochvogel und Rosszahn, das sind meine Favoriten. Aber was gibts?«

»Wir suchen einen Mann namens Ole Jökelsund, der jetzt siebenundsechzig sein müsste und 1979 aus Schweden verschwunden ist.«

»Mit kriminellem Hintergrund?«

»Nein, es sieht eher so aus, als ob er ausgewandert ist. Freiwillig. Er ist von einem Urlaub einfach nicht mehr zurückgekommen. Jetzt ist er kurz wieder bei uns aufgetaucht und abermals verschwunden. Wir haben schon in jeder verfügbaren Datenbank nachgesehen. Bisher ohne Ergebnis.«

»Denken Sie, dass er noch lebt?«

»Ja, ich glaube schon. Wie groß schätzen Sie die Wahrscheinlichkeit ein, dass man damit jahrzehntelang durchkommt?«

»Mit dem einfach Verschwinden? Kommt drauf an, wer nach einem sucht.«

»*Wir* suchen ihn jetzt.«

»Wenn man sich nicht ganz blöd anstellt, kann man spurlos untertauchen, ohne dass einen irgendjemand findet. Von heute auf morgen und für immer und ewig. Einen falschen Pass bekomme ich ja schon am Busbahnhof Mindelheim, für ein paar hundert Euro. Oder zumindest für ein paar tausend.«

»Und wenn es absolut wasserdicht sein soll?«

»Eine absolut hundertprozentige Exit-Strategie muss man monatelang, besser noch jahrelang vorbereiten. Wir reden hier von der vollkommenen Auswechslung der Identität, von einer Gesichts-OP, von der Beseitigung jeder noch so kleinen Spur, von der Liquidierung möglicher Zeugen. Das dauert seine Zeit, und das kostet Geld. Das kann man nicht von heute auf morgen machen. Deshalb muss man Zwischenlager einrichten, die man dann ansteuert, wenn man doch kurzfristig verschwinden muss – und wenn das Endlager noch nicht hundertprozentig fertig ist.«

»Wie viel kostet so ein endgültiger Exit-Plan?«

»Eine halbe Million für eine schlichte Hütte in Kanada. Wenns etwas Besseres sein soll, dann eben mehr.«

»Gibt es denn billigere Möglichkeiten, Stengele?«

»Billigere?«

Stengele machte eine Pause. Die dunkelhäutige Schönheit bestellte noch einen Drink. Sie hatte die typischen tiefliegenden Augen und die hohe Stirn der Ureinwohner von Französisch-Guayana. Ihr dichtes, braunes Haar glänzte seidig und war nach hinten gekämmt. Ihre Lippen waren voll und sinnlich. Leise summte sie ein Volkslied. Ihre Augen blitzten auf, dass sie sich in der Sonne spiegelten. Oder zumindest im Glas ihres Daiquiri Flips. Stengele beachtete das alles nicht.

»Ach, ich weiß, auf was Sie hinauswollen, Chef. Sie denken an die Fremdenlegion.«

Jennerwein wie auch die übrigen Teammitglieder wussten, dass Stengele dort gedient hatte. In der Personalakte stand es, doch keiner von ihnen hatte dieses Thema je angesprochen.

»Um es gradeheraus zu sagen, Stengele: Könnten Sie mir den Gefallen tun und herausfinden, ob Jökelsund damals in die Legion eingetreten ist? Natürlich nur, wenn Sie die Möglichkeit dazu haben.«

Schweigen in der Leitung.

»Stengele?«

»Ja?«

Kurze Pause.

»Ich wollte Ihnen nicht zu nahe treten, Stengele.«

»Nein, Chef, so war das nicht gemeint. Ich hab nur überlegt, ob es eine Möglichkeit gibt, an die Zentraldatei zu kommen.

Der Witz bei der Fremdenlegion ist ja der, dass man verschwinden kann, ohne Spuren zu hinterlassen. Aber ich wills einmal probieren. Wie ist sein Klarname nochmals?«

»Ole Jökelsund.«

Jennerwein gab die Daten durch. Stengele notierte alles.

»Eigentlich ein typischer Fall für unseren Verein«, sagte Stengele. »Der hat was ausgefressen, ist dann abgehauen und in die Legion eingetreten.«

»Und dass er vor kurzem nochmals aufgetaucht ist –«

»– spricht eigentlich noch mehr dafür, dass er Vereinsmitglied bei uns geworden ist. Wenn er sich sehen lässt, dann fühlt er sich sicher. Er weiß, dass ihn die Kameraden zurückholen, wenn etwas passiert. Auch aus dem Gefängnis. In den USA haben sie mal einen vom elektrischen Stuhl geholt. – Aber ist er wirklich so wichtig für Sie? Halten Sie ihn für den Täter?«

»Das weiß ich nicht. Aber ich glaube, dass Jökelsund bei diesen Ermittlungen eine zentrale Rolle spielt. Davon bin ich überzeugt. Wenn ich Ole Jökelsund finde, dann habe ich den Fall gelöst.«

»Ich tue mein Möglichstes.«

»Ich halte Sie auf dem Laufenden.«

Jennerwein legte auf, Stengeles Augen strahlten. Er ballte die Faust. Stengele hatte eine Aufgabe. Am sichersten war es natürlich, in der Fremdenlegion zu verschwinden. Aber die nahmen nicht jeden.

Die schwarzhäutige Schönheit, die Französisch-Guayanerin durch und durch, die typische Ureinwohnerin, saß immer noch neben ihm. Das fiel ihm erst jetzt auf. Sie nickten sich eine Weile zu.

»Das sind ja schöne Gespräche, die Sie da führen«, sagte sie auf Deutsch. Den Württemberger Dialekt konnte sie nicht verleugnen. Reingefallen, dachte der Allgäuer.

»Reingefallen«, sagte er laut. »Sehr peinlich.«

»Ja, reingefallen, lieber Landsmann. Und auch peinlich, da liegen Sie richtig. Was haben Sie denn für einen aufregenden Beruf?«

Stengele schwieg.

»Also, ich für meinen Teil bin Französischlehrerin in Bopfingen.«

Stengele stand auf und verabschiedete sich. So was konnte er jetzt überhaupt nicht brauchen. Er musste nachdenken. Ausgerechnet wenn er einmal ein paar Tage weg war, passierte etwas im Kurort. Eine Witwe, die ihren Liebhaber kommen lässt, um ihren Mann zu beseitigen. Und der Liebhaber lässt sich dann im Kurort sehen, um identifiziert zu werden? Stengele hätte am liebsten seine Koffer gepackt, um mit dem nächsten Flug zurückzufliegen. Die Sonne brannte auf seine durchtrainierten Schultern. Er griff noch einmal zum Bleistift und schrieb mit seiner übergroßen, ungelenken Schrift in den Notizblock:

Eine gehäckselte Leiche
Ein verschwundener Liebhaber
Ein Friseur und die Nobelpreisjury
Eine stumme Haushaltshilfe

Er unterstrich eines der Worte, unterstrich ein zweites und verband beide Worte mit einer Linie. Dann riss er die Seite aus dem Notizbuch, lieh sich vom Barkeeper ein Feuerzeug aus und verbrannte sie in einem Aschenbecher. Nur sicherheitshalber. Stengele zahlte an der Bar und lief am Strand entlang.

Er musste die Liste mit den nicht-französischen Fremden-legionären besorgen. Aber wie sollte er das anstellen?

Zur gleichen Zeit stand Grit Carlsson im Garten und zupfte welke Blätter von der blühenden Azaleenhecke. Ab und zu hielt sie inne. Selbst die beruhigende Gartenarbeit konnte ihre Nervosität nicht überdecken. Um sich abzulenken, fotografierte sie die Weißdorn- und die Berberitzensträucher. Sie knipste sogar die Frösche im Teich. Der Kommissar hatte Bertils Lieblinge mit seinem Herumgestochere nicht vertreiben können. Grit Carlsson musste daran denken, dass sie nun nicht mehr lange die Suderer Gretl war. Sie sah sich im Garten um. Dann griff sie in die Tasche und holte das zerknitterte Bild heraus, das sie den Polizisten gezeigt hatte. Die Psychologin hatte sofort ein Foto davon geschossen. Es war eines der wenigen Aufnahmen, die Bertil und Ole zusammen zeigte. Ole Jökelsund. Wie lang war das her! Sie hatte ihn gleichzeitig schon ewig nicht mehr gesehen und vor kurzem erst gesehen. Sie würde es wohl nicht übers Herz bringen, dieses Bild zu verbrennen.

Doch, sie musste es verbrennen. Wie alles andere, das auf Bertil hinwies. Jetzt hieß es, einen kühlen Kopf zu bewahren.

39

Nachtschwester, Fußballtorwart, Taxifahrer. Das sind Berufe, bei denen das Warten zum Kerngeschäft gehört. Diese Menschen haben es sich zur Profession gemacht, dem Warten etwas Positives abzugewinnen, sie müssen vielleicht sogar lernen, es auf irgendeine Weise zu lieben. Der japanische Haiku-Lyriker Kobayashi, ein begnadeter Warter, dichtete dazu:

Lerne zu warten, und nicht auf was.
Vergiss das auf was.
Das Warten ist das auf.

Und ist nicht alle Romantik, aller Liebesschmerz und alle süße Tändelei verfeinertes Warten? Zarah Leander brachte es auf den Punkt: »Ich steh im Regen und warte auf dich.« *Das* sang sie, und nicht: »Schön, dass du pünktlich kommst, sonst wäre ich patschnass geworden bei diesem Sauwetter!« Also.

Auch der schweigsame Gumpendobler Werner, der Holzlöffelschnitzer mit dem undefinierbaren Dackelverschnitt, liebte das Warten. Es war sein Beruf, er war Taxifahrer. Momentan wartete er auf seinen gewaltsamen Tod. Das wusste er allerdings nicht. Er hatte nur noch zwei Stunden und sieben Minuten zu leben. Er schnitzte wieder einmal an seinen Holzlöffeln herum, als das Telefon klingelte. Der Anrufer wollte eine spontane Nachttour nach Österreich unternehmen. Solche Aufträge war der Gumpendobler gewohnt. Er war zwar pensioniert, aber ab und zu nahm er mit seinem alten Benz immer noch Taxitouren an. Steil- und Nachttouren, die sonst niemand fahren wollte, weil Kratzer zu befürchten waren. Bei seinem Benz war es egal, der war schon total verbeult.

»Wohin?«

»Nach Tirol. Zur Bernriederhütte. Wenn es dunkel geworden ist.«

»Zum Nachtwandern?«

»Ja, freilich.«

»Wo sind Sie jetzt?«

»In Griesen. Können Sie in einer halben Stunde da sein?«

Das war offenbar die neueste Mode. Moonlight-Events mit Stirnlampe und heißem Mitternachtssüppchen hoch oben auf dem Gipfel. Werner Gumpendobler sagte zu. Er schnitzte seinen Holzlöffel zu Ende und versorgte seinen sogenannten Hund. Der wiederum war das schon gewohnt, dass er bei den Taxiaufträgen zu Hause bleiben musste, ihm wurde im Benz immer schlecht. Der Hund winselte leise und legte sich in die Ecke. Er als Viech spürte den Tod. Er winselte noch einmal. Der Gumpendobler jedoch spürte nichts, er streifte sich einen Strickjanker über, pfiff ein Lied, zog die Abdeckplane von seinem Taxi und rangierte das beulige Gefährt aus dem Carport. Dann fuhr er nach Griesen, dem ehemaligen Grenzdorf, das jetzt nur noch aus ein paar kaum bewohnten Häusern bestand. Seit der Schengener Grenzöffnung war die einstige stolze Pracht deutschen und bayrischen Zöllnertums verlassen und vergessen, nur noch Abriss und Bruch. Wird schon wieder kommen, die stolze Pracht, dachte der Gumpendobler, als er in Griesen einfuhr. Es gab keine Straßenbeleuchtung dort, er hielt an einer stockdunklen Stelle an. Nach einiger Zeit öffnete sich die linke Hintertür seines Wagens und eine Gestalt mit wehendem Schal stieg ein.

»Also zur Bernriederhütte«, sagte der Gumpendobler.

»Hinüber zu den Liebfrauen-Quellen«, nuschelte die Gestalt in ihren Schal.

Die Liebfrauen-Quellen waren ein beliebtes Fischgebiet in Tirol.

»Wollns angeln?«

»Mhm.«

»Forellen?«

»Mhm.«

»Schmecken gut.«

»Schalten Sie bitte den Taxameter aus.«

Die Stimme kam ihm irgendwie bekannt vor. Noch eine Stunde und vierunddreißig Minuten. Der Fahrgast, dessen Gesicht er nicht sehen konnte, warf ihm zwei Hunderter auf den Beifahrersitz. Gumpendobler steckte die Scheine in die Hosentasche.

»Brauchens eine Quittung?«

Keine Antwort von hinten. Auch recht. Er schaltete das altmodische, mechanische Taxameter aus. Ein Navi oder gar ein von der Taxifahrerinnung vorgeschriebenes Ortungsgerät hatte der Gumpendobler Werner in seinem beuligen Benz eh nicht. Neumodischer Schmarrn.

Sie fuhren Richtung Innsbruck. Der Gast wies ihn an, von der Bundesstraße in einen Waldweg abzubiegen, und jetzt ging es erst einmal steil bergauf. Der Benz röhrte und rasselte, der Kies spritzte scharf links und rechts weg. Nach dem Bergsattel rumpelten sie wieder abwärts in ein Tal. In dieser Gegend war der Gumpendobler noch nie im Leben gewesen. Beide schwiegen. Das war dem Gumpendobler sowieso am liebsten. Geschwätzige Kunden waren ihm ein Graus. Noch achtundvierzig Minuten.

Sie waren schon längst an den Liebfrauen-Quellen vorbei, aber der Gumpendobler sagte nichts dazu. Zwei Hunderter waren Argument genug. Schließlich erreichten sie die österreichische Bundesstraße, die nach St. Johann führte.

»Halten Sie an. Da vorne!«

Da vorne? Es war eine Parkbucht. Auf der anderen Seite der Straße sah er eine seltene Automarke stehen. War das ein rumänischer Dacia? Ein paar Aschentonnen und Streukistchen standen herum, kein Haus und keine Straße weit und breit. Der Gumpendobler hielt an.

»Bitte helfen Sie mir mit der Tasche«, nuschelte sein Fahrgast. Der Taxifahrer stieg aus. Von Ferne hörte er den Autolärm einer großen Straße, ein heiserer, unheimlicher Wind pfiff die zweite Stimme dazu. Ein Käuzchen schrie. Krachend setzten zwei Grillen ein, doch sie verstummten bald wieder. Er reckte sich ein wenig. Seine alten Knochen taten ihm weh. Lange konnte er das Taxifahren nicht mehr machen. Er ging um das Auto herum und blickte in den Fond.

»Wo ist denn jetzt die Tasche?«, fragte er. Der Gumpendobler spürte den Tod immer noch nicht. Er war arglos – weswegen hätte man ihm, einem harmlosen alten Manderl, etwas antun sollen? Er warf einen kurzen Blick auf den Rücksitz, aber da war keine Tasche. Auch kein sonstiges Gepäck, kein Angelzeug, nichts. Jetzt wollte er dann doch wieder einsteigen. Aber mit dem Einsteigen wurde es nichts mehr. Denn der andere hielt ihn am Arm zurück. Der andere, der war viel größer als er, das bemerkte er jetzt erst. Der Mond kroch hinter dem Wilden Kaiser hervor, er beleuchtete die Szenerie in der Parkbucht, und jetzt erkannte der Gumpendobler seinen Mörder.

»Ja was – das gibts doch nicht – was tust du denn? –«

Viel mehr brachte er nicht heraus. Er wusste, dass er sich in allergrößter Gefahr befand. Es ist niemals gut, etwas gesehen zu haben, was man nicht sehen darf.

»Nein, bitte nicht!«, keuchte der Gumpendobler, doch da traf ihn ein harter Schlag ins Gesicht, er taumelte nach hinten und stürzte zu Boden. Seine Hände wurden ihm hinter dem Rücken zusammengebunden, sein Mund verklebt. Er wurde hochgehoben und aufgeschultert. Sein Entführer schleppte ihn einen steilen, überwachsenen Weg entlang. Der Gumpendobler blinzelte. Es war ein ausgetretener Pfad, den man von der Straße aus nicht hatte sehen können. Die Bäume standen dicht und hoch. Der Mond schlich wie ein heimlicher Komplize hinter den beiden her. Der Gumpendobler strampelte mit den Beinen, er riss an seiner Handfessel, aber seine Kräfte ließen langsam nach. Bei einer Serpentinenkurve hatte er Gelegenheit, nach oben zu blicken. In fünfzig Meter Entfernung schmiegte sich eine kleine Holzhütte an den Hang, mit einer winzigen, ebenfalls hölzernen Veranda. Die Fensterläden waren geschlossen, aber drinnen brannte Licht. Dort würde er also hinaufgebracht werden. Hoffnung keimte in ihm auf. Das letzte Wegstück bestand aus einem steilen, unwegsamen Pfad, auf einer Seite ging es jäh in die Tiefe. Der Gumpendobler fasste einen Plan. Jetzt wollte er sich matt, alt und kraftlos stellen, um dann an dem steilen Stück zu versuchen, den Fremden durch plötzliches Strampeln aus dem Tritt zu bringen. Es war ein guter Plan, es war ein hervorragender Plan. Doch bevor er ihn ausführen konnte, geschah etwas Unerwartetes. Sein Entführer dachte gar nicht daran, zur Hütte hinaufzugehen. Er machte eine scharfe Linkswendung, stapfte durch hohes Gras und erreichte schließlich ein kleines, turmartiges Gebäude, das unschwer als frei stehendes Toilettenhäuschen erkennbar war.

Das Häus'l. Sogar das obligate Herzerl an der Tür des Plumps-klos fehlte nicht. Was um Gottes willen hatte der Mann vor? Der Gumpendobler riss an seiner Handfessel. Sie bestand aus einem breiten Plastikklebeband. Das Band hatte sich vom vie-len Zerren etwas gelockert. War das seine Chance? Er nahm seine letzten Kräfte zusammen. Bald konnte er beide Hände schon ganz gut bewegen. Gleich war es geschafft. Doch jetzt riss der Mann die Tür des Häuschens auf und schleppte ihn hinein. Er betätigte einen Schalter. Eine matte Glühbirne be-leuchtete das Innere des Häus'ls, fahrige Schatten tanzten an der Wand. Der Gumpendobler Werner wurde unsanft auf die Beine gestellt. Er sah, dass der Holzsitz der Toilette samt De-ckel fehlte. Er war ausgebaut worden und stand aufrecht in der Ecke. Der Gumpendobler stolperte zwei Schritte nach vorn. Der dunkle Schacht führte mehrere Meter nach unten. Noch drei Sekunden. Jetzt heulte eine Maschine auf. Sie kam hei-ser ächzend in Gang. Er spürte einen Stoß im Rücken und fiel vornüber in das dunkle Loch. Er knallte auf eine Eisenstange, blieb dort kurz hängen. Doch mit seinen gefesselten Händen konnte er sich nicht lange halten. Er glitt ab und stürzte nach unten in die laufende Häckselmaschine. Sein letzter Gedanke galt seinem Hund. Dem sogenannten Hund. Für den er nicht einmal einen Namen gefunden hatte.

Das Taxi wendete, verließ die Parkbucht und fuhr die ganze Strecke wieder zurück. Es erreichte den Kurort um zwei Uhr nachts, steuerte ohne Umwege auf den Kramerhangweg zu und glitt leise und unauffällig in den Carport. Eine schatten-hafte Gestalt stieg aus und hüllte das Taxi in die Abdeckplane. Als der Schatten das Grundstück verließ, blickte er noch ein-mal zurück. Durch die Glastür, die in den Garten führte, war ein hechelnder Hund zu sehen, der von innen an die Scheibe tappte und kratzte. Die Tür war nicht abgesperrt, der Mörder Gumpendoblers trat in dessen Wohnung. Große Hundeaugen blickten zu ihm empor, als wollten sie sagen:

»Du musst es nicht tun.«

Der Mörder wäre fast versucht gewesen, laut zu erwidern: »Aber du weißt doch, dass es nicht anders geht.«

40

Liebe Daheimgebliebene,

jetzt sind wir in Barcelona, im Cementiri de Montjuïc, und das ist wirklich der schönste Friedhof, den wir je gesehen haben. Wer hier beerdigt worden ist, der hat nicht umsonst gelebt! Das hat auch Comisario Gonzales gesagt, bei dem wir uns gemeldet haben. Es ist ein Bergfriedhof, und man hat einen herrlichen Blick auf die Stadt und auf das Meer. Das Fußballstadion vom FC Barça sieht man ebenfalls, drum haben sich, angefangen mit dem Gründer des Vereins, viele Spieler dort so beerdigen lassen, dass sie von ihrem Liegeplatz jederzeit einen Blick auf das Spielfeld werfen können. Wir haben natürlich das Grab von der alten Senftinger Kathi besucht, einem echten Werdenfelser G'wachs, die sich testamentarisch erbeten hat, auf dem Montjuïc beerdigt zu werden. Warum? Sie hat zu ihrem Sechzigsten einen Spanisch-Kurs in der VHS geschenkt bekommen, den hat sie auch ein Jahr lang mitgemacht. Sie hat am Ende mehr schlecht als recht Spanisch können. Jetzt ist sie aber nicht mehr dazu gekommen, nach Spanien zu fahren, und so hat sie testamentarisch verfügt, in Barcelona bestattet zu werden. Wir haben das Ganze abwickeln müssen. Das war vielleicht eine Arbeit! Bis wir das alles geregelt haben, die Überführung, die Grabstelle,

die Grabpflege für die nächsten fünfzig Jahre – das hat ein
Vermögen gekostet. Aber so wollte sies eben. Auf ihrem
Grabstein steht, in geschwungenen, altmodischen Lettern:

KATHARINA THERESIA SENFTINGER
vulgo »Die Baschn Kathi vom Roa«
1934–2007
Hablo espagñol

Hasta la vista –
eure Graseggers

PS: Was ist eigentlich aus der Hand geworden? Die euch
abgeht?

41

Der Bus hielt an der Haltestelle. Das Mädchen mit den flaschengrünen Haaren stieg ein. Sie setzte sich Motte schräg gegenüber.

»Hi.«

»Hi.«

Motte war zufrieden. Der Job beim Autohaus Schnabelböck lief bestens. Er hatte schon einige brauchbare Daten über interessante Personen gesammelt. Künstler, Beamte, Geschäftsleute. Nicht gezielt, eher übungshalber, nach Art der alten Datensammler und Pixeljäger. Motto: Irgendwann wird mans schon brauchen können. Er hatte ein feistes Programm geschrieben, das diese Daten auswertete. Er hatte es wie immer im Ortsbus in den Rechner gehauen. Gestern hatte ihm die Werkstatt sogar einen Kunden zugeschanzt.

»Sind Sie Motte? Ich habe vom Chef gehört, Sie wären so ein Genie. Können Sie mir meinen Computer zu Hause auf Vordermann bringen?«

Sein neuer Kunde war Toni Harrigl, seines Zeichens umtriebiger und quirliger Gemeinderat im Kurort. Ein richtiger Einheimischer in Tracht. Motte hatte ihn bis dahin nicht gekannt. Motte hielt nichts von Politikern. Das waren doch bloß Sprücheklopfer ohne irgendeinen Durchblick. Motte war dann abends in Harrigls Wohnung gewesen, hatte ihm dies und das erklärt und dabei natürlich die gesamte Festplatte kopiert. Aber was für eine Enttäuschung! Nichts! Keinerlei dunkle Aktivitäten, die er erwartet hatte, keine halbseidenen Absprachen oder wenigstens unangemeldete Haushaltshilfen. Nur öde politische Pamphlete und abgegriffene Schlagworte. Politiker waren auch nicht mehr das, was sie einmal waren.

Da schien die Spitzensportlerin mit dem Karriereknick ein ganz anderes Kaliber zu sein. Die hatte ein wunderbares Geheimnis, und hinter das zu kommen war Mottes sportlicher Ehrgeiz. Er wusste zwar, wohin sie fuhr, aber das Rätsel ihres mysteriösen Ziels hatte er immer noch nicht geknackt. Er würde schon noch dahinterkommen. Und dann dieser geheimnisvolle Emil. Da war er in eine Sache geraten! Zuerst hatte er ihn für einen harmlosen Garagenbastler gehalten. Aber beim letzten Treffen vor ein paar Tagen war etwas herausgekommen – mein lieber Schieber! Hinter diesem ganzen unverständlichen Medizinerkram lauerte eine große, gefährliche Sache, da war er sich ganz sicher. Er hatte daraufhin das Auto von Emil mit einem klitzekleinen Peilsender ausgestattet. Er hatte sich ein wenig geschämt dafür. Man verwanzt normalerweise keine Geschäftspartner. Aber Motte hatte sich danach einfach sicherer gefühlt. Es konnte ja nicht schaden, ein paar Daten über einen obskuren Typen zu sammeln und dessen Bonität zu prüfen. Allerdings hatte er seitdem noch nicht viel herausgebracht. Der Typ fuhr ein uraltes Auto. Es war ein rumänischer Dacia 1300 mit einem deutschen Nummernschild.

»Und, wie wars beim Poetry-Slam?«

Das Mädchen mit den grünen Haaren schaute kaum von ihrem Buch auf. Motte ließ den Blick auch nicht von seinem Display.

»Ging so.«

»Ich war auch da.«

»Schön.«

»Hab dich aber gar nicht gesehen.«

»Pech.«

»Ich muss jetzt aussteigen.«

»Tschüss.«

Ganz nettes Mädchen. Diesmal hatte sie ein anderes Buch dabei. Las die pro Tag ein Buch? Seine Gedanken waren bei Emil, diesem verrückten alten Biologiefreak. Beim dritten und letzten Treffen, vor ungefähr einer Woche, waren sie wieder gewandert. Motte hatte mehr darüber erfahren wollen, was diesen verbissenen Fanatiker so umtrieb. Eine Bergwanderung war dafür ideal. Und es funktionierte: Coming-outs aller Art (auf schattigen Waldwegen), Geständnisse dauerhafter Untreue (auf steil abfallenden Bergwiesen), kriminelle Geschäftsplanungen (ideal auf wogenden Lichtungen).

»Sie sind aus Rumänien?«

»Aus Zentral-Rumänien. Allerdings aus dem einst deutschsprachigen Teil. Aus Braşov. Wirst du nicht kennen. Da bin ich aufgewachsen. Wollte wie gesagt Medizin studieren. Ging dann nicht. Also Hilfsdienste im Krankenhaus. Ich habe aber so eifrig weitergeforscht, dass ich, na ja, ich gebe es zu, meinen Krankenhausdienst etwas vernachlässigt habe. Bin gekündigt worden. Man hat in meiner Bude ein kleines Labor entdeckt, das ich mir provisorisch eingerichtet habe.«

»Sie haben sich den ganzen Medizinkram selbst beigebracht? Sie sind Autodidakt?«

»Du doch auch, Junge, du doch auch. Oder gibt es einen Studiengang fürs Hacken?«

»Ich bin kein Hacker, ich bin Cracker.«

»Wo ist denn da der Unterschied?«

»Hacker sind Kinder, die ein bisschen rumspielen. Ein Cracker ist einer, der es versteht, Schutzmechanismen von Software auszuhebeln.«

»Ja, ich sehe, dass du ein Profi bist. Ich bin auch einer. Wenn ich damals *deine* Möglichkeiten gehabt hätte, Shakespeare! Ich meine: computermäßig, dann hätte ich den Nobelpreis für meine Forschungen bekommen. Dann war da auch noch der Eiserne Vorhang. In Rumänien war das besonders schlimm.«

Motte zögerte ein wenig, bevor er die nächste Frage stellte.

»Ehrlich gesagt ist mir nicht ganz klar, warum Sie Ihre Forschungen nicht in einem ganz normalen Krankenhaus weiterbetrieben haben. Ich meine: wenn die Ergebnisse so waren.«

Emil setzte sich. Er atmete tief durch.

»Ich habe mit dem Wissenschaftsbetrieb gebrochen!«, stieß er hervor. »Die Universitäten sind die größten Feinde der Wissenschaft. Die Universitäten nehmen einem jegliche Luft zum Atmen.«

Und schon wieder dieses fanatische Glimmen in den Augen. Motte erschrak ein wenig darüber.

»Es wird aber die Zeit kommen, in der meine Forschungen anerkannt werden. Mit deiner Hilfe, Shakespeare, wird das gelingen. Auch Luigi Galvani ist zunächst nicht anerkannt worden.«

»Der Frosch-Galvani?«

»Wenn du ihn so nennen willst. Er hat entdeckt, dass ein Muskel auch ohne Koppelung ans Gehirn arbeiten kann, wenn er nur richtig stimuliert wird. Eine großartige Entdeckung! Und stell dir vor: Diese Entdeckung wurde seit zweihundertfünfzig Jahren nicht weiterverfolgt! Ein Skandal!«

Emil griff in seinen abgeschabten Rucksack und holte ein längliches Kästchen heraus. Er öffnete es vorsichtig. Als Motte hineinblickte, blieb ihm fast das Herz stehen. Es war eine einzelne Hand. Sie lag unbeweglich in einer gallertartigen, trüben Flüssigkeit. Emil nahm sie heraus. Die Hand selbst sah vollkommen natürlich aus, ab der Handwurzel, im Bereich des Unterarms, wirkte sie immer künstlicher, bis sie sich in einem Gewirr von Sehnen und Drähten verlor.

»Was ... was wollen Sie damit?«, japste Motte. »Sind Sie vollkommen plemplem?«

»Du musst dich beruhigen, Shakespeare. Schau mal her.«

Emil klappte sein Notebook auf. Motte traute seinen Augen nicht. Dieser Verrückte startete die Software, die er ihm selbst eingerichtet hatte. Der Rumäne steckte ein Kabel in die Buchse und klebte die präparierten Dioden-Enden mit Heftpflaster auf verschiedene Stellen am künstlichen Unterarm. Dann tippte er ein paar Befehle ein. Motte schnappte nach Luft: Die Hand bewegte sich! Sie zuckte unruhig. Ihre Finger tasteten unsicher in der Luft, als wollte sie sich recken.

»Mehr als das kann sie nicht. Noch nicht. Aber mit deiner Hilfe, Shakespeare, wird sie das können. Sie wird greifen können, Klavier spielen, fühlen, tasten –«

»Das ist eine menschliche Hand!«, schrie Motte. »Sie haben mir doch gesagt, dass Sie keine Menschenversuche machen!«

»Habe ich auch nicht«, sagte Emil lächelnd. »Es ist eine künstliche Hand.«

»Eine künstliche Hand? Dafür sieht sie aber verdammt echt aus.«

»Ich habe mir viel Mühe gegeben, damit sie echt aussieht. Ich habe organische Stoffe verwendet. *Quorn* heißt mein Muskel-, Nerven- und Knochenersatz. Es ist das Produkt eines bestimmten Schimmelpilzes. Ich habe es weiterentwickelt zu QuornPlus. Es wird über die Oberfläche am Leben erhalten, deshalb liegt die Hand in einer Nährlösung. Vielleicht hast du im Zusammenhang mit Organtransplantationen schon mal von der Bretschneider-Lösung gehört.«

Mottes Stimme überschlug sich.

»Das wird ja immer schlimmer! Mann, ist das gruselig! Organische Stoffe? Was verstehen Sie darunter? Wo haben Sie die her?«

»Ich habe in der alten wissenschaftlichen Literatur herumgestöbert. Quorn wird aus dem fermentierten Myzel –«

»Das interessiert mich jetzt alles nicht.« Motte wies auf die Hand, die immer noch zuckte. »Was wollen Sie denn mit diesem Ding anfangen?«

Motte war gleichermaßen fasziniert und abgestoßen. Emil schien das zu genießen.

»Du hast keinen Grund, den Moralischen zu spielen. Ein junger Spund wie du, der im Leben vermutlich noch nicht viel geleistet hat, entrüstet sich über mich, Emil Popescu, der ich der Menschheit –«

– einen großen Dienst erwiesen habe. Einen riesengroßen Dienst! Ich habe bahnbrechende Entdeckungen gemacht. Ich habe mit internationalen Akademien korrespondiert. Ich stehe in regem Kontakt zu Mitgliedern der Nobelpreisjury.

Doch begonnen hat alles mit einem schüchternen, jungen, mittellosen Mann, in dem die glühende Wissbegierde wie helles Feuer brannte und der erfüllt war von dem sehnlichen Wunsch, zu forschen und Wissen über die allergeheimsten Zusammenhänge zu erlangen.

Anna Sophia ließ das Tagebuch sinken. Sie hatte inzwischen das zwölfte Heft des Stapels begonnen, in dem Emil Popescu wohl seine eigene Lebensgeschichte niedergeschrieben hatte. Ihre Gedanken wirbelten durcheinander. Das ganze erste Heft hatte aus Beschreibungen bestanden, was man mit einzelnen Händen alles anstellen konnte. Schockierend. Sie stöhnte leise auf. Das waren unmöglich wissenschaftliche Aufzeichnungen, das mussten die Hirngespinste eines Verrückten sein. Sie klappte das Heft zu und legte es neben sich. Sie fröstelte. Sie zitterte vor Kälte. Sie würde sich hier noch den Tod holen. Wenn sie nicht vorher verhungerte. Jetzt, nach vier Tagen in dieser gottverlassenen

Einöde, waren ihre Vorräte bis auf zwei Äpfel aufgebraucht. Und es war noch nicht einmal Mittag. Auch das Feuer war vollständig niedergebrannt. Es gab kein Brennholz mehr in der Hütte. Wenn nicht bald Hilfe kam, von Martin oder sonst wem, dann blieb ihr nichts anderes übrig, als hinauszugehen, um Holz zu schlagen. Warum kam Martin nicht? Sie sprang auf, lief zum Fenster und spähte in die Ferne. Soweit das Auge reichte, wiegten sich nur große, geisterhafte Bäume im pfeifenden Wind. Sie bekam plötzlich furchtbare Angst, hinauszugehen. Was lauerte dort auf sie? Abrupt wandte sie sich um. Ihr Blick blieb an dem roh zusammengezimmerten Tisch hängen, der in der Mitte des Raumes stand. Eine Idee keimte in ihr auf. Sie musste den Tisch opfern. Das war die Lösung! Anna Sophia kroch abermals in den kleinen Verschlag, in dem sie vor drei Tagen die blauen Hefte entdeckt hatte. Vorbei an dem ganzen Putzzeug, an den Eisenkübeln, an den holzverstöpselten Glasflaschen und undefinierbaren Apparaturen, hindurch durch den beißenden Geruch von Ammoniak. Sie suchte alle Winkel ab. Ein Gedanke blitzte in ihr auf, dass diese ganzen Apparaturen etwas mit Emil Popescus Versuchen zu tun hatten. Ein heftiger Schauer durchströmte ihren Körper. Endlich fand sie, was sie suchte. Es lehnte in einer Ecke, ein uraltes Beil, die Klinge vollkommen verrostet und vermutlich stumpf. Bäume konnte sie damit wahrscheinlich nicht fällen, aber für ihre Zwecke würde es genügen. Nein, sie würde sich nicht kleinkriegen lassen. Sie würde es schaffen.

Anna Sophia schlug auf den Tisch ein, als wollte sie die Welt spalten. Krachend und splitternd flogen die Späne des morschen Holzes auf. Mit jedem Schlag stieg ihre Hoffnung auf baldige Wärme, in ihr breitete sich ein befreiendes Gefühl aus, ein Gefühl der Genugtuung, eine Lösung gefunden zu haben.

Sie würde durchhalten. Sie würde das Geheimnis der blauen Hefte ergründen. Sie würde ihre Ängste bewältigen. Und endlich, endlich würde sie ihr Herz befreien. Nie wieder Julian. Sie schlug noch einmal zu.

Atemlos, aber glücklich stand sie in der Mitte des Raumes. Sie schob ein paar der zerborstenen Hölzer in den Kamin, und bald darauf loderten helle Flammen auf. Sie setzte sich dicht ans Feuer, zog die Knie an die Brust und machte sich ganz klein. Langsam durchströmten angenehme Wärmewellen ihren Körper. Doch bald erwachte ihre Neugierde wieder. Was sie bisher gelesen hatte, war abstoßend und anziehend zugleich gewesen. Erschreckende Gedankenspiele, was man mit einzelnen Händen alles anstellen konnte. Das zwölfte Heft trug den Titel *Mein Leben*, und mit geröteten Wangen schlug sie es wieder auf.

Wie oft habe ich dagesessen in den langen, langen Nächten –

Anna Sophia spürte, dass ihr Tränen der Rührung in die Augen schossen. Alle verstörenden Einträge in den vorangegangenen Heften waren vergessen, sie spürte, dass sie nun den wahren Menschen Emil Popescu kennenlernen würde.

Jeder, dem ich vom Ziel meiner Forschungen erzählt habe, hat mich ausgelacht. Ich habe mich daran gewöhnt. Und ich spürte in mir den festen Willen, den Weg zu gehen, der der richtige war. Ein Mensch muss an etwas glauben, er muss sich ein Ziel setzen. Er darf, nachdem er sich für das Ziel entschieden hat, weder nach rechts noch nach links sehen –

Anna Sophia nickte bestätigend und schüttelte ihr rotgold glänzendes Haar. Das verstand sie. Sie trat erneut ans Fenster und blickte hinaus in die eindrucksvolle, wild zerklüftete Landschaft der Karpaten. Wie Emil stand sie an einer Weggabelung des Lebens. Und auch sie musste sich entscheiden. Es gab keinen Weg zurück. Sie hatte ihre alte Arbeitsstelle gekündigt, sie war bei Julian ausgezogen, sie hatte bisher alles richtig gemacht. Sie nahm das Buch wieder auf.

Bei dem Philosophen Arthur Schopenhauer bin ich auf eine schöne Stelle gestoßen: *Der Muskel ist fleischgewordener Wille. Der Muskel will und weiß nicht was.* Ich habe den nachdenkenswerten Satz immer und immer wieder gelesen. Ich saß damals in meiner kleinen Studierstube, und dann fiel mein Blick auf die Muskeln meines Unterarms. Im Schein des Mondes konnte ich das geschmeidige Spiel des *speichenseitigen Handbeugers* und des *runden Einwärtsdrehers* lange betrachten.

Anna Sophia streifte unwillkürlich den Ärmel hoch, und ihr Blick fiel auf ihren schmalen, zartgliedrigen Unterarm. Als sie den Pullover noch weiter nach oben stülpte, erschien das kleine Tattoo, das sie sich damals hatte stechen lassen. Ein Herz war dort verewigt, und darunter der Schriftzug: Julian. Hastig zog sie den Pullover wieder nach unten.

Der Muskel will und weiß nicht was. Der Satz von Schopenhauer wurde mein Leitspruch. Ich habe ihn über meinem Schreibtisch aufgehängt, und ich lese ihn jeden Tag mehrmals –

Anna Sophia ließ das Büchlein abermals sinken. Sie erhob sich und blickte im Raum umher. Wo mochte der Schreibtisch gestanden haben? Wohl doch am Fenster. Sie trat an die Wand, konnte jedoch nichts entdecken, was nach einem Leitspruch aussah. Wie hätte er auch fast dreißig Jahre überdauern können. Das Ceauşescu-Regime. Die Nachwendezeit. Die Aufkäufe westlicher Spekulanten. Sie legte ihren Kopf in den Nacken, wie sie das oft machte, wenn sie nachdachte. Ihr Blick fiel auf eine kleine Falltür. Auf einmal war sie wie elektrisiert: Die Hütte musste einen Dachboden haben. Sie ließ die Klappleiter herunter, stieg hinauf und sah sich um in dem staubigen Raum. Der Dachboden war leer, nur ein winzig kleines Fenster ließ etwas Licht herein. Die Holzdielen unter dem Fenster waren an einigen Stellen abgeschabt und zerkratzt. Hier könnte ein Tisch gestanden haben. Sie trat näher. Und hinter einem Dachsparren hing tatsächlich ein verstaubter Holzrahmen. Er war verglast, und die Inschrift zeigte dieselbe kühne Handschrift, die sie schon aus den blauen Heften kannte:

Der Muskel will und weiß nicht was.

Da spürte sie eine Hand auf ihrer Schulter. Anna Sophia erstarrte zu einem Block aus Eis. Ihre Lippen öffneten sich, doch der Schrei blieb ihr im Hals stecken. Nur ein heiseres Röcheln entstieg ihrem Mund. Sie hörte, wie ihr Herz pochte. Der Griff an ihrer Schulter wurde stärker. Es war eine eiserne Klaue, die sich in ihr Fleisch fraß.

43

Jennerwein betrat das Polizeigebäude. Presse und Öffentlichkeit wussten noch nichts, das war schon einmal gut. Alle, die an den Ermittlungen beteiligt waren, hatten dichtgehalten. Auch die vier dubios aussehenden Typen, die er in der Gerichtsmedizin gesehen hatte. Eine Punkerin, ein eitler Pfau, ein gelangweilter Obercooler und ein ungeschickt wirkender, hilflos aussehender Depp. Jennerwein schämte sich dafür, nur vom Aussehen her zu urteilen. Aber in diesem Fall … Eine der Figuren war ihm bekannt vorgekommen. Hatte er das Gesicht nicht schon mal auf einem Fahndungsfoto gesehen? Aber er konnte sich auch täuschen. Als Jennerwein das Besprechungszimmer betrat, standen Ostler und Maria vor der Pinnwand und musterten sie aufmerksam.

»Schon wieder eine neue Postkarte von den Graseggers?«, fragte Jennerwein lächelnd.

»Ja, das auch«, sagte Maria. »Sie sind zurzeit in Barcelona, auf dem Bergfriedhof Montjuïc. Aber Polizeihauptmeister Ostler erklärt mir gerade, auf welche Art und Weise *er* ein Buch in der Hand hält.«

»Also, bei mir ist es ganz komisch«, grinste Ostler. »Ich habe als Bub immer auf dem Bauch liegend gelesen. Ja, lachen Sie nicht! Die Arme verschränkt, das Kinn darauf aufgestützt. Das Buch selbst hat dann leicht schräg auf einem Kissen liegen müssen. So habe ich zum Beispiel Karl May gelesen. Alle

92 Bände. Ich habe mir das so angewöhnt, dass ich gar nicht mehr anders kann.«

»Und wie deuten Sie diese Lesehaltung psychologisch, Frau Doktor?«, fragte Jennerwein schmunzelnd.

»Zuerst würde mich interessieren, wie *Sie* ein Buch halten, Hubertus«, erwiderte Maria.

»Da muss ich noch eine Weile den Schleier des Geheimnisses drüber lassen«, sagte Jennerwein. »Ich würde jetzt lieber die weitere Vorgehensweise besprechen. Wir haben ein volles Tagesprogramm. Dr. Rosenberger wartet ebenfalls auf Ergebnisse, wir haben nicht unbegrenzt Zeit.«

»Natürlich.«

Die Stimmung wurde wieder ernst und konzentriert.

»Ich habe mich inzwischen intensiv mit den Symboliken von abgetrennten Händen befasst«, sagte Maria. »Am interessantesten erscheint mir, dass es ausgerechnet in der nordischen Mythologie als unehrenhaft gilt, ohne Hand beerdigt zu werden. Weil man nicht mehr gegen Odin kämpfen kann. Und das wiederum ist unbedingt nötig, um nach Walhall zu kommen. Trotzdem meine ich, dass der Skandinavien-Bezug reiner Zufall ist und nichts zur Sache tut. Ich bin inzwischen fest davon überzeugt, dass die abgetrennte Hand keine mythologischen oder symbolischen Hintergründe hat, sondern ganz – entschuldigen Sie – *hand*feste.«

»Ostler, was haben Sie herausgefunden?«

»Es haben sich einige Leute auf der Dienststelle gemeldet. Zunächst Herr Schnitzy, der Zeuge aus Schwandorf in der Oberpfalz. Der behauptet jetzt, vielleicht doch einen Schrei aus dem Garten der Carlssons gehört zu haben. Er ist sich aber nicht ganz sicher. Wenn aber, dann zur Mittagszeit.«

»Das bringt uns gar nichts«, sagte Jennerwein. »Auch wenn wir den genauen Todeszeitpunkt von Carlsson wüssten, wären wir keinen Schritt weiter.«

»Als Nächstes hat Frau Carlsson angerufen«, fuhr Ostler fort. »Sie hat den Hausverkauf so gut wie abgeschlossen, sie hat gepackt, sie wird sich bald nach Schweden aufmachen. Die neue Adresse haben wir schon.«

»Wie sieht es mit den Nobelpreisträgern aus? Waren welche im Kurort?«

»Ja, und zwar insgesamt sieben Stück! Alle im Lauf der letzten fünf Jahre, manche davon sogar mehrmals. Ich habe natürlich die Frau Carlsson gleich danach gefragt, ob ihr die Namen was sagen. Nein, nichts. Ich könnte natürlich jetzt jeden –«

»Nein, lassen Sies, Ostler. Diese Spur verfolgen wir erst, wenn gar nichts anderes mehr übrigbleibt.«

»Wie Sie meinen, Chef. Dann hat Nils Backlund eine Mail geschrieben. Er würde noch ein paar Tage im Kurort bleiben, weil es ihm hier so gut gefällt. Wenn Sie meine Meinung wissen wollen: Der ist hoch verdächtig.«

»Sie mögen ihn nicht?«

»Er ist richtig suspekt. Ich möchte ihn speziell im Auge behalten.«

»Tun Sie das, Ostler.«

»Darauf können Sie sich verlassen.«

»Und sonst? Nichts von Stengele wegen Jökelsund?«

»Leider nein.«

Jennerwein stand auf, ging zum Flipchart und nahm einen Stift in die Hand.

»Wir haben es hier mit einem wirklich ungewöhnlichen Fall zu tun. Eine Amputation der Hand kurz vor dem Sturz in den Häcksler. Damit müssen wir alle unsere Überlegungen noch einmal neu überdenken. Ich will den Tathergang rekonstruieren, unter Berücksichtigung der neuen Erkenntnisse. Am Montag Vormittag ist Carlsson im Garten beschäftigt. Als er sich beim Häcksler oder in dessen Nähe befindet, stört ihn jemand bei der Arbeit, aus welchem Grund auch immer. Er dringt ins Grundstück ein, höchstwahrscheinlich von der hinteren Seite des Gartens her, vom Wald, durch das hintere Gartentürl. Der Unbekannte betäubt Carlsson. Vermutlich schlägt er ihn nieder, da wir kein Betäubungsmittel nachweisen konnten. Dann amputiert er ihm die Hand in wenigen Sekunden, was durchaus möglich ist. Er deponiert sie in einer Kühlbox und zerrt den Bewusstlosen in den Häcksler. Dann verlässt er seelenruhig das Grundstück. Und jetzt frage ich Sie: Können Sie sich Grit Carlsson dabei vorstellen? Gut, auch zerbrechliche Pianistinnen haben schon gemordet, aber das hätte sie nicht alleine geschafft. Wie steht es mit Backlund, dem Friseur? Wieso sollte der dann aber im Ort bleiben, um sich uns auf dem Silbertablett zu präsentieren? Bleibt Jökelsund, der große Unbekannte. Das Foto, auf dem Carlsson und Jökelsund zu sehen sind, hilft uns leider auch nicht weiter. Es ist so alt und in solch einem schlechten Zustand, dass selbst der Wolzmüller Michl nichts damit anfangen konnte.«

»Ich stimme Ihnen in allen Punkten zu, Hubertus«, sagte Maria. Ein listiger Zug erschien in ihrem Gesicht. »Nur das Fundament, von dem aus Sie argumentieren, das ist wacklig.«

»Aha.«

»Sie setzen voraus, dass Carlsson in der Nähe des Häckslers betäubt und operiert wurde. Ist das so selbstverständlich? Wir haben keine Blutspuren gefunden. Die Betäubung und die Operation können ganz woanders stattgefunden haben. Er wird meinetwegen von diesem Leonhard Wörndle, dem Paradebayern, bei der Gartenarbeit gestört, zu diesem nach Hause gelockt, ermordet, wieder hierher gefahren und in den Häcksler geworfen. Wörndle nur so als Beispiel.«

»Das wäre was!«, rief Ostler. »Der Wörndle Leonhard! Das würde Heimatgeschichte schreiben.«

»Na ja, ich habe ihn als Platzhalter genommen, weil wir bisher bloß Schweden im Verdacht hatten: Grit Carlsson, Nils Backlund und Ole Jökelsund.«

»An Ihrer Theorie ist was dran, Maria«, sagte Jennerwein. »Die vielen Schuhspuren im Garten bringen uns nichts. Der Täter könnte die Gummistiefel von Carlsson angezogen haben, im Schuppen standen mehrere Paare. Andererseits ist es wahnsinnig riskant, am helllichten Tag einen Bewusstlosen herumzuschleppen und in einen Häcksler zu werfen.«

»Leichen entsorgen ist immer riskant«, warf Ostler ein.

»Weiter zum Thema Amputation«, sagte Jennerwein. »Es gibt eine kleine Spur, die Nicole Schwattke aufgetan hat. Sie führt nach Rumänien, in eine Kleinstadt namens –« Er blickte auf seine Notizen. »Brașov, so heißt die Stadt. Nicole hat von Gerüchten gehört, dass es in den achtziger Jahren zwischen Târgoviște und Brașov Unregelmäßigkeiten in einem kleinen Krankenhaus gegeben hat. Angeblich fehlten einigen Verstorbenen die Hände. Es ist nicht ganz klar, ob es sich um einen Mythos, um Ammenmärchen handelt oder ob an der Geschichte was dran ist. Das besagte Krankenhaus ist eine psychiatrische Anstalt, ich habe dort schon angerufen, allerdings nicht viel herausgebracht. So abwegig der Gedanke erscheint, ich bin entschlossen, die Spur zu verfolgen. Kurzum: Ich werde selbst hinfahren. In knapp drei Stunden geht der Flieger nach Bukarest. Sie beide halten hier die Stellung. Ich bin morgen wieder zurück.«

»Chef, das ist ja toll. Aber sprechen Sie denn Rumänisch?«

»Es ist ein Landstrich, in dem viel Deutsch gesprochen wird. Trotzdem hat mir Dr. Rosenberger eine Dolmetscherin vor Ort besorgt. Fahren Sie mich bitte zum Flughafen, Ostler. Es wird Zeit.«

Sie saßen schweigend im Auto. Schließlich sagte Ostler:

»Chef, wenn sich in Rumänien die Gelegenheit ergibt und Sie an einer Metzgerei oder an einer Crenvurşti-Bude vorbeikommen, dann bringen Sie mir ein paar von diesen Gepritschelten Krumbien mit. Das ist neben den Banater Bratwürsten eine echt siebenbürgische Spezialität. Ich würde mich sehr freuen.«

»Einmal Gepritschelte Krumbien, einmal Banater Bratwürste, sehr wohl. Wenn ich Zeit habe, mach ich das, Polizeihauptmeister.«

44

Nachdem Ostler den Kommissar am Flughafen abgeliefert hatte, fuhr er wieder Richtung Süden. Alle möglichen Gedanken wirbelten ihm durch den Kopf. Er war froh, dass sie jetzt einen richtigen Fall hatten. Wie gruselig dieser Tod gewesen sein musste. Und jetzt flog der Chef alleine nach Rumänien!

Ostler fuhr in den Kurort ein, sein Blick fiel auf das Café Kreiner, wo er seine Frau Sabine kennengelernt hatte. Er musste lächeln. Seine eigenartige bauchseitige Lesestellung hatte ihm im Endeffekt auch eine lang anhaltende und glückliche Ehe beschert. Sabine und er hatten sich vor vierundzwanzig Jahren kennengelernt, nach zwei Wochen wollte Sabine jedoch schon wieder Schluss mit ihm machen – was er allerdings damals nicht wusste. Sie kam an dem bewussten Tag zu ihm mit dem festen Vorsatz, die Sache zu beenden. Er war einfach nicht der Typ für sie. Zu bieder, zu behäbig. Er wohnte noch bei seinen Eltern. Und dann wollte er auch noch Polizist werden. Sie klopfte an seiner angelehnten Zimmertür und öffnete sie vorsichtig. Da erblickte sie ihn, bäuchlings auf dem Boden liegend, in ein Buch vertieft. Hilflos, verletzlich, wie ein scheuer Hase. Sie brachte es damals nicht übers Herz, die Beziehung zu beenden. Auch die Tage danach nicht, nie mehr – die Ehe hielt bis heute. Die Geschichte von damals hatte Sabine ihm allerdings erst vor kurzem erzählt.

Ostler fuhr die steil ansteigende Straße Richtung Mittenwald. Sein Ziel waren die *Bayrischen Stuben*. Denn was Ostler am meisten beschäftigte, war Nils Backlund. Der schwedische Friseur, der ihn so an der Nase herumgeführt hatte. Dass der sich noch immer hier im Kurort herumtrieb! Da stimmte doch etwas nicht. Die erste Frage war aber: Wozu brauchte ein Friseur eine abgetrennte Hand? Und dann: War Backlund von der Statur her imstande, einen Hünen wie Bertil Carlsson in den Häcksler zu stopfen? Gut, Backlund war nicht gerade ein dürres Krischperl, aber trotzdem. Der dritte Punkt: Woher hatte Backlund die Fähigkeiten, eine Hand fachmännisch abzutrennen? Na ja, mit Schnitten kannte sich ein Friseur ja wohl aus. Der Schritt von einem Friseur zu einem Bader Wastl alten Schlages war ja nicht weit. Ostler parkte vor den *Bayrischen Stuben*. Er wollte Annamirl ein wenig über ihren Gast ausquetschen.

Backlund saß momentan im Café Kreiner, dem beliebten Kalorientempel in der Ortsmitte, an dem Ostler vorher vorbeigefahren war. Backlund beugte sich über eine Wanderkarte, um eine neue Tour zu planen. Ein paar Tagesausflüge hatte er bereits unternommen, er kannte sich schon ganz gut aus in der Umgebung. Die Berge gefielen ihm. Langsam konnte er verstehen, warum Bertil Carlsson hierher gezogen war. Sollte er sich ebenfalls im Kurort niederlassen? Backlund blickte auf. Meine Güte, der korpulente Herr am übernächsten Tisch hätte aber auch einen neuen Haarschnitt vertragen! So wie der aussah, hatte er vermutlich die Schere selbst in die Hand genommen. Doch jetzt setzte sich Hairbert an seinen Tisch, der Eigentümer des hippen Friseurgeschäfts *Hairbert* in bester 1-a-Lage. Hairbert war spezialisiert auf altmodische Schnitte wie zum Beispiel antiquated, dated und out-moded. Backlund war bei Hairbert gewesen, um sich seine affektierte Pomaden-haarpracht zurechtzupfen zu lassen.

»Dass die Zeitungsleute immer so schreckliche Details schreiben müssen«, klagte Hairbert. »Seit der Geschichte mit dem Häcksler will keiner mehr unters Messer. Die Hälfte der Stammkunden hat die Termine bei mir abgesagt.«

»Ich habe Carlsson bis vor fünf Jahren die Haare geschnitten«, erwiderte Backlund nachdenklich. »Ich kann mich noch gut an ihn erinnern. Stolze Nase, energisches, tatendurstiges Kinn, flächige Denkerstirn. Struppige, baguetteblonde Haare.«

»Ja, ja, Carlsson war auch bei mir«, sagte Hairbert. »Noch vor ein paar Wochen. Wollte immer einen möglichst authentischen Trachtler-Schnitt. Tirolerisch. Alplerisch, wildschützig, so was in der Art. Aber es gab immer ein Problem mit einem besonders hartnäckigen Wirbel.«

Backlund wollte schon verständnisvoll lächeln. Da stutzte er. Was hatte Hairbert gerade gesagt? *Immer ein Problem mit einem besonders hartnäckigen Wirbel?*

Beide blickten auf. Eine Frisur war von draußen in die Mitte des Raums geschwebt, daran hing eine schlanke, nobel gekleidete Dame. Die Dame selbst war sicherlich eine angenehme Erscheinung.

»Aber die Haartracht! Das Styling!«, flüsterte Hairbert.

»Passt überhaupt nicht zum Typ!«, ergänzte Backlund.

Beide wandten sich seufzend ab. Backlund überlegte. Natürlich war es frech von ihm gewesen, sich selbst zu Grits Trauerfeier einzuladen. Aber es hatte sich gelohnt. Er hatte interessante Leute kennengelernt, den Vorsitzenden des Trachtenvereins zum Beispiel. Vielleicht sollte er dessen Angebot, seinen Schuhplattlkurs zu besuchen, annehmen. Vielleicht sollte er sogar für immer hier im Werdenfelser Land bleiben.

Die Berge, die Seen, die Wälder ... Backlund blickte schwelgerisch durch das Panoramafenster. Der blumengeschmückte Marktplatz, die Lüftlmalerei gegenüber, hochaufragende Gipfel im Hintergrund, und ein Herr mittleren Alters, dessen Haartönung – nur noch schauerlich war.

Das Café Kreiner war ein beliebter Treffpunkt für müßige Schlenderer, Halbschuhtouristen und Bohemiens. Man beugte sich über den Kaffee, der schwer und suppig in den matt glitzernden Silberkännchen lag. Der nimmer versiegende Strom der Kuchen und Torten wurde sogar bis auf die Dachterrasse getragen. Als Kurgast musste man unbedingt einmal dagewesen sein, es war jedoch auch ein gern gewähltes Stelldichein für Einheimische. Der Depp zum Beispiel saß ebenfalls im Café Kreiner, nur ein paar Meter entfernt von Nils Backlund. Die beiden kannten sich natürlich nicht.

Der Depp wusste deshalb auch nicht, dass Backlund und Hairbert gerade über seine Frisur lästerten:
»Völlig daneben.«
»Ganz und gar nicht typgerecht.«
»Unterirdisch.«
Das wäre ihm auch vollkommen egal gewesen, denn er hatte gerade ein Buch aufgeschlagen, einen Riesenschinken mit dem Titel *Organische Chemie*. Seine Wangen glühten, seine Augen hatten sich zu schmalen Schlitzen verengt. Er beugte sich gespannt über die Zeilen:

Quorn wird aus dem fermentierten Myzel eines speziellen Schimmelpilzes gewonnen. Um Quorn (und vor allem QuornPlus) herzustellen, wird die Pilzkultur mit einer Traubenzuckerlösung und Mineralstoffen bei einer Temperatur von 28 °C fermentiert –

Der Depp unterbrach seine Lektüre. Fahrig blickte er um sich. Er schnappte aufgeregt nach Luft. Jetzt hatte er auch einmal etwas entdeckt. Wann war das nächste Treffen in der Rechtsmedizin? Er las die Zeilen nochmals. Da stand es schwarz auf weiß: Seine Theorie stimmte.

Grit saß im sanft dahingleitenden Wagen. Sie hatte den Kurort schon ein paar Stunden hinter sich gelassen. Draußen flog viel schöne deutsche Landschaft vorbei, doch sie achtete nicht darauf. Sie dachte wehmütig an das alte Suderer-Anwesen, das sie vermutlich nie wiedersehen würde.

45

Motte Viskacz und Emil Popescu waren hintereinanderher ge-
stapft. Popescu war vorausgegangen, Motte hatte gebühren-
den Abstand gehalten. Ganz traute er dem Garagenbastler immer noch nicht.

Beide waren im schönsten Aprilsonnenschein von der Ederkanzel losgegangen. Schon auf dem Weg zum Grünkopf wurde
es trüb und diesig. In der Mitte des Franzosensteigs gab es eine
ungesicherte, rutschige Wegstelle, und wenn man da nicht auf-
passte, stürzte man fünfzig Meter steil in die Tiefe. Direkt ins
Österreichische. Das Wetter war kurz davor, in Regen umzu-
schlagen, vielleicht waren deshalb weit und breit keine Wanderer zu sehen. Und Motte war allein mit dieser undurchsichti-
gen und zwielichtigen Gestalt! War es nicht verdächtig, dass
Popescu gerade diese Tour gehen wollte? War es denn möglich,
dass der Rumäne ihn hierher gelockt hatte, um ihn kurzerhand
zu töten, jetzt, wo er ihn nicht mehr brauchte? Wenn er an
die einzelne Hand in dem Kästchen dachte, wurde ihm fast
schlecht. Leise, kleine Angstschauer stiegen in ihm auf. Wenn
ihn Popescu jetzt angriff, würde ihn niemand hören. Popescu
ließ sich keuchend auf einem abgesägten Baumstumpf nieder.
Motte beobachtete ihn genau.

Er musste diesem Typen zeigen, dass er ihn noch brauchte. Er musste ihm klarmachen, dass er noch viel zu seinem Erfolg beitragen konnte. Mann, auf was hatte er sich da bloß eingelassen! Aber der Anblick der Hand hatte ihn auch fasziniert. Und es war ihm eine Idee gekommen.

»Ich habe mir das nochmals überlegt«, sagte Motte. Er versuchte, das Zittern in seiner Stimme zu unterdrücken.

»Ja? Was hast du dir überlegt, Shakespeare?«

»Es nützt nichts, die Hand zu etwas zu zwingen, was sie sozusagen nicht kann.«

»Was meinst du damit?«

»So ein Muskel ist wie die Festplatte eines Computers. Auch wenn der Rechner nicht in Betrieb ist, sind Unmengen von Abläufen drin gespeichert. Man muss sie nur abrufen. Man muss sehen, was der Computer kann. Und was die Software draufhat. Genauso ist es bei Ihrer – Biomasse.«

Motte glaubte nicht recht daran, dass es eine künstliche Hand war. Dafür war sie zu echt, zu lebendig gewesen.

»Man muss nur versuchen, sie wieder zu aktivieren«, fuhr er fort. »Es ist der falsche Weg, sie mit Stromstößen zu bearbeiten. Wir sollten umgekehrt feststellen, was *sie* für Impulse aussendet. Beziehungsweise was sie in ihrem ›Leben‹ am häufigsten gemacht hat. Öffnen Sie das Kästchen nochmals.«

»Was hast du vor?«

»Ich will die Hand wieder an den Computer anschließen. Aber zuvor muss ich ein paar Sachen programmieren.«

Motte klappte das Notebook auf und schien in den Bildschirm hineinzukriechen. Er seufzte, er stöhnte, er tippte in die Tasten wie ein Besessener. Popescu beobachtete ihn aufmerksam. Motte brauchte eine Stunde, um Grafiken zu analysieren und unverständliche Zeichenketten zu generieren. Schließlich war es so weit. Sie entfernten sich vom Weg, überprüften, ob sie auch wirklich von niemandem beobachtet wurden, und schlossen den Computer an die Muskeln des Unterarms an. Zu ihrer Überraschung bewegte sich die Hand augenblicklich. Aber vollkommen anders als bei dem Versuch vor ein paar Stunden.

Diesmal war es eine zielgerichtete Bewegung. Sie bäumte sich leicht seitlich auf, bis sie festen Halt auf dem Untergrund fand. Dann begann sie sich langsam zu krümmen. Die Finger schlossen sich und bildeten eine Faust. Die Faust öffnete sich und schloss sich wieder. Diese Bewegung wiederholte die Hand mehrmals. Motte begriff: Das war die Bewegung, die eine Hand im Lauf ihres Lebens mit Abstand am häufigsten ausführte. Es war die ursprünglichste, älteste und bedeutendste aller Bewegungen.

»Schon der Säugling ballt die Faust auf diese Weise«, flüsterte Popescu fasziniert. »Er kann mit der Hand noch gar nichts anderes anfangen. Er zeigt nicht, er greift nicht, er hebt nicht den Finger, er trommelt nicht, er reibt nicht – er ballt die Faust. Tausende von Malen in seinem Säuglingsdasein.«

Die Vögel und Insekten des Waldes lärmten matt, es duftete nach schwerer Waldeinsamkeit. Durch die Wipfel der Bäume rauschte ein Abendlüftchen, doch die beiden hatten keinen Sinn für Romantik. Sie starrten auf die Hand, die ihre pumpende Bewegung wiederholte, und es hatte etwas Meditatives, wie sie das tat.

»Wusstest du, dass der Durchschnittsmensch etwa 15 Millionen Mal in seinem Leben die Faust ballt?«, flüsterte Popescu weiter. »So häufig macht er keine andere willkürliche Bewegung. Es ist etwas, was der Affe nicht beherrscht, was den Homo erectus vom Homo sapiens unterscheidet. Vor 40 000 Jahren hatte einer unserer Vorfahren das erste Mal seine Faust geballt – der Beginn der Zivilisation. Aber auch der Beginn des Verbrechens.«

Es schien, als hätte sich die Hand in diesem Moment zu einem Würgegriff entschlossen.

Motte Viskacz spürte etwas Großes, Historisches, Jahrmillionenlanges in sich.

Das war jetzt genau eine Woche her. Er hatte ihm die Software überlassen. Seitdem aber hatte Motte nichts mehr von Emil Popescu gehört. Rein gar nichts. Er hatte ihn angemailt – keine Antwort. Das war äußerst beunruhigend. Was stellte Emil mit seiner Software an? Und in was war er da bloß hineingeraten?

Aber vielleicht war der Rumäne doch bloß ein kleiner Gauner, der einen Kollegen um die wohlverdiente Knete brachte. Ein mieser Tschusch eben. Ich habe viel Arbeit in die Software gesteckt, dachte Motte, meine Kohle hol ich mir auf jeden Fall, Rumäne. So kommst du mir nicht davon.

46

Die eiserne Klaue, die sich in Anna Sophias Fleisch fraß, löste sich wieder.

»Hä, hä, hä!«, vernahm sie eine schaurige Stimme in ihrem Rücken. »Ich bin Graf Dracula! Hä, hä, hä!«

Ohne zu zögern, drehte sie sich um, holte aus und versuchte dem Mann ins Gesicht zu schlagen, doch sie traf ihn nicht, er hatte sich locker zur Seite gebeugt, als hätte er den Schlag schon erwartet.

»Martin, du Idiot! Du hast mich vielleicht erschreckt!«

Sie klang sehr erleichtert. Ihre Wut verflog schnell und machte einem weichen, warmen Gefühl Platz. Sie umarmte Martin und presste sich fest an ihn.

»Mir so einen Schrecken einzujagen!«, wiederholte sie flüsternd, und ihre bleichen Wangen röteten sich wieder.

»Das war der Plan«, sagte Martin trocken, während sie die Leiter wieder nach unten kletterten. Er war ein robuster Typ mit großen Händen und einem treuen Hundeblick.

Anna Sophia freute sich sehr, dass Martin endlich aufgetaucht war. Sie setzte sich auf den Boden, zog ihre Knie an und umklammerte sie mit beiden Armen. Martin war wirklich der verlässliche Fels in der Brandung. Sie war so dankbar, dass sie ihn als Freund hatte. In ihre Gedanken mischte sich ein winziges Stückchen Traurigkeit. Martin war so lieb und hilfsbereit. Aber sie würde nie mehr in ihm sehen können als einen guten

Kameraden. Er brachte nicht das in ihr zum Klingen, was Julian berührt hatte. Julian ... Diesen Gedanken musste sie sich verbieten. Entschlossen straffte Anna Sophia die Schultern und sagte zu Martin:

»Warum kommst du jetzt erst?«

»Ganz einfach: Ich habe mich verfahren, mein Auto ist stecken geblieben, und du warst nicht zu erreichen.«

Er stellte seinen Rucksack und ein paar Plastiktüten auf den Boden. Anna Sophia griff in eine Tüte, aus der verführerischer Duft stieg. Sie zog ein Brötchen heraus und verschlang es gierig. Dann fand sie noch eine Tafel Schokolade. Sie riss das Papier auf und schob sich große Stücke in den Mund. Fast augenblicklich durchströmten sie heiße, langandauernde Wogen des Glücks. Sie war eine starke junge Frau, doch gegen die Macht des süßen Naschwerks war sie willenlos.

»Das habe ich mir schon gedacht.«

»Was?«

»Dass du Hunger haben wirst«, sagte Martin. Als er alles ausgeladen hatte, setzte er sich, in Ermangelung eines Tisches, zu Anna Sophia auf den Boden.

Martin war der Typ, der zupacken konnte. Er hatte sich ohne weiteres dazu bereit erklärt, ihr bei der Gründung einer neuen Existenz zu helfen. Er studierte BWL, es war aber keiner von den üblichen Gutrasierten und Aalglatten, er war ein handfester Spenglersohn, der aus dem väterlichen Betrieb viel gesunden Menschenverstand mitgebracht hatte. Martin war ein klasse Kumpel. Sie aßen schweigend. Sollte sie ihm von den Tagebüchern erzählen? Und von ihrer Angst? Anna Sophia zögerte. Nein, das sollte ihr Geheimnis bleiben. Martin würde so etwas nicht verstehen. Sie wusste selbst nicht genau, warum es ihr so wichtig war, dass sie dieses Geheimnis für sich behielt.

Der große Stapel mit den zwanzig blauen Heften lag wohlverstaut in ihrer modisch bunten Umhängetasche.

»Ich sehe, dass du schon einiges verheizt hast«, sagte Martin grinsend.

»Viel länger hätte es nicht mehr dauern dürfen.«

»Als Nächstes wäre wohl das Dach dran gewesen?«

Martin sah sich in der leeren Hütte um. Ein Gefühl von Stolz durchströmte Anna Sophia. Sie hatte gar nicht gewusst, dass so viel handwerkliche Fähigkeiten in ihr steckten. Was für eine Leistung! Sie hatte einen Tisch und zwei Stühle mit dem Beil zerlegt, ferner eine kleine Kommode und einige hölzerne Geräte, die sie hinter der Hütte gefunden hatte. Als Nächstes hätte sie die Verschalung von der Wand gerissen und in den Ofen geworfen.

»Ich fahr dann morgen runter ins Dorf und hole Brennholz.«

»Martin, lieber Martin, du hast sicher noch einen Hamburger in der Tüte. Zu trinken hatte ich genug, aber die Essensvorräte sind mir langsam ausgegangen. Hast du einen?«

»Nein, aber ein anständiges rumänisches Crenvurşti-Brot.«

Anna Sophia seufzte beglückt.

Eigentlich sollten sie ja jetzt über das Projekt nachdenken, aber sie war so froh, dass Martin endlich da war. Das Feuer brannte. Die Strapazen der vergangenen Tage waren vergessen. Sie öffneten eine Flasche Wein. Martin war aufgestanden, um Holz nachzulegen.

»Ui, schau mal, da draußen!«, sagte er.

Durchs Fenster sahen sie in der Ferne zwei Menschen durch den Schnee stapfen. Es schien so, als nähmen sie den Weg zur Hütte. Zwei verirrte Wanderer, dachte Anna Sophia. Zwei einsame Seelen in den endlosen Hochebenen Siebenbürgens. Als sie näher gekommen waren, erkannte Anna Sophia einen Mann und eine Frau. Ihr schwarzes Haar hob sich markant gegen die weiße Schneelandschaft ab. Er hingegen war ein unauffälliger, gutaussehender, geschmeidig durch den Schnee stapfender Typ, der schweigend zu Boden sah, während sie auf ihn einredete. Er nickte nur ab und zu. Schließlich traten Anna Sophia und Martin aus der Tür in die Kälte hinaus, um die Wanderer zu begrüßen. Die Frau erwiderte den Gruß, sie sprach aber rumänisch. Der Mann schwieg dazu. Weder Anna Sophia noch Martin beherrschten diese Sprache. Sie zuckten mit den Schultern.

»Nicht einmal ein Wörterbuch haben wir dabei«, sagte Martin zu Anna Sophia.

Jetzt lachten die beiden Wanderer.

»Ja, wenn das so ist«, sagte die schwarzhaarige Frau, »dann können wir ja gleich deutsch weiterreden!«

»Ach, wir sind Landsleute?«, fragte Anna Sophia. »Haben Sie sich verirrt?«

»Nein«, sagte der Mann. »Diese Hütte habe ich gesucht. Ich bin Hauptkommissar Jennerwein. Und das ist meine Dolmetscherin. Dürfen wir kurz eintreten? Wir wollen nicht weiter stören. Ich will mich lediglich kurz umsehen.«

ommen Sie wegen der Stühle? Ich werde sie natürlich ersetzen.«

»Wie meinen Sie?«

Anna Sophia knetete ihre Hände. Sie blickte kurz zu Boden, dann hauchte sie leise, mit einer zaghaften, kaum vernehmlichen Mädchenstimme:

»Ich habe die Stühle im Ofen verheizt. Und den Tisch.«

Martin trat an Anna Sophias Seite.

»Wir gründen gerade eine Firma, da sind wir am Anfang noch ein wenig klamm. Aber wenn sie läuft und wir die Mittel haben, werden wir für den Schaden aufkommen.«

»Nun ja, deswegen bin ich nicht da«, sagte Jennerwein. Er konnte sich ein kleines Grinsen nicht verkneifen. »Ich komme ehrlich gesagt auch nicht Ihretwegen, ich möchte mich lediglich in dieser Hütte umsehen. Mit Ihrem Einverständnis natürlich.«

Eine Woge der Erleichterung durchströmte Anna Sophias Körper. Dann aber färbten sich ihre Wangen wieder rot vor Verlegenheit. Hatte sie sich doch tatsächlich eingebildet, dass ein deutscher Kommissar extra diesen weiten Weg gekommen war, um Nachforschungen wegen ein paar alter Stühle anzustellen! Wie peinlich! Und was musste Martin von ihr denken?

»Dürfen wir reinkommen? Es ist sehr kalt hier draußen«, sagte die schwarzhaarige Frau.

»Wir werden Sie auch nicht lange stören«, fügte der Kommissar hinzu.

»Aber natürlich, treten Sie ein«, versetzte Martin.

»Was wollen Sie hier?«, fragte Anna Sophia.

»Ich möchte mir die Hütte gerne genauer anschauen.«

Anna Sophia empfand den Blick des Kommissars plötzlich als unfreundlich und misstrauisch. Nein, diesmal würde sie sich nicht einschüchtern lassen. So wie sonst immer. Sie würde diesen verständnislosen Kommissar nicht hinter das Geheimnis der blauen Hefte kommen lassen. Sie gehörten ihr. Mit einem Lächeln, dessen Falschheit niemand zu bemerken schien, wandte sie sich an den Kommissar.

»Wenn Sie die Hütte durchsuchen, haben Sie sicher nichts dagegen, wenn ich hinausgehe. Ich will ja nicht im Weg sein!«

Anna Sophia nahm ihre Jacke vom Haken und legte sich einen Schal um. Sie griff nach ihrer Umhängetasche.

»Ich vertrete mir draußen ein wenig die Beine.«

Als Anna Sophia vor der Hütte stand, schloss sie die Augen. Die kalte Luft umfing sie. Ein Rabe flog auf und entfernte sich krächzend.

»Darf man fragen, wonach Sie suchen?«, fragte Martin.

»Natürlich«, entgegnete Jennerwein. »Sie wissen vielleicht, dass es hier in der Nähe ein Krankenhaus gibt.«

»Ja, das habe ich gelesen. Ich habe diese Hütte über ein Internetportal gemietet. Da stand das mit dem Krankenhaus auch. Es gab aber keine Anzeichen dafür, dass etwas – wie soll ich sagen – nicht stimmt. Was ist denn mit dem Krankenhaus?«

»Machen Sie sich darüber keine Sorgen. Sie sind hier vollkommen sicher. Das Ganze ist fast dreißig Jahre her. Damals stellte diese Hütte ein beliebtes Ausflugsziel für die Patienten der Klinik dar. Einem dieser Freigänger wurde gestattet, sich hier ein kleines Büro, ein Labor, ein Refugium, wie auch immer, einzurichten. Ich bin hergekommen, um nach Spuren zu suchen, die dieser Patient hinterlassen hat.«

Martin blickte den Kommissar fragend an.

»Mehr kann ich Ihnen nicht sagen.«

In vollen Zügen atmete Anna Sophia die frische, unverbrauchte Luft ein und stieß sie mit einem hellen, melodischen Ton, einem von Herzen kommenden Aaaaah! wieder aus. Sonderbare Dinge waren in den letzten Tagen geschehen. Ihr Auto war stecken geblieben. Die Hütte war eingeschneit worden. Ein Schneemonster hatte sie überfallen. Dann die Tagebücher eines unbekannten Psychopathen. Und jetzt tauchte auch noch ein leibhaftiger Kriminalkommissar auf! Die Dolmetscherin, die ihn begleitete, hatte einen auffallenden, glatt geschnittenen Bob mit einem modischen Mittelscheitel. Die Haare umgaben den Kopf wie zwei runde, schwarze Klammern, die unteren Spitzen schienen ihr seitlich in den Hals zu stechen.

»Sie haben von *Freigängern* geredet, Kommissar«, stellte Martin fest. »Dann handelt es sich um eine psychiatrische Klinik, nicht wahr?«

»Ja, so ist es. Die Ivanovici-Klinik in Braşov.«

»Ist denn ein – wie soll ich sagen – Geisteskranker ausgerissen?«

»So war es vermutlich. Aber Sie brauchen sich wirklich keine Sorgen deswegen zu machen. Das war vor dreißig Jahren.«

Martin schluckte. Davon stand nichts im Angebot des Internetportals, über das er gebucht hatte. Vielleicht war die Hütte deshalb so günstig gewesen. Entsprungene Geisteskranke, Irre mit flackernden Augen und gehetzter Miene, Klaus Kinskis, gemeingefährliche Outlaws, Schizophrene außer Rand und Band, Plünderer, Mörder, Triebtäter. Auf keinen Fall würde er Anna Sophia davon erzählen. Das würde sie nur furchtbar aufregen. Sie war so sensibel und so leicht aus der Fassung zu bringen. Sie würde gleich wieder mit Schatten der Vergangenheit und ähnlichem Zeugs anfangen.

»Natürlich, die Hütte steht ganz zu Ihrer Verfügung, Kommissar.«

Martin und die eingeklammerte Dolmetscherin gingen hinaus, um nach Anna Sophia zu sehen.

Jennerwein blickte sich um. Dann betrachtete er die Wände, die Decke und den Boden genauer. Es war unwahrscheinlich, dass nach so vielen Jahren noch Spuren von diesem geheimnisvollen Mann vorhanden waren, von dem ihm der jetzige Verwaltungsdirektor der psychiatrischen Ivanovici-Klinik erzählt hatte. Jennerwein hatte ihn nach dem Märchen mit den verschwundenen Händen gefragt.

»Vor allem möchte ich wissen«, hatte er betont, »ob es dazu reale Hintergründe gibt.«

»Ach, Sie meinen die angeblich wahre Geschichte vom *Handsammler*. Das ist eine Schauergeschichte, die von Mal zu Mal grusliger und drastischer aufgebauscht und ausgeschmückt wurde. Der reale Hintergrund war eine Zeitungsmeldung über ein Ereignis, das so um 1986/87 herum geschehen ist. Ich selbst war noch nicht in der Klinik beschäftigt, aber die Polizei war deswegen mehrere Tage im Haus. Dr. Draganovic war damals der Klinikleiter. Er hat mir davon erzählt.«

»Wissen Sie, wo ich ihn erreichen kann?«

Der Klinikdirektor hob bedauernd die Hände.

»Der ist meines Wissens nicht mehr am Leben.«

»Und weswegen genau ist die Polizei gekommen?«

»In jedem Krankenhaus sterben Leute. Das ist normal. Natürlich auch bei uns. Bei einigen unserer Verstorbenen sind jedoch die Hände entfernt worden. Sachkundig entfernt, wenn ich das so sagen darf.«

Er fuhr durch sein schütteres Haar. Jennerwein bemerkte, dass der Direktor nicht sehr gerne über das Thema sprach.

»Wer hat das entdeckt?«

»Draufgekommen sind wir durch verstorbene Patienten aus dem nahe gelegenen Szeklerland. Dort ist es Brauch, den Sarg nochmals zu öffnen, den Dahingeschiedenen geschnitzte Holzfiguren, sogenannte Kopjafa, auf die Brust zu legen, die die Toten bewachen sollen. Das wusste der Täter wohl nicht. Normalerweise fährt der Bestatter den Sarg ja auch direkt zum Friedhof. Früher war das so bei uns.«

»Wie viele Fälle gab es?«

»Meines Wissens ungefähr ein Dutzend. Die Kriminalpolizei und natürlich die unvermeidliche Securitate haben das gemeinsam untersucht. Sie haben das ganze Krankenhaus auf den Kopf gestellt.«

Jennerwein notierte sich die Antworten. Dann blickte er den Direktor aufmunternd an.

»Gab es denn Verdächtige?«

»Zuallererst wurden natürlich einige der Patienten ins Visier genommen. Klar: So etwas kann nur ein Irrer verbrochen haben. Dann das Krankenhauspersonal. Die Polizei ist aber letztendlich zu keinem Ergebnis gekommen. Nicht einmal die Securitate hat etwas herausgefunden.«

»Auch später nicht?«

»Nein. Und Sie wissen ja, wie das ist: Wenn eine Sache nicht aufgeklärt wird, dann ranken sich bald wilde Geschichten und Gerüchte darum.«

Jennerwein nickte verständnisvoll.

»Zum Beispiel die Geschichte vom Handsammler?«

»Zum Beispiel. Auch hat man gemunkelt, dass die rumänische Mafia dahintersteckt, die sich auf Organhandel spezialisiert hat. Die Polizisten zogen wieder ab, die Sache verlief schließlich im Sand.«

»Gibt es denn Listen vom damaligen Personal und von den damaligen Patienten?«

»Nein, die Listen sind weg. Der Geheimdienst hat immer wieder missliebige Regimegegner in der Psychiatrie untergebracht. Kurz vor der Öffnung, in den Wirren des Zerfalls, da ist das alles im Reißwolf gelandet, um Spuren zu verwischen.«

Jennerwein versuchte, seine Enttäuschung zu verbergen.

»Sind denn gar keine Namen von Patienten überliefert?«

Der Verwaltungsdirektor zögerte.

»Nur einer wurde immer wieder erwähnt, aber ich weiß natürlich nicht, ob das nicht auch eine erfundene Geschichte ist. Er soll sich in einer kleinen Hütte eine Art Labor eingerichtet haben. Man sagt, er wäre ein harmloser Bursche gewesen. Diagnose: Größenwahn. Und dann wurde erzählt, was die Polizei alles gefunden haben soll: Medizinische Apparaturen mit Blutspuren. Anatomische Skizzen von Händen. Ein chirurgisches Fachbuch, bei dem der Artikel ›Amputation‹ besonders zerlesen war. Es konnte ihm aber nichts nachgewiesen werden. Dr. Draganovic hat damals ›harmlose Wahnvorstellungen‹ diagnostiziert.«

»Der Mann war also Dr. Draganovic' Patient?«

»Ja, so ist es. Man hat dem Mann verboten, die Hütte weiterhin zu nutzen. Es ist wie gesagt nichts herausgekommen.«

»Wie hieß dieser Patient?«

»Das weiß ich nicht. Es ist immer bloß von einem armen Schizo mit Größenwahn die Rede gewesen.«

»Kann ich mir die Hütte mal ansehen?«

»Natürlich, Kommissar. Ein Reisebüro vermietet die Hütte ab und zu an Feriengäste. Wahrscheinlich ist eine Familie aus Braşov dort droben, nehmen Sie also die Dolmetscherin mit. Ich sage es Ihnen gleich: Kein Wasser, kein Strom, nicht sehr romantisch. Ich beschreibe Ihnen den Weg zu der Hütte. Sie müssen wegen des Wettersturzes durch tiefen Schnee stapfen.«

Jennerwein stand nun in der Mitte der Hüttenstube und sah sich um. Jetzt fiel ihm der kleine Verschlag auf. Die Späne am Boden verrieten, dass davor noch kürzlich Holzscheite aufgeschichtet waren. Jennerwein streifte sich Handschuhe über und öffnete die knarrende Tür. Er leuchtete mit der Taschenlampe hinein. Ein paar Geräte standen herum, die er eher der Küche zugeordnet hätte. Der beißende Geruch von Ammoniak passte dazu. Aber dann stieß er auf ein kleines, aufklappbares Täschchen mit Schneidewerkzeugen. Was war das? Modellierbesteck? Schneidemesser für Papierbearbeitung? Schuster- oder Kürschnerwerkzeug? Jennerwein steckte das Täschchen ein. Den Rest des Raums fotografierte er penibel, er nahm auch Proben des staubigen Bodens. Einige Spuren wiesen darauf hin, dass hier jemand vor kurzem hereingekrochen war. Er verließ die Abstellkammer wieder und blickte sich abermals im Hüttenraum um. Schon gleich beim Eintritt war ihm die Deckentür aufgefallen. Er öffnete sie und stieg hinauf in den Speicher. Auch hier frische Trittspuren. Wieder nahm er Proben und fotografierte den Raum aus allen Perspektiven. Er wollte die Untersuchung schon beenden, da entdeckte er hinter einer

Dachsparre einen verstaubten Bilderrahmen mit einem handgeschriebenen Sinnspruch:

Der Muskel will und weiß nicht was.

Das Glas war zerbrochen, das Papier vergilbt. Dieses Passe-
partout hatte offensichtlich schon lange Zeit überdauert. Niemand hatte es dort hinten bemerkt. Jennerwein nahm es vorsichtig ab und steckte es in eine Beweissicherungstüte. Dann
stieg er wieder von der Dachkammer und trat hinaus ins Freie.

»Ist die Untersuchung abgeschlossen, Herr Kommissar?«,
fragte Martin.

»Vorerst schon«, erwiderte Jennerwein. Er wandte sich an
Anna Sophia. »Haben *Sie* das kleine Kämmerchen betreten?«

Anna Sophia zögerte keine Sekunde.

»Ja, ich habe Holz gesucht. Und ein Beil. – Haben Sie denn
gefunden, wonach Sie gesucht haben?«

»Nein, leider nicht. Ich fürchte, das ist nicht die Hütte, die
wir suchen. Leider. Einen schönen Aufenthalt weiterhin. Und
entschuldigen Sie nochmals die Störung.«

Jennerwein und die deutsch-rumänische Dolmetscherin stapf-
ten durch den Schnee zurück. Langsam senkte sich die Dämmerung über das Tal.

»Können Sie mir sagen, wo ich diese typischen Würste bekommen kann?«, fragte Jennerwein.

»Ach, Sie meinen natürlich die Banater Bratwürste. Sie müssen aber auch unbedingt die Gepritschelten Krumbien probieren!«

»Das hatte ich sowieso vor. Es soll eine Überraschung für
einen Kollegen werden.«

»Na, Sie sind aber ein netter Chef. Da gehen wir am besten nach Braşov, auf die Piaţa Sfatului. Da gibt es Crenvurşti-Buden, so einen Duft finden Sie nirgends sonst auf der Welt.«

»Schaffe ich das noch rechtzeitig vor meinem Rückflug?«

»Ich weiß eine Abkürzung. Kommen Sie.«

Sie verließ den Weg und verschwand im Wald. Jennerwein blieb nichts anderes übrig, als ihr zu folgen. Ein Rabe krächzte.

Anna Sophia blickte hinunter ins Tal. Ein Seufzer der Erleichterung entkam ihr. Sie hatte keinen Fehler gemacht. Sie hatte das Geheimnis der blauen Hefte bewahrt. Ganz in der Ferne konnte sie gerade noch die beiden Gestalten erkennen: die Dolmetscherin mit dem scharf geschwungenen Bobschnitt und den gutaussehenden, aber ernst dreinblickenden Polizisten.

Im Flugzeug konnte Kommissar Jennerwein seine Neugierde einfach nicht bezähmen. Becker würde ihn sicher ausschelten. Aber er konnte nicht anders. Er wollte jetzt einfach diesen Rahmen untersuchen. Alle um ihn herum schliefen. Er zog das Bild mit dem sonderbaren Muskel-Spruch aus der Tasche und betrachtete die Rückseite. Schon in der Hütte, beim Abnehmen des Bildes, war ihm aufgefallen, dass die Pappe auf der Rückseite gewölbt war. Hier war etwas versteckt worden. Er löste die zwei kleinen Klemmen und nahm die Pappe heraus. Der Schweiß trat ihm auf die Stirn. Fiel ihm gleich ein beschriebener Zettel entgegen, mit einer akkuraten, steil nach oben gerichteten oder runden, größenwahnsinnigen Schrift? Las er in wenigen Sekunden die Zeilen, die ihm die Lösung des Falles schlagartig nahebrachten?

Eine Turbulenz ließ das Flugzeug ein paar Fußballfelder nach unten sacken.

48

BRAŞOV/RUMÄNIEN, 1987

Meine Einweisung in die psychiatrische Klinik hatte auch viele Vorteile. Man kümmerte sich nicht groß um mich, ich war ja kein Politischer. Ich habe deshalb schnell Freigang bekommen, und meine Spaziergänge haben mich zu einer einsamen Hütte geführt, einer Jagdhütte, die den Parteibonzen wahrscheinlich zu klein und zu schäbig war. Hier habe ich Zeit und Ruhe für meine Aufzeichnungen gefunden. Ich habe mich für die deutsche Sprache entschieden, die Sprache der großen Wissenschaftler und Denker, der Erfinder und verkannten Genies.

Anna Sophia ließ das Heft sinken. Ihr Herz schlug heftig. Die Geschichte des armen, verkannten Genies berührte sie im Innersten. Zögernd klappte sie das Heft zu. Sie war allein in der Hütte. Martin war noch einmal zum Auto gegangen, um Getränke zu holen. Wenn er wieder zurückkam, musste sie sich jetzt wirklich auf ihr Projekt und die Zukunftsplanung konzentrieren.

Einen Papierladen mit edlen Papieren.

Einen Porzellanladen mit personalisierten Frühstückstassen.

Eine Hochzeitstortenbäckerei.

Doch sie konnte ihre Gedanken einfach nicht zusammenhalten. Der Sog des Geheimnisses war stärker. Sie ergriff Popescus letztes Heft. Ungeduldig löste Anna Sophia das Band, das die Seiten zusammenhielt.

BRAŞOV/RUMÄNIEN, 1988
Ich bin mit meinen Forschungen gut vorangekommen. Als die Ergebnisse immer schlüssiger und zwingender wurden, habe ich Institute angeschrieben, auch im Ausland. Die meisten haben nicht einmal geantwortet. Eine besonders gemeine Absage habe ich aus Schweden bekommen. Von einem gewissen Carlsson. Professor Bertil Carlsson, Mitglied der Nobelpreisjury –

Sie würde zu Hause nachsehen, wer das war. Das Feuer flackerte im Kamin, wohlige Wärme erfüllte den Raum. Anna Sophia starrte in die Flammen. Ein Tortenlädchen wäre wirklich nicht schlecht. Sie sah das Schmuckstück schon vor sich. Ein schneeweißer Überzug, auf dem ein kunstvoll verziertes Skalpell aus Marzipan ruhte. Darüber in erdbeerroten Lettern:

Nobelpreis für Emil!

Martin war endlich am Auto angekommen. Schnaubend stapfte er durch den Schnee und wuchtete die beiden Getränkekisten aus dem Kofferraum. Dann verschnaufte er. Er atmete die reine, frische Luft ein. Luft? Luft! Das wäre doch eine Idee für Anna Sophias neuen Job: Einen Laden mitten in der Stadt, der nichts als Luft anbot, Luft in Flaschen, Büchsen und Dosen.

Berliner Luft.
Ruhrpott-Smog.
Steife Brisen aus Hamburg.
Würzige Meck-Pomm-Lüftchen.

Alpenländischer Föhn.

Altöttinger Weihrauchschwaden.

Alles natürlich zertifiziert, mit Echtheitsstempel und beglaubigtem Nachweis, wann und wo die Luft eingedost worden war. Mit nichts konnte man so viel Geld verdienen wie mit nichts. Luft! Das wars! Aber das würde ihr sicher wieder zu unfraulich sein. Inzwischen war es dunkel geworden. Er blickte nach oben, aber sosehr er auch suchte, die Lichter der Hütte waren nicht zu erkennen. Er fuhr herum. In nächster Nähe hatte es im Unterholz geraschelt. Ein Hase? Nein, es war etwas Größeres gewesen. Nochmals dieses Rascheln. Ein dunkler Vogel stieß sich vom Boden ab und flatterte heiser kreischend durchs Gebüsch. Dann war es plötzlich still. Und in die Stille hinein: Schritte. Oder waren das seine eigenen gewesen?

Anna Sophia schüttelte ihr rotgoldenes Haar. Ihre schlanken Finger umfassten eine Seite des Heftes und blätterten sorgfältig um.

BRAȘOV/RUMÄNIEN, 1989

Ich werde die Aufzeichnungen nicht mitnehmen können. Der Schleuser hat gesagt, dass ich nur das Nötigste am Leib tragen darf. Aber ich habe alles Wissen im Kopf. Hier bin ich in Gefahr. Ich muss weg. Am besten nach Deutschland. Die Organmafia ist mir auf den Fersen. Es war ein Fehler, sich mit diesen Typen einzulassen. Gleich kommt der Schleuser. Neuerdings gibt es ja Verbindungen in den Westen. Es ist ein sehr junger, hilfsbereiter Osterreicher mit von Punkt zu Punkt springenden Augen. Swoboda heißt er. Karl Swoboda. Er ist mir unheimlich, aber ich werde ihm vertrauen müssen.

Inzwischen war es vollkommen dunkel geworden. Die Spur von Emil Popescu verlor sich also ganz und gar im Nichts. Der

Mann hatte im Westen sein Glück gemacht, und er hatte die Geheimnisse seines Erfolgs hier in dieser Hütte zurückgelassen. Er hatte wahrscheinlich keine Möglichkeit mehr gehabt, die Tagebücher zu vernichten. Ein kühner, entschlossener Ausdruck erschien auf Anna Sophias Gesicht. Sie gab ihrem Herzen einen Stoß. Sie stand auf, ging zum Kamin und warf die Hefte ins Feuer.

Die Turbulenzen waren bald vorüber. Jennerwein wandte sich wieder dem zusammengefalteten Papier zu, das er unter der Pappe des Bildes gefunden hatte. Im ersten Augenblick war er sehr enttäuscht. Es war eine aus einem Lexikon herausgetrennte Seite mit Folien, wie sie früher in bebilderten Büchern üblich waren. Das unterste, feste Blatt zeigte ein Knochengerüst, das wiederum konnte man mit einer durchsichtigen Laminatseite bedecken, die den Blutkreislauf darstellte. Dann kamen die Nerven, die Muskeln, schließlich die Haut. Auf den herausgerissenen Folienseiten waren keinerlei Einträge oder Notizen zu finden, sie waren allerdings stark abgegriffen und an vielen Stellen beschädigt. Der Spurenfuchs Hansjochen Becker würde trotzdem einiges herauslesen können.

Anna Sophia starrte in die Flammen. Dort verbrannte das Geheimnis, das sie mit Popescu verband. Sie fühlte sich als die Hüterin seines Vermächtnisses. Die Hefte hatten die ganze Zeit hier gelegen, und das war gut so gewesen. Doch sie würde sich diesen Schatz nicht aus der Hand nehmen lassen. Dunkler Rauch stieg empor. Als es an der Tür klopfte, erschrak sie nicht. Eine große Festigkeit hatte sich ihrer bemächtigt. Sie ließ sich nicht mehr so leicht hinters Licht führen. Das war doch Martin, der da geklopft hatte …?

49

Liebe Kriminaler in der Heimat,

jetzt sind wir in Bern, auf dem Bremgartenfriedhof, schön und gepflegt, wie alles bei den Eidgenossen. Hier ist der Michail Alexandrowitsch Bakunin begraben. Komisch ist es schon, dass ausgerechnet der wildeste russische Ober-Anarchist in der zutiefst braven und bürgerlichen Schweiz seine letzte Unruhestätte gefunden hat. Sein Grabspruch lautet:

ERINNERT EUCH AN DEN, DER SEIN GANZES
LEBEN EURES VERBESSERN WOLLTE.

Da könnte man doch umgekehrt bei manchem unserer so hochverdienten Politiker auf den Grabstein schreiben:

ERINNERT EUCH AN DEN, DER EUER GANZES
LEBEN SEINES VERBESSERN WOLLTE.

Einen sehr schönen und nachdenkenswerten Grabspruch wollen wir euch nicht vorenthalten:

S'ISCH CHOI SCHAD UFF DR WÄLLT,
WO IT AUAN NÜTZA HÄTT

Der Herr Wachtmeister Beat Hürlimann, der uns hier in Bern betreut, hat uns das aus dem Schwyzerdütschen übersetzt: *Es gibt keinen Schaden, der nicht auch einen Nutzen hat.* Aber auf einem Grabstein? Da hat die Witwe wohl eine stattliche Erbschaft abgesahnt. Den Spruch hätte man übrigens dem Strobel Jakob auch aufs Grab schreiben können, wenn er eines gehabt hätte. Hat er aber bis heute nicht. Der Strobel Jakob ist vor langer Zeit auf die Beisenecker Kugelkopfspitze gestiegen, und er hat, wie es damals üblich war, seine Steigeisen und Karabiner in einem Sackerl mit sich getragen. Das Sackerl hat sein Opa schon zum Bergsteigen verwendet, drum war es ganz löchrig und fadenscheinig. In der Krottinger Wand, auf zweitausend Meter Höhe, ist ihm das Sackerl dann auch gerissen, und alle seine Eisen sind hinuntergefallen und hundert Meter unterhalb an einer herausstehenden Felsspitze hängen blieben. Jetzt zieht auf einmal ein Gewitter auf, es blitzt und donnert, und zack! zieht es einen Blitz, der sonst sicher den Strobel getroffen hätte, genau zu diesen Eisen hin, hundert Meter unter ihm. Und der Strobel hat an den Spruch denken müssen: Es gibt keinen Schaden, der nicht auch einen Nutzen hat. Tagelang ist er da gesessen, weil er ohne die Eisen nicht mehr hinuntersteigen konnte. Er ist schließlich ganz in der Wand geblieben. Und deshalb gibts auch kein Grab. Oder so gesehen ein sehr luftiges Grab. Manche sagen, der Strobel hockt heute noch droben in der Krottinger Wand. Und er wäre inzwischen froh um einen Blitz.

Uf wiederluege –
eure Graseggers

50

Der Ortsbus tuckerte die St.-Martin-Straße entlang. Samstags hatte das Autohaus Schnabelböck nur bis Mittag geöffnet, darum fuhr Motte schon jetzt nach Hause. Auch recht, so konnte er etwas Ordnung auf seinem Rechner schaffen: Dateien löschen, Dateien irgendwo anders parken, noch mehr Sicherheitsschleusen einbauen. Als er zu Hause die Jacke auszog, fiel ein farbiger, zerknitterter Zettel aus der Seitentasche. Keine Ahnung, wo der herkam. Gestern hatte der jedenfalls noch nicht dringesteckt. Er faltete ihn auf und las die Zeilen:

```
if (day==9) {
          document.write (»<p><b>This file is infected by Html .
Lame !
```

Poetry-Slam? Haha! *grins* ;-)

Der Zettel war handschriftlich verfasst, in peniblen Blockbuchstaben. Wer um Gottes willen hatte ihm diesen Ausschnitt seines selbstgebastelten Virus-Programms in die Tasche gesteckt? Davon wusste doch niemand! Motte dachte fieberhaft nach. Panik stieg in ihm auf. Er lief im Zimmer auf und ab. Endlich fiel es ihm ein. Das schräge Mädchen mit den seegrünen Haaren hatte die Zeilen kurz zu Gesicht bekommen. Er hatte ihr weisgemacht, dass das ein Gedicht sei. Mist, war sie ihm etwa draufgekommen! Wollte sie ihn erpressen? Ausgerechnet jetzt, wo er das Ding mit Emil Popescu am Hals hatte! Momentan lief wirklich einiges aus dem Ruder. Wenn er und Emil aufflogen, dann würde es so aussehen, als ob er bei abartigen Menschenexperimenten mitgeholfen hätte. So ein verfluchter Mist! Er fuhr seinen stationären PC hoch. Er hatte die stupsnasige Seegrüne vorgestern fotografiert, versunken in ihrem Buch, das auf dem Schoß lag. Sie hatte eine komische Art zu lesen. Die Hände hielt sie anmutig im Nacken verschränkt, nur zum Umblättern fuhr eine Hand herunter wie ein rosafarben eingehüllter Flamingoschnabel, der sich eine Garnele aus dem trüben Wasser pickt. Der Titel des Buches war nicht zu sehen. Auf dem letzten Foto jedoch hatte sie das Buch zugeklappt, so dass er die ISBN mit dem darunterliegenden Strichcode erkennen konnte. Er suchte im Netz nach dem Titel und erwartete einen Schmöker wie *Das Orchideenschloss* oder *Die Mitternachtstreppe*, es handelte sich jedoch um das Buch *Internationales Körperschaftssteuerrecht IV*. Genervt schloss Motte die Seite. Was war denn das für eine?

Und dann war da noch Emil Popescu selbst. Warum ließ der überhaupt nichts mehr von sich hören? Schon seit einer Woche nicht mehr! Wo steckte der verdammte Garagenbastler? Vorher: reger Kontakt, immer wieder mal eine Mail – jetzt wie vom Erdboden verschwunden. Einerseits war Motte ganz froh, dass er diesen gruseligen Tschuschen los war. Andererseits tauchte er immer wieder in seinen Gedanken auf. Dieser gehetzte Gesichtsausdruck! Er hatte auf ihn immer so gewirkt, als ob er nicht gesehen werden wollte. Aber vielleicht machte er sich ja auch zu viele Sorgen. Popescu hatte, was er brauchte, und war abgehauen. Vielleicht überwies er ihm die ausstehende Kohle einfach irgendwann mal.

Motte hatte die Software natürlich noch auf seinem Rechner, klar. Im Endeffekt lief es darauf hinaus, dass man die Muskeln nicht mit Stromstößen kitzelte, sondern dass man die in den Muskeln gespeicherten Bewegungen abrief. Motte räumte seinen zugemüllten Schreibtisch leer und baute die Versuchsanordnung noch einmal auf. Er legte seine linke Hand ganz locker auf den Tisch, schob ein Tastaturboard darunter und tippte hundert Mal dasselbe Wort ein. Dann schüttelte er die Hand aus und legte sie nochmals auf die Tastatur. Er schloss das Computerkabel an dem Muskel an, der den eigenartigen Namen *Daumenheranzieher*, ›musculus adductor pollicis‹, hatte. Ob es auch einen Zehenheranzieher gab? Einen (im Lauf der Evolution funktionslos gewordenen) Ohrenheranzieher? Motte tippte mit der rechten Hand ein paar Tastenkombinationen und beobachtete seine linke. Die Finger zuckten zwar ein bisschen, mit viel Phantasie hätte man ein zaghaftes Ballen der Faust darin sehen können, aber auch dieses nervöse Zucken verlor sich bald. Restposten aus dem Biologieunterricht: Die Bewegungen der Hand werden nur zu einem kleinen Teil mit den Muskeln, die in der Hand liegen, durchgeführt, die Hand wird hauptsächlich durch Muskeln im Unterarm bewegt. Er wiederholte den Versuch nochmals, diesmal schloss er die Apparaturen am Unterarm an. Am *speichenseitigen Handbeuger*, am *kurzen Handstrecker*, am *Auswärtsdreher*, ganz, wie er es bei Popescu gelernt hatte. Wieder tippte er den MOVE-Befehl ein, der aus einer mächtig langen Zeichenkette bestand. Motte riss erschrocken die Augen auf. Was er jetzt sah, jagte ihm einen Schauder über den Rücken. Nach einigen anfänglichen Zuckungen schrieb die Hand ohne sein Zutun: VISKACZ. Und nochmals: VISKACZ. Und ein drittes Mal: VISKACZ.

Motte atmete schwer. Motte schluckte und würgte. Das war sensationell. Klar, das konnte natürlich immer noch eine Psycho-Autosuggestions-Kiste sein, von wegen: Ich will, dass sich meine Hand von alleine bewegt, also trickst irgendetwas in mir etwas anderes in mir aus, und deshalb bewegt sie sich. Aber er hatte gespürt, dass seine Muskeln etwas machten, worüber er keine Kontrolle hatte. Er musste den Versuch mit jemand anderem wiederholen, um das zu verifizieren. Aber mit wem? Wem konnte er vertrauen?

Motte war schwer verwirrt. Da blickte er jetzt nicht mehr durch. Warum rückte Popescu mit seiner sensationellen Entdeckung nicht raus? Er hatte sich wahrscheinlich nach Rumänien verdrückt, um dort in irgendeinem abgelegenen Schloss noch mehr Experimente durchzuführen. Aber warum hatte er ihm nichts gesagt?

Motte war nicht der Typ, einfach dazusitzen und zu warten. Er beschloss, dass er etwas tun musste. Vielleicht war der beste Weg, erst mal den Standort von Popescus Auto festzustellen, dem schäbigen alten Dacia 1300. Für was hatte er ihn denn mit einem Sender ausgestattet! Die Orientierungs-App gab ihm sofort die Position. Popescus Karre stand in Österreich, in Tirol, in der Nähe des Wilden Kaisers. Motte zoomte näher. Es war eine unbewohnte Gegend, mitten im Wald. Was hatte er denn da verloren?

Motte war ein Macher. Er entschloss sich, das Ruder in die Hand zu nehmen.

Triggerwarnung:
In diesem Kapitel werden Gesetzesverstöße
geschildert, die Sie belasten oder verletzen
könnten. Sie sind besonders gefährdet, wenn
Sie Bibliothekar sind oder eine anderweitige
positive Beziehung zu Büchern haben.

51

»Na, wie wars bei Graf Dracula?«

Jennerwein lachte.

»Weniger unheimlich, als ich dachte. Gebissen hat mich jedenfalls niemand. Aber ich habe Ihnen etwas zum Beißen mitgebracht. Banater Bratwürste und Gepritschelte Krumbien,
ich hoffe, es reicht für alle. Doch dazu später. Ich habe einige
Beweisstücke sichergestellt.«

Jennerwein öffnete seine Reisetasche und nahm ein Plastikbeu-
telchen heraus, in dem sich das Etui mit den undefinierbaren
Schneidewerkzeugen befand. Er klappte es auf, alle beugten
sich darüber. Spurensicherer Hansjochen Becker schnüffelte.

»Ammoniak«, sagte er. »Den Geruch würde ich aus Tausen-
den herauskennen.«

»Sind das medizinische Geräte?«, fragte Jennerwein.

Die Gerichtsmedizinerin nickte. Sie war mit dreien ihrer
vier Musketiere aufs Revier gekommen, der Depp hatte sich
heute krankgemeldet. Achmed, Christl und Ulrich sahen sich
neugierig um. Das alles war furchtbar aufregend.

»Es handelt sich um uraltes Operationsbesteck«, sagte die
Frau im Rollstuhl. »Das wurde noch bis zum Ersten Weltkrieg
verwendet. Rippenspreizer, Skalpelle, Knochensägen, zum
Teil noch aus rostenden Metallen. Mir tun die armen Teufel
leid, die unter diese Messer geraten sind.«

283

»Und wo bekommt man das heutzutage?«

»Das können Sie auf jedem Flohmarkt finden. Sehen Sie, das Skalpell! Die Klinge ist schon ganz schartig. Sie muss mit einem Schleifstein nachgeschliffen worden sein.« Sie schüttelte sich. »Wenn ich daran denke, dass Sauerbruch noch so operiert hat ...«

»Kann man damit eine Amputation durchführen?«

»Ja, das kann man. Ich würde es allerdings nicht empfehlen. Vor hundert Jahren haben das drei Viertel der Leute nicht überlebt. Die Gründerjahre der modernen Medizin waren nicht gerade die heilsamsten für die Patienten.«

»Ich werde Ihr Mitbringsel jedenfalls auf Spuren untersuchen«, sagte Becker und nahm das antike Operationsbesteck so vorsichtig an sich, als hätte er es teuer bei Sotheby's ersteigert.

Als Nächstes packte Jennerwein den Bilderrahmen und die darin steckenden Folien aus. Alle beugten sich neugierig über die anatomischen Klapptafeln und versuchten die lateinischen Beschriftungen zu entziffern.

»Ich habe keine Ahnung, was der Spruch selbst bedeutet«, sagte Jennerwein langsam. »*Der Muskel will und weiß nicht was.* Ist es ein Zitat – oder ein selbsterfundenes Lebensmotto?«

»Die Seite ist mit einem scharfen Messer sauber aus einem Buch herausgetrennt worden«, sagte Becker. »Auf den ersten Blick würde ich sagen, dass es ein uraltes Lexikon ist. Es dürfte sich auch um ein ziemlich wertvolles Exemplar handeln. Sehen Sie hier: Goldschnitt, Farbdruck, hohe Papierqualität.«

»Dann war es sicher nicht sein eigenes«, sagte Jennerwein. »Aus solch einem wertvollen Buch schneidet niemand Seiten heraus. Ich vermute, er konnte sich das Buch nicht leisten, deshalb hat er die Seiten in einem Antiquariat heimlich herausgerissen. Das passt auch zum Gesamtbild des Täters. Er kommt beim Anblick dieser Seiten vielleicht das erste Mal auf die Idee, sich mit der Materie zu beschäftigen. So wie man den ersten selbstverdienten Dollarschein an die Wand hängt, so will er sich die Initialzündung für seine Verbrechen immer vor Augen halten. Aber warum versteckt er die Folien dann? Was denken Sie, Maria?«

»Er will seine Idee mit niemandem teilen, es ist ganz seins. Ich tippe auf das Krankheitsbild der Megalomanie, also des Größenwahns.«

»Genau das hat sein damaliger Arzt, Dr. Draganovic, auch diagnostiziert.« Jennerwein blickte in die Runde. »Und was bedeutet der Sinnspruch? *Der Muskel will und weiß nicht was.* Frau Doktor, gibt es da irgendeinen medizinischen Hintergrund?«

»Ich überlege grade«, sagte die Frau im Rollstuhl. »Es gibt ja so Merksprüche wie: *Stines sieben Keiler sind hintersinnige Schleimer.* Stirnbein, Siebbein, Keilbein, Hinterhauptbein, Schläfenbein – das sind die Knochen der Schädelbasis. Aber mit dem Muskelspruch kann ich nichts anfangen.«

Ulrich, der magere, coole Schlurfer blickte von seinem Tablet auf.

»Ich habe nach den Wörtern *will* und *weiß* in anderen Formen gesucht. Wollen und wissen. Wille und Erkenntnis. Wille und Vorstellung. Als Ergebnis taucht immer wieder der Name Arthur Schopenhauer auf. Ist ein deutscher Philosoph. Soweit ich das verstanden habe, gehts bei ihm darum, dass der Wille alles und der Verstand nichts ist.«

»Ein Schopenhauer-Zitat?«, fragte Maria. »Das bekomme ich raus. Danke für den Tipp!«

»Ein guter Hinweis«, lobte Jennerwein und blickte Ulrich aufmunternd an. »Vielleicht sind Sie in der Gerichtsmedizin gar nicht so gut aufgehoben. Kommen Sie doch zu uns, zur Kriminalpolizei. Mit Ihrer Art zu denken ...«

Jennerwein unterbrach sein Lob irritiert. Hatte er in Ulrichs Augen gerade ein angstvolles, entsetztes Flackern bemerkt? Er konnte sich auch täuschen. Die jungen Leute hatten heutzutage vielleicht andere mimische Ausdrücke, wenn man sie lobte.

Becker blätterte die Folien noch einmal auf. Das unterste, undurchsichtige Farbblatt zeigte die Knochen einer Hand. Os lunatum, os sowieso. Legte man die erste Folie drauf, erschien der Blutkreislauf. Mit der nächsten Folie waren die Muskeln zu sehen. Musculus flexor digitorum profundus, musculus sowieso. Dann die Sehnen und die Nerven. Mit der letzten Folie konnte man die Hand mit der Haut vervollständigen und wieder heil machen. Es erschien eine zartgliedrige, geschlechtslose linke Hand, die locker dalag und ihre Knochen-Muskeln-Sehnen-Nerven-Geheimnisse nicht mehr preisgab.

Becker und die Gerichtsmedizinerin prüften nochmals alle Folien mit der Lupe. Beide schüttelten den Kopf.

»Es sind keinerlei Eintragungen oder Markierungen zu finden.«

»Gibt es Fingerabdrücke?«, fragte Ostler.

»Da habe ich wenig Hoffnung«, erwiderte Becker. »Das Ganze scheint mir gesäubert worden zu sein. Aber ich werde mich trotzdem dranmachen.«

»Lassen Sie uns mal das Alter des Buches eingrenzen«, sagte die Frau im Rollstuhl. »Die medizinischen Bezeichnungen sind lateinisch, und zwar in einer Nomenklaturform, die es so nur bis 1935 gegeben hat. Danach haben sich landessprachliche Bezeichnungen durchgesetzt. Wenn man sich die fertige Hand selbst ansieht – sie hat nichts Weibliches oder Männliches, sie ist weder jung noch alt. Und meiner Erinnerung nach ist so etwas Androgynes, Ungeschlechtliches und Unspezifisches ganz typisch für den Jugendstil. Die verzierten Anfangsbuchstaben sprechen ebenfalls dafür. Also ist das Buch zwischen 1897 und 1920 erschienen.«

Becker schaltete sich ein.

»Vor 1915 gab es keine solchen durchsichtigen Folien, wie man sie hier sieht. In Druckwerken hat man für diesen Zweck dünnes Pergamentpapier verwendet. Wir stellen uns also eine Buchhandlung in den Jahren 1915 bis 1920 vor –«

»Moment mal«, warf Jennerwein ein, »wer sagt, dass das Buch aus einer Buchhandlung stammt? Wahrscheinlicher ist es doch, dass der Täter in eine Bibliothek geht. Er trennt die Seiten aus einem alten Buch heraus, bei dem keine Gefahr besteht, dass es von einem Medizinstudenten zum Lernen benutzt wird.«

»Aber ein altes Medizinbuch ist doch nicht mehr auf dem neuesten Stand der Forschung!«, rief Christl.

»In diesem Fall spielt das keine allzu große Rolle«, sagte die Gerichtsmedizinerin. »Die Anatomie ist eine alte Wissenschaft. Die Lage der Muskeln, Sehnen und Blutgefäße ist seit Jahrhunderten bekannt.«

Achmed, der Dickliche mit den blankgeputzten Schuhen, hatte schon die ganz Zeit mit den Füßen gescharrt. Jetzt hob er die Hand, ganz wie in der Schule. Dabei verrutschte ihm der Ärmel und gab den Blick auf einen Armreif frei. Maria tippte auf etwas Wertvolles. In Chinatown konnte einem die Hand dafür abgehackt werden.

»Ich bin fest davon überzeugt«, sagte Achmed, »dass es kein

einfaches Konversationslexikon ist, sondern ein spezieller anatomischer Atlas. Bei einem Lexikon wird doch der ganze Mensch dargestellt, so etwas Spezielles wie ein Schema der Hand mit allen siebenundzwanzig Knöchelchen und jedem noch so kleinen Muskel deutet auf ein Fachlexikon hin.«

Alle nickten beifällig.

»Hinzu kommt noch eines«, fuhr Achmed fort. »Sehen Sie sich die Seite an. Sie ist größer als DIN A3. Das ist ein Riesenschinken. Ein Lexikon ist doch meistens klein und handlich, weil man schnell mal was nachsehen muss. Einen anatomischen Atlas hingegen, den legt man auf den Tisch und studiert ihn genau. Da macht solch eine Größe nichts aus.«

Jennerwein wollte abermals eine lobende Bemerkung machen, von wegen Kommen-Sie-doch-zur-Polizei! Er ließ es aber dann doch. Er wollte nicht schon wieder Angst und Schrecken verbreiten.

»Ich sehe gerade, dass ich sehr gut im Kombinieren bin«, sagte Achmed kokett. »Ich denke übrigens daran, die Polizeilaufbahn einzuschlagen«, fügte er ernst hinzu.

Jennerwein grinste verstohlen.

»Dann rufen wir doch die Dolmetscherin an. Sie weiß sicher, ob es in der Nähe der Anstalt eine öffentliche Bibliothek gegeben hat.«

Jennerwein griff zum Telefon. Maria zog die Augenbrauen hoch.

»Die Dolmetscherin, so, so. Ich habe übrigens ein Bild von ihr auf der Homepage der rumänischen Polizei gesehen. Eine attraktive Frau, das muss ich schon sagen.«

»Ach, das freut mich aber, schon so bald wieder von Ihnen zu hören, Herr Jennerwein«, sagte die Dolmetscherin am Telefon. »Haben die Gepritschelten Krumbien geschmeckt?«

»Die haben wir ehrlich gesagt noch nicht probiert. Die Ermittlungsarbeit, Sie wissen schon. Ich hätte eine Frage. Wissen Sie, ob es in der Nähe des Krankenhauses eine öffentliche Bibliothek gibt? Eine, die es auch schon in den achtziger Jahren gab?«

»Wir haben eine große Bibliothek in Braşov.«

»Wie heißt sie?«

»Die hatte auch schon viele Namen. König-Carol-Bibliothek, Hermann-Göring-Bibliothek, Nicolae-Ceauşescu-Bibliothek. Jetzt heißt sie, vorsichtshalber, nur Staatsbibliothek.«

»Ich würde gerne mit dem Leiter sprechen. Können wir eine Konferenzschaltung einrichten? Und würden Sie dolmetschen?«

»Ist wohl nicht nötig. Herr Tătăruşanu spricht Ihre Sprache gut.«

»Herr Tătăruşanu? Hier ist Hauptkommissar Jennerwein von der deutschen Kriminalpolizei.«

»Oje!«

»Keine Angst, ich habe nur eine Frage. Ich bin auf der Suche nach einem alten Lexikon, aus dem eine Seite herausgerissen worden ist.«

Man hörte ein Japsen und Wimmern am anderen Ende der Leitung.

»Dass so etwas immer wieder vorkommen muss! Haben Sie den Schuft gefasst, Herr Kommissar?«

»Noch nicht. Aber bald.«

»Um welches Buch geht es denn?«

»Das wissen wir leider nicht. Es ist zwischen 1915 und 1920 erschienen, und es ist vermutlich ein Anatomieatlas, er hat das Format 340 mal 305 Millimeter.«

»Moment, ich sehe mal nach. Wir haben leider sehr viele Lexika. Und sehr viele medizinische Bücher. Haben Sie bitte einen Moment Geduld.«

Ein paar Minuten verstrichen. Eine gespannte Atmosphäre lag in der Luft. Jeder glaubte zu spüren, dass man gleich einen Riesenschritt nach vorne machen würde.

»Hören Sie?«, sagte Herr Tătăruşanu. »Ich habe hier vier Anatomieatlanten, die Ihre Bedingungen erfüllen.«

»Es geht um einen, bei dem eine Seite mit fünf Folien herausgetrennt worden ist.«

»An welcher Stelle?«

»Bei einem Abschnitt über die menschliche Hand.«

Wieder verstrichen ein paar Minuten. Die Spannung im Raum stieg noch weiter. Niemand sprach. Man hörte nur das Kratzen des Kaffeelöffels in Marias Tasse. Ostler hätte Lust gehabt, eine Zigarette zu rauchen. Aber er würde nach so vielen Jahren nicht wieder damit anfangen. Christl, die Punkerin, legte den Kopf in den Nacken. So sehen also Ermittlungen aus, dachte sie. Sie hatte das Ganze bisher ja immer aus der anderen Perspektive kennengelernt.

»Tatsächlich«, sagte Herr Tătăruşanu mit einer leisen, traurigen Bibliothekarsstimme. »Eine Schande. Einfach herausgeschnitten. Es ist eine Sonderausgabe eines der berühmten Bauer-Atlanten von 1915. Es war eine Zeit, als die Anatomen noch gleichzeitig Künstler waren. Frank Bauer hat ihn selbst illustriert –«

Jennerwein unterbrach ihn ungeduldig.

»Herr Tătăruşanu. Was mich viel mehr interessiert, ist, wer ihn ausgeliehen hat!«

Die Stimme des Bibliothekars wurde noch leiser und trauriger.

»Dieses Buch kann man nicht ausleihen. Es ist sehr wertvoll. Es kann nur hier gelesen werden.«

Blankes Entsetzen in der Truppe. Alle Mühe umsonst. Aufkeimende Hoffnungen waren ins Bodenlose gestürzt. Kurz vor dem Durchbruch diese Enttäuschung. Man konnte es nicht ausleihen! Pech gehabt.

»Dieses Buch kann man nur im Lesesaal lesen«, fuhr Herr Tătărușanu fort. »Mit Stoffhandschuhen.«

»Muss man seine Adresse angeben?«, fragte Jennerwein hoffnungsvoll.

»Selbstverständlich.«

»Können Sie bitte nachsehen, wer es in den Jahren 1986 bis 1988 zum Lesen ausgeliehen hat?«

Wieder vergingen ein paar Minuten. Im Revier herrschte gespannte Stille. Vielleicht waren es Hunderte, Tausende von Personen, die man jetzt alle überprüfen musste.

»Es sind um die achtzig Benutzer, die sich dieses Buch ausgeliehen haben. Einer davon ist also der Bücherschänder. Fluch über ihn! Soll ich Ihnen die Namen vorlesen?«

»Sehen Sie bitte nach, ob jemand als Adresse das Krankenhaus in Brașov angegeben hat.«

Pause. Eine riesenlange Pause. Man sah förmlich vor sich, wie Herrn Tătărușanus Zeigefinger die lange Namensliste entlangfuhr. Dann, nach einer Ewigkeit:

»Ich habe einen. Sein Name ist Emil Popescu, geboren am 13. Juli 1964.«

Siegesstimmung im Revier. Maria klatschte in die Hände. Die Frau im Rollstuhl schlug sich auf die Oberschenkel. Sie hatten ihn. Ostler ballte eine Faust und stieß damit in die Luft.

»Tschacka!«

»Emil Popescu. Ist das der Schuft, der mir die Seite herausgerissen hat?«, wimmerte Tătărușanu. »Fassen Sie ihn schnell,
Kommissar!«

»Das tue ich. Er hat doch sicher unterschrieben. Können Sie
mir seine Unterschrift faxen? Oder mailen?«

In wenigen Minuten war die Unterschrift von Popescu da.
Man hatte nicht erwartet, dass sie so fein und zuckrig war. Alle
beugten sich über die fragilen Linien:

Emil Popescu

Sie hatten ihn. Sie hatten einen Namen und das Geburtsdatum.
Der Rest war sicherlich Routine.

Von wegen Routine. So leicht war ein Emil Popescu nicht zu
fassen.

52

Motte saß in seinem Auto und fuhr die beschauliche Strecke vom Kurort nach Tirol. Gerade überquerte er die Grenze, Tannenbäume und Kiefern wiegten sich anmutig im Wind, Felswände ragten schroff auf, muntere Wasserfälle plätscherten einladend. Doch Motte hatte keine Augen für die Landschaft. Er starrte auf die Straße, verkrampft umfassten seine Finger das Steuerrad. Sein Herz schlug rasend – er war drauf und dran, umzudrehen und wieder zurückzufahren.

Motte hatte sich entschlossen, nachzusehen, wo das Auto des rumänischen Garagengangsters stand, aber mit jedem Kilometer Österreich wuchs seine Angst pfundweise an. Sein Hals war trocken, seine Finger schweißnass. Er musste sich zusammenreißen. Er musste das durchziehen. Denn keine Ahnung zu haben, was sein unzuverlässiger Kunde als Nächstes vorhatte, war vermutlich noch gefährlicher, als dort hinzufahren. Motte wischte sich die feuchten Hände an der Hose ab. Er durfte jetzt nicht kneifen. Los, Mann, reiß dich am Riemen! Motte hatte das Nötigste für den Österreich-Trip dabei. Das Nötigste war ein Datenhelm mit herunterklappbarem Display, der sich die Informationen aus dem Computer saugte, den er zu Hause stehen hatte und mit dem er verbunden war. Entwickelt hatte er den Datenhelm eigentlich für einen Kunden, der ein erweitertes Outdoor-Navi für das Werdenfelser und

Nordtiroler Land haben wollte: Bergsteigen mit Höhenanga-
ben, Tipps für Kletterrouten und Aussichtspunkte, Einspie-
lungen von alpenländischen Liedern, aber auch die Möglichkeit zum Internet-Shoppen von landhausstyligen Trachten
und Einrichtungen. Motte schaltete den Datenhelm ein. *Eine
Anekdote aus dem Innsbrucker Bauernkalender von 1825 ge-
fällig?*, sülzte eine bassbaritonale Werbestimme aus den Kopf-
hörern. *Oder ein paar Tipps für gute Schwammerlplätze?*
Motte sagte laut und deutlich nein.

Ein paar Kilometer vor seinem eigentlichen Ziel fuhr er auf
einen öffentlichen Parkplatz und ging zu Fuß weiter. Er wollte
einen auf Biker machen, mit dem Auto hätte das reichlich blöd
ausgesehen. Der Datenhelm sah aus wie ein normaler Motor-
radhelm, deswegen hatte er sich auch eine entsprechende Biker-
Kluft besorgt. Er fühlte sich dreifach sicher: Erstens konnte
ihn niemand erkennen. Zweitens vermutete man unter Helm
und Lederzeug ohnehin einen Rocker, also einen Menschen
mit größtmöglicher Schlagkraft und Brutalität. Und drittens
war er verkabelt und vernetzt durch eine unsichtbare Nabel-
schnur mit dem wasserunempfindlichen GetacX500-Rechner
mit militärischer E/A-Schnittstelle.

Er ging etwas abseits der Straße. *Sie befinden sich im Kernland
von Tirol,* säuselte jetzt eine weibliche Fremdenverkehrsver-
einsstimme. *Wollen Sie authentische Musik aus dem Tiroler
Voralpenland hören?* Nein, wollte er nicht. Er versuchte nochmals eine Feinpeilung des rumänischen Autos. *Sie haben einen
Fußmarsch von einer halben Stunde vor sich. Hier in diesem
Waldstück ist auch der Tiroler Volksheld Andreas Hofer ent-
langmarschiert …* Motte suchte sanfte Musik, die ihn auf dem
Marsch durch den Wald begleitete. DJ Harpo traf endlich Mot-

tes Geschmack. Leichte synthetische Bassfiguren schlodderten und blubberten dahin, ein paar lockere Drumriffs zerteilten die Zeit so locker, als gäbe es keine Popescus und abgetrennten Hände, die die Faust ballen konnten. Von Ferne betrachtet musste er wie ein Motorradfreak aussehen, der zum nächsten Bikertreffen stapfte. *Sie haben ihr Ziel erreicht.* Schnauze. Er schaltete das Programm ab. Er lugte auf die nahe gelegene Straße. Die Bundesstraße bildete eine Ausbuchtung, es war nicht direkt ein Parkplatz, eher ein Wendeplatz, mit Streukistchen und Aschentonnen. Hier musste das Auto stehen. Doch so sorgfältig er die Stelle auch absuchte, er fand es nicht. Von der Bucht führte ein bewaldeter Steilhang krass nach oben. Sollte er da rauf? Seit er den Helm aufgesetzt hatte, war seine Angst wie weggeblasen. Er fühlte sich mächtig sicher in seinem Outfit. So sicher, wie sich auch der Vogel Strauß fühlt. Motte kletterte ein paar Schritte hinauf und sah bald, dass ein kleiner Weg zu einer Hütte mit Veranda führte. Die Läden waren geschlossen, sie schien nicht bewohnt zu sein. Fünfzig Meter entfernt von der Hütte befand sich eine kleinere Hütte, das musste das Häus'l dazu sein. Er drehte sich um und blickte den Abhang hinunter. Da hinten, blitzte da nicht ein rostlaubenrotes Stückchen Blech auf? Das war der Dacia Popescus. Mist, er war in die falsche Richtung gestiegen! Trotzdem hatte er gefunden, was er gesucht hatte, nämlich Emil Popescus Versteck. Hier hatte sich der undurchsichtige Rumäne also sein Labor eingerichtet. Hier veranstaltete er seine ganzen Schweinereien. Ein kurzer Angstschauer überfiel Motte. Vielleicht sollte er sich doch vom Acker machen. Doch dann dachte er wieder an seine Verkabelung mit dem GetacX500 zu Hause. Das war seine Lebensversicherung.

Eine irrationale, unbezähmbare Neugier befiel ihn. Er stapfte hinauf zur Hütte. Vorsichtig näherte er sich der Tür. Er zog sein Flächenmikrophon heraus und presste es ans Holz. Kein Geräusch im Inneren, auch kein Atmen. Es war wirklich niemand da. Motte ging um die Hütte herum, einer der Fensterläden war halb geöffnet. Er leuchtete mit einem kleinen, aber leistungsstarken Spot hinein. Ein Esstisch mit abgespültem Geschirr, ein paar Wanderkarten. Im Hintergrund konnte er eine kleine Küche erkennen, in einem Regal stand eine Tüte mit der Aufschrift *Tiroler Hüttennudeln*. Die biedere Normalität dieser Tüte Nudeln beruhigte Motte.

Dann vernahm er plötzlich ein Geräusch. Nicht aus dem Inneren der Hütte, sondern vom Klohäuschen her. Es war ein maschinelles Geräusch, ein leises Surren und Klackern. Motte beruhigte sich wieder. Da hatte sich vielleicht nur die automatische Pumpe angeschaltet. Trotzdem. Motte schaltete in den Äußerste-Vorsicht-Modus. Er duckte sich hinter die Holzwand, um vom Häus'l aus nicht gesehen zu werden. Das Geräusch verstummte. Die Angst stieg wieder in ihm hoch. Doch er konzentrierte sich. Er hatte von hier aus alles im Blick.

Minuten vergingen. Eine Toilettenpumpe eben, nichts weiter. Er hatte eine Infrarotkamera in seinen Helm eingebaut, um lebende Objekte im Dunkeln beobachten zu können. Aber die nützte ihm jetzt nichts, es war noch zu hell. Er wartete. Langsam brach seine Pumpen-Theorie wieder zusammen. Eine Pumpe schaltete sich doch erst an, wenn jemand das Häus'l benützt hatte! War das so? Verkrampft starrte er auf die Tür. Wenn Popescu da rauskam, würde er gewappnet sein. Wenn sich die Tür öffnete, dann würde er, ein wendiger Mittzwanziger, es doch wohl mit einem fahrigen Tattergreis aufnehmen können, dem der Fanatismus und die Fixierung auf eine einzige Idee das Hirn vollkommen vernebelt hatte.

Der Schlag auf den Hinterkopf traf Motte vollkommen überraschend. Der körperliche Schmerz war nicht das Schlimmste – der Helm hatte den Hieb weitgehend abgedämpft. Aber Motte dachte sofort daran, dass die empfindlichen Festplattenkomponenten und Hardwaresysteme am Helm zerstört waren. Das Herzstück des ambulanten Rechners war zu Brei geschlagen. Matsch, Schrott, Ramsch. Das waren Mottes letzte klare Gedanken. Nebel senkte sich über ihn, sein Bewusstsein kam ins Schlingern und Wanken, er kippte schließlich um und schlug schmerzhaft auf dem Boden auf.

Er wurde weggezogen.

Er wurde aufgerichtet.

Er wurde wieder fallen gelassen.

Ein Scheinwerfer blendete ihn.

Es wurde wieder dunkel.

Er hörte das Geräusch einer Maschine.

Er hörte einen Hund winseln.

Er hörte Stimmen.

»Kennst du den?«

»Wahrscheinlich ein herumstreunender Jugendlicher.«

»Oder ein neugieriger Motorradfahrer.«

»Wie hat er die Hütte gefunden?«

»Keine Ahnung.«

»Was sollen wir mit ihm machen?«

Ein schmutziges Schild.

Eine Firmeninschrift:

Hasselnöt & Efterfragåd

Kernel panic
Schwerer Ausnahmefehler
Systemabsturz
Purple screen of death
Sad Mac
Vollständiger Datenverlust
Programmende erzwungen

53

Der Nachmittag verflog im Eiltempo. Das Polizeiteam arbeitete mit Hochdruck an der Aufenthaltsermittlung von Emil Popescu.

»Wir haben ihn im Visier«, knurrte Hansjochen Becker voller Genugtuung. »Wir müssen ihn bloß noch fassen.«

Die Tür sprang auf, Johann Ostler kam ins Besprechungszimmer. Er breitete einen Haufen Papiere auf dem Tisch aus.

»Das sind die Ergebnisse der Kollegen vom BKA und von Interpol. Fast vierzig Personen sind in Deutschland unter dem Namen Emil Popescu gemeldet, es gibt jedoch keinen mit diesem Geburtsdatum. Ähnlich ist es in Rumänien. Hier gibt es zwar Hunderte von Emil Popescus, aber keiner davon ist am 13. Juli 1964 geboren. In den umliegenden Ländern ist es nach Auskunft von Interpol genauso.«

»Vielleicht hat er in der Bibliothek ein falsches Geburtsdatum angegeben?«, wandte Maria ein.

Jennerwein schüttelte den Kopf.

»Um Spuren zu verwischen? Das glaube ich nicht. Ich habe ein klares Bild vor Augen. Popescu geht in die Bibliothek, stöbert ein bisschen herum, sieht diesen medizinischen Atlas und fragt, ob er ihn benutzen darf. Er trägt sich brav ein, blättert herum und ist fasziniert von der Darstellung der Hand. Da erst kippt ein Schalter bei ihm um. Er muss die Seite unbedingt haben, er schneidet sie heraus und fängt an, die Anatomie der Hand zu studieren. Was genau er in den folgenden Wochen oder Monaten im Krankenhaus und auf der Hütte treibt, darüber können wir nur spekulieren. Der Rest ist bekannt. In der Folge werden Leichen entdeckt, denen eine Hand fehlt, und weil diese Fälle nicht aufgeklärt werden, entstehen Schauergeschichten von einem mysteriösen Handsammler. Popescu wiederum wirft die Folien nicht weg, sondern verwahrt sie sorgfältig in seinem Labor in der Hütte. Er arbeitet wie ein Besessener. Dass er seine Identität in der Bibliothek hinterlassen hat, war ihm im Nachhinein wahrscheinlich gar nicht bewusst. Oder es war ihm egal.«

»Den Aufenthaltsort von Popescu konnten wir bisher nicht ermitteln«, sagte Ostler. »Er hat sich höchstwahrscheinlich neue Papiere besorgt und einen anderen Namen angenommen. Was meinen Sie, Chef?«

»Ludwig Stengele würde zwar jetzt sagen: Einen falschen Pass bekommt man am Mindelheimer Bahnhof für ein paar hundert Euro. Ich jedoch glaube nicht, dass Popescu der Typ ist, der sich die Mühe macht, eine zweite Existenz aufzubauen. Wahrscheinlich ist er untergetaucht.«

»So sehe ich das auch«, sagte Maria. »Er hat sich irgendwo in einem Krankenhaus einen Job erschlichen, und dort führt er seine grausigen Experimente weiter. Er ist jedenfalls nirgends gemeldet. Wie Sie wissen, ist das nichts Ungewöhnliches: Über eine Million solcher Menschen soll es in Deutschland geben. Popescu braucht Hände für seine Experimente. Er tötet dafür Menschen. Um das zu verdecken, verstümmelt er die Leichen bis zur Unkenntlichkeit. Oder er stellt sicher, dass die Leichen nicht mehr untersucht werden können.«

Ostler schüttelte sich bei dem Gedanken.

»Das ist möglich«, sagte Jennerwein. »Ich frage mich aber, warum er ausgerechnet auf Carlsson kommt. Ist das ein Zufall? Hätte es genauso gut jemand anderes sein können? Irgendjemand, der im Garten an einem Häcksler oder an einer ähnlichen Höllenmaschine arbeitet? Ich glaube nicht an Zufälle.«

Ein nachdenkliches Schweigen trat ein. Ostler brach es als Erster.

»Kann man denn Hände transplantieren? Steckt vielleicht doch die Organmafia dahinter?«

»Man kann sie *re*plantieren«, sagte die Gerichtsmedizinerin. »Aber die Funktionalität lässt sich nur mit einer Handprothese erreichen.«

»Und wie geht das?«

»Die Prothese wird mit den Muskeln des Unterarms verbunden. Die meisten Muskeln, die für komplizierte Handbewegungen zuständig sind, sitzen ohnehin dort. Darum frage ich mich auch, was Popescu mit einer einzelnen Hand anfangen will. – Legen Sie mal Ihre Unterarme mit der Handfläche nach oben auf den Tisch. Streifen Sie die Ärmel hoch. Machen Sie einen Stinkefinger. Man sieht deutlich, dass der Muskel, der dafür verantwortlich ist, fast bis zur Ellenbeuge reicht.«

Alle führten dieses kleine Experiment durch.

»Wir haben ihn im Visier«, wiederholte Becker. »Wir müssen ihn nur noch fassen. Der Mord an Carlsson war sein Fehler. Da hat er irgendeine Spur hinterlassen, die ihm zum Verhängnis werden wird.«

»Der Meinung bin ich auch«, sagte Jennerwein. »Wir sollten die Zeit nutzen.«

»Hallo? Wer ist da?«, fragte Grit Carlsson.

Die Handyverbindung war schlecht.

»Ich will nicht weiter stören«, sagte Maria. »Sie sind sicher schon unterwegs nach Schweden.«

»Ja, ich freue mich darauf.«

Grit Carlsson schien entspannter zu sein.

»Deswegen rufe ich aber nicht an. Ich habe nur eine einzige Frage. Kennen Sie einen Mann namens Emil Popescu?« Maria buchstabierte. »Es ist ein Rumäne, der jetzt etwa fünfzig Jahre alt ist.«

»Nein, nie gehört.«

»Sind Sie ganz sicher?«

»Ganz sicher.«

»Backlund hier. Nils Backlund.«

»Ostler hier. Ist ja schön, dass Sie sich noch im Kurort aufhalten.«

»Ich erwäge sogar, für immer hier zu bleiben.«

»Das hört man gern.«

»Vielleicht mache ich einen Friseurladen auf, in dem sich die Hautevolee des Kurorts trifft.«

»Die was?«

»Die Reichen und Schönen, Polizeihauptmeister.«

Ostler fand, dass Backlund das *haupt* ziemlich ironisch ausgesprochen hatte.

»Ich habe aber noch eine ganz andere Frage. Sagt Ihnen der Name Emil Popescu etwas?«

Kurzes Schweigen in der Leitung.

»Nie gehört. Aber vielleicht haben Sie ein Foto? Womöglich eines, das den Hinterkopf zeigt.«

»Wieso …? Ach, ich verstehe! Nein, leider nicht. Wir haben auch nur den Namen, sonst nichts.«

»Dann bis bald.«

»Der regt mich so was von auf!«, sagte Ostler, nachdem er aufgelegt hatte.

»Piet Pettersson hier. Sie schon wieder, Kommissar Jennerwein? Was gibts denn?«

Jennerwein stellte die Frage abermals. Auch bei Pettersson gab es jetzt eine kleine Pause. Es knackte ein paarmal in der Leitung.

»Popescu? Ja, da klingelt es bei mir. Ich weiß auch, warum ich mir den Namen gemerkt habe. Meine Frau ist Finnin. Im Finnischen gibt es einen derben Fluch: *pö pes cu*, das heißt wörtlich so viel wie *Wasch Staub!*, aber es bedeutet einfach *Leck mich!* Uns von der Nobelpreisjury haben viele Spinner und Desperados angeschrieben. Gerade der gutmütige Carlsson wurde am allermeisten belästigt! Er hat sich die Probleme dieser Menschen angehört, er war unglaublich sozial engagiert und wurde natürlich oft ausgenutzt. Wenn mich nicht alles täuscht, hat ihn auch dieser *Wasch-Staub!-Typ* angeschrieben und ihm ein besonders ekliges Projekt angeboten. Irgendetwas Frankensteinmäßiges.«

»Genaueres wissen Sie nicht?«

»Ich bin jetzt vierundneunzig, Mann! Das ist kein Alter für Details. Das ist das Alter fürs Große und Ganze. Ich persönlich habe solche Bettelbriefe sofort in den Papierkorb geworfen – aber Carlsson hat sie alle gelesen. Und die meisten davon beantwortet.«

»Hat er mehrere Briefe von Popescu bekommen, Herr Petterson?«

»Ja, das wurde selbst Carlsson zu viel. Dieser Popescu, der muss ihm so unappetitliche Vorschläge gemacht haben, dass Bertil in seinem Fall ganz froh um den Eisernen Vorhang war.«

»Hat Carlsson wirklich nicht näher ausgeführt, um was es sich handelte?«

»Hat er sicher, aber daran kann ich mich nicht mehr erinnern.«

»Könnte es sich im Entferntesten um Prothesen gehandelt haben?«

»Keine Ahnung.«

»Ich habe dann noch eine Frage: Wie konnte Bertil Carlsson direkt angeschrieben werden? War seine Adresse bekannt?«

»Er hat keinen Hehl aus seiner Adresse gemacht. Als er 1987 Jurymitglied wurde, stand das groß in der Zeitung. Sein Haus in Stockholm, Österlånggatan Nummer 7, war in seiner ganzen Pracht abgebildet. Im Vorgarten stand ein lachender nordischer Hüne mit Frau. So hat jeder Spinner Carlssons Adresse herausbekommen und konnte ihm seine wirren Ideen schicken. Und jetzt entschuldigen Sie mich bitte. Man trägt auf. Eine duftende Vitakorva.«

»Haben Sie vielen Dank. Wenn Ihnen noch was zu Popescu einfällt, melden Sie sich bitte.«

Ein Grunzen am anderen Ende der Leitung. Jennerwein legte auf.

»Ich frage mich natürlich, warum uns Grit das verschwiegen hat. Carlsson muss seiner Frau doch von so einem Stalker erzählt haben.«

»Vielleicht auch nicht«, sagte Maria. »Sie, Hubertus, würden vielleicht mit Ihrer Frau darüber sprechen. Es gibt jedoch auch Männer, die ihren Frauen die Schattenseiten ihres Berufes ersparen wollen.«

Ostler kicherte.

»Ich darf nochmals zusammenfassen«, sagte Jennerwein, ohne auf Marias Bemerkung einzugehen. »Mitte oder Ende der

Achtziger plant Popescu, ein Labor für seine Untersuchungen einzurichten. Doch dazu braucht er Geld. Er wendet sich an offizielle Stellen, bekommt dort nur Absagen. Schließlich schreibt er an die Nobelpreisjury. Er hat in der Zeitung von Carlsson gelesen. Er schickt diesem seine Untersuchungsergebnisse, bekommt aber einen Absagebrief. Seitdem forscht er alleine weiter. Er zieht von Krankenhaus zu Krankenhaus. Schließlich erfährt er Carlssons jetzigen Aufenthaltsort, er kommt her und rächt sich.«

»Dabei verbindet er sozusagen das Angenehme mit dem Nützlichen«, sagte Ostler. »Er hat wieder einmal eine frische Hand zum Experimentieren.«

»Wie locken wir ihn an?«, fragte Maria. »Wir könnten ihn provozieren, indem wir ihn beleidigen und seine wissenschaftliche Qualifikation in Frage stellen.«

»Möglich. Aber ich habe noch eine andere Idee«, sagte Jennerwein.

Pressemitteilung der Bayrischen Kriminalpolizei. – Die Polizei bittet um Ihre Mithilfe. Gesucht wird ein 50-jähriger rumänischer Staatsbürger, der im Bundesgebiet illegal beschäftigt ist, vermutlich im medizinischen, möglicherweise jedoch auch im privaten Bereich. Dieser Mann stellt eine erhebliche Gefahr dar. Wenn Sie solch einen Mann bei sich beschäftigen, dann wenden Sie sich sofort an uns oder an die nächste Polizeidienststelle.

Noch in dieser Nacht, gleich nach der Rundfunkausstrahlung und dem Abdruck in sämtlichen Zeitungen, begann eine Lawine von Selbstanzeigen, die auch die nächsten Wochen anhalten sollte. Viele reuige Bürger wollten einen fünfzigjährigen Mann anmelden, den sie gestern erst (wirklich! Ehrenwort! gestern!) eingestellt hatten. Als Gärtner, Chauffeur, Laborant …

Jennerweins Aktion spülte eine große Menge Steuergelder in die Staatskassen. Einen Popescu jedoch trieb sie nicht ins Netz.

54

Lieber Viersternejohann,

wir spazieren gerade durch den venezianischen Friedhof
San Michele. Commissario Albaretti betreut uns hier,
wir freuen uns schon auf das ausgiebige Mittagessen mit
ihm. Der Gartenunfall vom Suderer Bartl ist jetzt auch
schon in den internationalen Zeitungen angekommen,
grauslige Sache! Commissario Albaretti, der sich sehr
für Historisches interessiert, hat uns passend dazu von
einem g'spassigen Beerdigungsbrauch der alten
Veneter erzählt, die die Lagunen vor über zweitausend
Jahren das erste Mal besiedelt haben. Sie waren davon
überzeugt, dass das Beste von einem Menschen in seinen
Körpersäften steckt. Ja, freilich: Wenn du rundherum
von Wasser umgeben bist, dann denkst du auch wässrig.
(So wie wir im Gebirge eher *steinig* denken.) Jedenfalls
haben die alten Veneter ihre Verstorbenen mit einem
Mühlstein ausgepresst. Da kommt pro Person schon
was zusammen, weil ein Mensch ja zu achtzig Prozent
aus Wasser besteht. Sie haben das, was sie für die Seele
gehalten haben, in einen Steinkrug gegossen und den aufs
Meer hinaustreiben lassen. Den Rest haben sie an die
Tauben verfüttert, die seitdem ausgesprochen lästig sind.
Aber alles in allem ist das doch ein schöner Brauch!

Vom Campanile aus kann man solche Krüge heute noch im Meer herumschwimmen sehen.

Es grüßen euch
aus der Stadt der flüssigen Seelen –
eure Graseggers

PS: Apropos Suderer Bartl: Mit dem haben wir ja an seinem Todestag noch geredet – das haben wir vor lauter Reisefieber ganz vergessen. Aber nicht, dass wir jetzt gleich wieder vom Jennerwein vorgeladen werden! Wir wollen unsere Sensen-Rallye schon noch ungestört fortsetzen – es macht irrsinnig viel Spaß. Deshalb: Uns ist nichts Besonderes an dem Tag aufgefallen. Wirklich nicht.

PPS: Vielleicht eines. Kurz vor zehn sind wir das erste Mal an seinem Grundstück vorbeigekommen. Wir waren auf dem Weg zum Friedhof. Niemand war im Garten. Gegen elf sind wir wieder vorbeigekommen, haben den Suderer Bartl gegrüßt und ein bisserl mit ihm geratscht. Wir haben ihm von unseren Reiseplänen erzählt, er hat uns daraufhin den Skogskyrkogården in Stockholm empfohlen. Dabei hat er so komisch gelächelt. Hat an seinem Wacholderzweig herumgekaut und auf eine ganz seltsame Art gegrinst. Vielleicht ist das ganz und gar unwichtig, aber es kann ja sein, dass euch das was nützt?

Eure Hilfssheriffs,
Ursel und Ignaz Grasegger

55

Mehrere solcher Hilfssheriffs waren über die ganze Welt verstreut. Sie alle dachten intensiv über den Fall Carlsson nach.

Nicole Schwattke zum Beispiel, die westfälische Austauschkommissarin, schritt gerade durch die Straßen von Recklinghausen-Datteln. Großtante Henriette, die neunzigjährige Jubilarin, hatte sich von den Strapazen der Feierlichkeiten schon wieder erholt, Nicole selbst war noch ein paar Tage bei ihrer Familie geblieben. Sie setzte sich in ein Café und schlug ihr Notebook auf. Die hexenhafte Handleserin, die für das Geburtstagsfest engagiert worden war, hatte ihr eine vollständige chiromantische Analyse von Jennerweins Handinnenfläche geschickt. Am Rand der Skizze war mit schwungvoller Handschrift vermerkt: *Wer auch immer das ist – es ist ein außergewöhnlicher Mensch!* Nicole musste lächeln. Sowenig sie an solchen Hokuspokus glaubte, so sehr hatte die alte Warzenhexe in diesem Fall recht. Ihr Chef war wirklich ein außergewöhnlicher Mensch. Und ein begnadeter Ermittler. Ihr Vorbild. Nicole war allerdings skeptisch, ob sich Popescu, der fast dreißig Jahre unbemerkt sein Unwesen treiben konnte, jetzt so leicht fassen ließ. Auf ihrem Computer befand sich das vollständige Protokoll des Falls. Sie hatte es mehrmals durchgelesen. Es war schon ein sonderbares Gefühl, eine Ermittlung einmal von außen zu betrachten. Nicole Schwattke wäre lieber vor Ort gewesen, um die Ärmel hochzukrempeln und selbst mitzumischen. Aber sie konnte es ihrer Familie nicht zumuten, jetzt abzureisen. Vor allem ihrem Ehemann nicht, der zurzeit bei der nordrhein-westfälischen Polizei Dienst tat: Schnäuzelchen, der keinen Schnauzbart trug, sondern Florian Beerschnauz hieß. In ihrer Tasche klingelte das Mobiltelefon. Das war sicher der erwartete Anruf aus Schweden.

»Kommissarin Schwattke.«

»Hier Hasselnöt senior. Was wollen Sie wissen?«

»Schön, dass Sie sich melden. Können Sie sich an einen Kunden namens Bertil Carlsson erinnern?«

»Bertil, der alte Haudegen! Wer kann sich nicht an den erinnern! Wie gehts ihm?«

»Er ist leider verstorben.«

Hasselnöt senior lachte trocken und unsicher.

»Na ja, auch ein Arzt stirbt mal. Wie hat es ihn denn erwischt?«

Nicole wollte nicht ausgerechnet mit dem Firmengründer von *Hasselnöt & Efterfragåd Gartenmaschinen* darüber reden, auf welche Weise Carlsson umgekommen war.

»Können Sie mir sagen, welche Geräte er wann bei Ihnen gekauft hat? Haben Sie Aufzeichnungen darüber?«

»Natürlich. Bis zurück zu Gustav I. Wasa. Der hat damals einen Rasenmäher für seinen Schlosspark bei uns gekauft.«

»Wie?«

»Schwedischer Humor. – Wozu brauchen Sie die Aufzeichnungen denn?«

»Es wäre sehr nett von Ihnen, wenn Sie mir eine Liste schicken würden. Vor allem geht es mir um einen Häcksler mit folgender Typenbezeichnung –«

Nicole las die Seriennummer der merkwürdigen Tatwaffe vor.

»Oh! Das ist ja unser bestes Stück!«, rief der Firmengründer begeistert. »Schwedische Qualitätsarbeit! Dieser Häcksler begleitet Sie Ihr ganzes Leben! Es gibt hoffentlich keine Beschwerde?«

»Können Sie bitte nachsehen, wann Carlsson die Maschine gekauft hat? Das wäre furchtbar nett von Ihnen.«

Der Senior versprach es. Nicole Schwattke legte auf. Die Bedienung erschien, Nicole gab ihre Bestellung auf.

»Wie ich höre, kommen Sie aus Bayern!«, sagte die Bedienung erfreut.

Die Urwestfälin grinste. So gut hatte sie also inzwischen bayrisch gelernt, dass man sie hier für eine Urlauberin hielt.

»Ja, freili, und wia!«, sagte sie.

Der Allgäuer Hauptkommissar Ludwig Stengele wiederum saß am anderen Ende der Welt am Strand von Cayenne. Er starrte sehnsüchtig hinaus auf den Atlantischen Ozean. Hinter den dichten Nebelschwaden lag Mindelheim. Da jetzt im Biergarten sitzen und ein Weißbier zischen – Heidanei! Stengele riss sich von diesen Gedanken los. Die Personallisten der Fremdenlegion hatten ihm nicht den schnellen Erfolg gebracht. Auf Ole Jökelsund war er nicht gestoßen. Es gab nur ein paar Dutzend Schweden in der Legion. Und die kamen alle vom Alter nicht hin. Stengele nahm einen Stock und schrieb drei Namen in den nassen Sand.

Drei Namen und nur ein Gesicht. Vielleicht waren es gar nicht drei Personen. Vielleicht waren es nur zwei. War Jökelsund abgetaucht und nannte sich jetzt Popescu? Unsinn. Popescu war ja viel jünger. Es musste etwas geben, das sie übersehen hatten. Die Gischt löschte die Namen von Carlsson und Jökelsund aus, ausgerechnet der Name Popescu blieb stehen. Einen kurzen Moment glaubte sich Ludwig Stengele nahe an der Lösung, aber auch diese Lösung wurde von der nächsten Welle getilgt. Er musste hier weg. Er konnte im Nassen nicht nachdenken.

Michl Wolzmüller, der geniale Polizeizeichner, saß allein in seiner Werdenfelser Bauernstube, die er sich als Atelier eingerichtet hatte. Um ihn herum lagen Dutzende von Skizzen verstreut, alle zeigten den Mann, der Leonhard Wörndle besucht und nach Carlsson gefragt hatte. Der Michl hatte sich diesen Mann nochmals genau beschreiben lassen, und er hatte die Phantomzeichnungen immer weiter verfeinert. Doch er war nicht zufrieden. Er nahm eine starke Lupe zur Hand und betrachtete das zerknitterte Foto, das den jungen Carlsson und den jungen Jökelsund zusammen zeigte. Er fuhr jede Furche ab. Irgendetwas irritierte ihn, aber er kam nicht drauf, was. Es stand direkt vor seinen Augen, aber er sah es nicht. Das Foto war zu ramponiert und die Erinnerung Wörndles an den Besucher, der angeblich Jökelsund sein sollte, war zu unscharf und widersprüchlich. Zornig wischte er die Blätter vom Tisch. Doch der Jagdeifer ließ ihn nicht los. Nach einiger Zeit nahm er den dicken Zimmermannsbleistift und versuchte erneut, zeichnerisch hinter das Geheimnis dieses nebulösen Schwedenteufels zu kommen.

»Kreizkruzifixhalleluja!«, fluchte er leise. Flüche inspirierten ihn ungemein.

Nils Backlund stieg die Schwarzhornscharte hinauf. Er schob seinen schrankartigen Körper durch die Gegend, und er genoss das barocke Übermaß voralpenländischer Vegetation. Mit jeder Rast an überwältigenden Ausblickspunkten festigte sich sein Entschluss, sich ganz hier niederzulassen. An einer Aussichtsplattform zückte er sein Fernglas und blickte hinunter auf den Kramerhangweg. Vielleicht war ja das Haus der Carlssons noch zu haben! Er hatte es ja sozusagen schon besichtigt. In seiner Tasche steckte immer noch das Foto, das er bei Grit von der Pinnwand gezupft hatte. Er zog es vorsichtig heraus und betrachtete es erneut. Stockholm, Februar 1978. Eine Motto-Party. Thema: berühmte Schauspieler. Das Foto zeigte zwei Frauen, die sich als Greta Garbo verkleidet hatten. Sowohl die Kostüme als auch das Make-up passten bei beiden perfekt. Erst bei näherem Hinsehen konnte man erkennen, dass es sich um zwei Männer handelte, die eine typische Greta-Garbo-Pose eingenommen hatten. Lasziv und abgründig. Nachdenklich steckte Backlund das Foto wieder ein. Auch Hairberts Bemerkung: *Immer ein Problem mit einem besonders hartnäckigen Wirbel …* ging ihm durch den Kopf. Backlunds Verdacht erhärtete sich mehr und mehr. Sein erster Impuls war es gewesen, der Polizei davon zu erzählen. Doch Jennerwein und seine Knechte hatten ihn so arrogant behandelt, denen wollte er nicht noch bei den Ermittlungsarbeiten helfen! Vielleicht sollte die Wahrheit ja auch gar nicht ans Licht kommen. Backlund schwang seinen Spazierstock und schritt weiter. Zwei fröhliche Wanderburschen kamen ihm entgegen, und schon aus fünfzig Meter Entfernung konnte er erkennen, dass sie unglaublich schlecht sitzende Frisuren trugen. Zerzauste Wischmopps! Er machte ihnen auf dem schmalen Steig Platz, ließ sie vorbei und sah ihnen nach. Backlund bemerkte nicht, dass ihn ein aufmerksames Augenpaar aus dem Gebüsch beobachtete.

Franz Hölleisen blätterte in den Lehrmaterialien des Fortbildungskurses. Den ganzen Sonntag Vormittag hatte er interessanten Vorträgen über internationale Körpersprache gelauscht. Besonders hatten ihn die unterschiedlichen Bedeutungen von Handgesten in verschiedenen Kulturen interessiert. Das Zeigen des Victory-Zeichens mit dem Handrücken nach außen zum Beispiel war in Großbritannien eine schwere Beleidigung. Das hatte sogar einen historischen Hintergrund. Im Mittelalter wurden englischen Bogenschützen, wenn sie in französische Gefangenschaft gerieten, die Zeige- und Mittelfinger abgeschnitten, damit sie die Bogensehne nicht mehr halten konnten. Im Jahre 1346 besiegten nun die englischen Bogenschützen die Franzosen in der legendären Schlacht von Crécy vernichtend. Nach dem Kampf reckte man den Franzosen demonstrativ die Hand mit dem intakten Zeige- und Mittelfinger entgegen, um sich über sie lustig zu machen. Wenn sich solch ein deftiges Handzeichen so lange gehalten hat, dachte Hölleisen, dann muss es wirklich bedeutsam sein.

56

_N_ein, es war nicht Martin gewesen, der vorgestern nach Einbruch der Dunkelheit an die eingeschneite Hütte geklopft hatte. Es war der leibhaftige Tod gewesen.

Als Anna Sophia die Tür aufgerissen hatte, standen drei kleinwüchsige, maskierte Gestalten vor ihr. Da wäre selbst Superman erschrocken. Sie war so furchtbar stolz auf sich, nicht die Nerven verloren zu haben. Natürlich war sie kurz zusammengezuckt. Aber auch Superman wäre zusammengezuckt. Anna Sophia hatte sich jedoch sofort wieder gefangen. Sie erinnerte sich an einen Artikel im Reiseführer: Um diese Zeit gab es in Siebenbürgen den Volksbrauch _Tod, Teufel und Sünde_. Drei Kinder zogen verkleidet von Haus zu Haus und baten um Spenden. Der Tod trug die bekannte Sense, der Teufel einen überdimensionalen glühenden Bratspieß, mit dem er wohl die armen Seelen im Höllenfeuer piesackte. Die Sünde schließlich trug einen Umhang mit kleinen allegorischen Darstellungen der sieben Tod- und der fünfundneunzig lässlichen Sünden. Gefeiert wurde damit der Geburtstag des einstigen walachischen Herrschers Vlad III. Drāculea. Es war ein schauerlicher Brauch, aber diesen drei Kindern schien der Rundgang Spaß zu machen. Nur der Tod war erkältet. Er trug unter der Schädelmaske einen dicken roten Schal. Er nieste ab und zu.

Die Kinder waren den weiten Weg gelaufen, um Anna Sophia zu erschrecken, und sie tat ihnen den Gefallen. Sie riss die Augen auf und schlug die Hand vor den Mund.

»Oh!«, rief sie mit zitternder Stimme. »Wer seid ihr denn?« Sie hoffte, dass sie nicht allzu sehr übertrieb.

»Tod, Teufel und Sünde!«, riefen die Kleinen, und dann sangen sie ein Lied in rumänischer Sprache. Immer wieder kam das Wort *omor* vor. Sie würde später nachschlagen, was das bedeutete. Anna Sophia warf den Kindern reichlich Kleingeld in die Sammelbüchsen, die daraufhin wieder fröhlich abzogen. Das Niesen des Todes war noch lange zu vernehmen.

Anna Sophia war so stolz auf sich, dass sie diese Episode vorgestern ganz allein gemeistert hatte, ohne fremde Hilfe und ohne in Panik zu geraten. Eben kam Martin durch die Tür. Sie hatte ihm die Geschichte gar nicht erzählt, er würde ihr sowieso nicht glauben.

»Das hat mir gerade noch gefehlt!«, rief Polizeihauptmeister Johann Ostler. Der Sittinger Simmerl war gerade vorbeigekommen und hatte zu Protokoll gegeben, etwas Verdächtiges wahrgenommen zu haben. Der Sittinger wohnte ebenfalls im Kramerhangviertel.

»Es geht um den Gumpendobler.«

»Der Taxifahrer. Ja, was ist mit dem?«

»Den habe ich jetzt schon ein paar Tage nicht mehr gesehen.«

»Vielleicht hat er sich ganz aufs Löffelschnitzen verlegt, Sittinger.«

»Nein, das glaub ich nicht. Obs regnet oder schneit, seit zehn Jahren spaziert der Gumpi jeden Tag mit seinem sogenannten Hund den Kramerhangweg hinauf und hinunter. Immer zur selben Zeit. Jetzt schon mehrere Tage nicht mehr.«

»Er wird halt krank sein.«

»Ich habe bei ihm geklingelt, er macht nicht auf. Ostler, da stimmt was nicht.«

Auch das noch. Er hatte wahrhaftig genug mit dem Fall Carlsson zu tun. Aber er musste der Sache nachgehen. Und komisch war das auch, dass gerade aus dieser Straße dauernd Leute verschwanden. Ostler beschloss, seine Mittagspause zu opfern. Er war befördert worden. Da trug er eine gewisse Verantwortung. Vielleicht sollte er doch noch einmal auf die Polizeischule gehen und den gehobenen Dienst einschlagen. Er wollte das gleich heute Abend mit seiner Frau besprechen. Ostler setzte seine Dienstmütze auf.

Das Haus Nr. 23 lag still und friedlich da. Als Erstes inspizierte Ostler den Carport. Er hob die Abdeckplane hoch und erkannte den beuligen Benz, mit dem der pensionierte Taxler ab und zu noch Touren fuhr. Ostler leuchtete ins Wageninnere. Nichts Verdächtiges. Ostler klingelte an der Haustüre. Auch nach dem dritten Mal reagierte niemand. Ostler ging um das Haus herum. Er drückte probeweise an die Glastür, die von der Terrasse ins Haus führte. Sie war offen. Vorsichtig betrat er die Wohnung. Er rief Gumpendoblers Namen. Ohne Erfolg. Auch der sogenannte Hund war nirgends zu sehen. Einer plötzlichen Eingebung folgend, lief Ostler nochmals zurück zum Carport. Er zog seinen Spitzstichel heraus, den er bei einem Fortbildungskurs des Einbruchsdezernates mitgenommen hatte, und öffnete damit die Tür des alten Benz. Schon vorher hatte er kein Navi und kein Ortungsgerät gesehen. Damit hätte er wenigstens die letzte Fahrt ermitteln können. Er durchsuchte das Handschuhfach. Leer. Sogar das Autoradio und der Taxameter waren ausgebaut worden, allem Anschein nach erst vor kurzem. Die Sache gefiel ihm gar nicht.

Ostler trat wieder hinaus auf die Straße. Im Kramerhangweg wohnten eh lauter Verrückte. Gumpendobler gehörte sicher auch dazu. Ebenso wie das Ehepaar Schnitzy aus Schwandorf. Oder die Familien Keudell und Martinsrieder. Ostler hatte die meisten Bewohner des Kramerhangwegs vor ein paar Tagen befragt. Die Fabrikantenwitwe Frau Schmell von Nr. 1 hatte angegeben, an dem Vormittag, an dem Carlsson umkam, einen Schrei gehört zu haben.

»Es klang ungefähr wie UÄÄRGHS! Es hätte allerdings auch ein Eichelhäher sein können.«

»Aber ein Eichelhäher klingt doch ganz anders, Frau Schmell.«

»Wie klingt dann ein Eichelhäher Ihrer Ansicht nach?«

»Es ist eher so ein KRR-KRR.«

»Sie haben keine Ahnung, junger Mann. Ich bin Biologin. Gewesen. Der übliche Ruf des Eichelhähers ist DCHÄÄ-DCHÄÄ, bisweilen ist ein bussardartiges PIÜÜ zu vernehmen. Wenn er allerdings aufgeregt ist, macht er UÄÄRGHS! Das klingt dann wie ein durchdringender Schrei.«

Sie hatte ihm auch erzählt, dass der Eichelhäher in der Lage war, Stimmen anderer Vögel und auch Geräusche perfekt nachzuahmen. Das wäre einmal was! Einen verzwickten Kriminalfall lösen mit einem Vogel, der zur Tatzeit am Tatort war und der die Stimme des Mörders …

Ostler drehte sich noch einmal zum Haus von Werner Gumpendobler um. Verwandte, die man anrufen konnte, hatte der Taxler seines Wissens nicht. Ostler nahm sich vor, morgen nochmals hier vorbeizuschauen.

Als er den Kramerhangweg wieder verließ, kam ihm ein stupsnasiges Mädchen mit seegrün gefärbten Haaren entgegen. Sie grüßte ihn freundlich, er grüßte zurück. Er kannte sie, es war die Beer Susi, die beim Finanzamt arbeitete. Das ist komisch, dachte Ostler. Da schnüffelt die für den Fiskus herum, auch noch im Außendienst, stöbert Schwarzarbeiter und Steuersünder auf, und hat dann so ein auffälliges Erscheinungsbild. Aber vielleicht ja gerade deswegen.

»Ostler, was ermittelst du denn?«, fragte sie ihn. »Geht es immer noch um die Häckslergeschichte?«

»Freilich, um was sonst!«

»Seitdem ihr diese Pressemitteilung in die Zeitung habt setzen lassen, stehen bei uns im Amt die Telefone nicht mehr still.«

Die deutschlandweit gestreute Notiz, die lediglich dazu gedacht war, Popescu aus der Deckung zu locken, hatte Hunderte von Schwarzarbeitern in angemeldete Arbeitskräfte verwandelt.

»Gratuliere übrigens zur Beförderung!«, sagte die verdeckte Finanzagentin.

»Dankschön.«

Johann Ostler konnte sich immer mehr mit der Vorstellung anfreunden, auf den gehobenen Dienst (Kommissar bis Hauptkommissar) zuzusteuern. Vielleicht wäre ja sogar der höhere Dienst (Kriminalrat bis Gott) noch zu schaffen. Er musste das unbedingt mit Sabine besprechen. Noch heute Abend.

»Ich muss jetzt weiter«, sagte Ostler.

Die Beer Susi überlegte. Sollte sie dem Polizisten etwas von diesem Computerfreak erzählen, den sie ihn Verdacht hatte, Online-Handel zu betreiben und schwarz abzukassieren? Nein, Ostler könnte ja glauben, dass sie verliebt in ihn sei.

»Wo ist denn dein Partner, der Hölleisen?«, fragte sie stattdessen.

»In Ainring bei Freilassing. Fortbildungskurs. Interkulturelle Kompetenz.«

»Echt jetzt? So was brauchen wir bei uns im Finanzamt nicht.«

Im Fortbildungsinstitut der Bayrischen Polizei herrschte auch am Sonntag Hochbetrieb. Franz Hölleisen saß in einem Vortrag über Handgestik. Der Referent legte gerade seine Daumenspitze auf die Kuppe des kleinen Fingers.

»Bei den Mi'kmaq-Indianern bedeutet das: Der Große hilft dem Kleinen.«

Dann führte er Daumen und Zeigefinger zu einem Ring zusammen und spreizte die restlichen Finger ab. Gelächter im Publikum.

»Diese Geste bedeutet in verschiedenen Ländern etwas gänzlich Unterschiedliches. In Frankreich lobt man damit die Küche des Gastgebers. In Java hingegen bedeutet es: Dein Hirn ist *so* groß! So groß wie das einer Katze.«

Ostler eilte zurück zum Revier. Die Mittagspause war bald zu Ende. Auf der Dienststelle angekommen, nahm Ostler die digitale Postkarte aus Venedig von der Wand. Was hatten die Graseggers da über Carlsson geschrieben? *Wir haben ihm von unseren Reiseplänen erzählt, er hat uns daraufhin den Skogskyrkogården in Stockholm empfohlen. Dabei hat er so komisch gelächelt. Hat an seinem Wacholderzweig herumgekaut und auf eine ganz seltsame Art gegrinst. Vielleicht ist das ganz und gar unwichtig, aber es kann ja sein, dass euch das was nützt?*

Sollte er dem Chef davon erzählen? Aber dann müsste er ja zugeben, die Graseggers in die Ermittlungen einbezogen zu haben. Das sah Jennerwein gar nicht gern. Wegen der Wacholderzweige konnte er sich ja direkt an die Gerichtsmedizinerin wenden. Sein Handy klingelte. Hairbert war dran. Auch den hatte er eingespannt. Er hatte den Friseur gebeten, Backlund ein wenig zu beobachten.

»Und? Hast du was gesehen?«

»Nichts Verdächtiges. Er ist die Schwarzhornscharte hinaufgegangen, und ich bin ihm nachgestiegen. Er ist ein verwegener, schmucker Kerl, aber ansonsten eine vollkommen harmlose, liebe Person.«

»Danke für deine Mithilfe.«

Hairbert legte auf. Na ja, ganz so harmlos fand er diesen Nils Backlund nicht. Aber die Polizei musste ja nicht alles wissen.

57

»Ich hoffe, dass Popescu jetzt aus der Versenkung auftaucht«, sagte Maria Schmalfuß im Besprechungszimmer. »Er sollte gemerkt haben, dass wir ihm auf der Spur sind.«

Jennerwein und die Frau im Rollstuhl nickten zustimmend.

»Das sehe ich auch so«, sagte Jennerwein. »Popescu ist kein ausgebuffter Berufsverbrecher, der Flucht- und Abtauch-Strategien hat. Er ist ein Fanatiker. Wenn wir Glück haben, macht er einen Fehler.«

Ostler trat ins Zimmer.

»Die Kollegen haben schon über dreißig Verdächtige im ganzen Bundesgebiet identifiziert«, sagte er diensteifrig.

Von seiner erfolglosen Suche nach Werner Gumpendobler und von dem Brief der Graseggers aus Venedig konnte er ja später noch berichten.

»Drei davon wurden vorgeladen«, fuhr er stattdessen fort. »Und dann gibt es noch Meldungen, dass zwei Leute aufgrund der Aktion verschwunden sind. Ihre Idee war gut, Chef. Ich habe gerade mit einer Finanzbeamtin gesprochen, die hat mir erzählt, dass sich die Geldeintreiber vor Selbstanzeigen gar nicht mehr retten können.«

»Es gibt so etwas wie einen Kollateral*nutzen*«, sagte Maria. Sie stellte sich vor, dass landauf, landab die entsprechenden Gremien in getäfelten Hinterzimmern schon über Ehrungen für Kriminalhauptkommissar Jennerwein diskutierten.

»Ihre Idee war wirklich gut, Hubertus.«

Jennerwein nickte dankend, dann erschien auf seinem Gesicht jedoch ein nachdenklicher, skeptischer Zug. Maria und Ostler kannten das schon. Der Chef strickte an einer weiteren Finte.

Hansjochen Becker trat ins Besprechungszimmer.

»Dienst am heiligen Sonntag!«, murrte er. »Ganz toll!«

Doch jeder konnte erkennen, dass er es nicht ernst meinte. Hansjochen Becker war viel zu sehr Arbeitstier und Jäger nach verwischten Spuren, als dass er einen heiligen Sonntag einhielt.

»Ich habe mir nochmals die Fotos angeschaut, die Sie in der rumänischen Hütte geschossen haben, Chef. Mir ist da etwas aufgefallen. Und zwar in dem kleinen Verschlag.«

Becker öffnete sein Notebook und vergrößerte das Bild des dunklen Putzkämmerchens. Links war ein Apparat zu sehen, der auf den ersten Blick aussah wie eine defekte Kaffeemaschine, rechts stand eine urtümliche, zerschrammte Lampe.

Die Frau im Rollstuhl zeigte auf die Kaffeemaschine.

»Das ist eine alte Laborzentrifuge mit Handkurbel, wie sie früher von Biologen und Lebensmittelchemikern verwendet wurde. Das andere ist eine noch ältere OP-Leuchte.«

»Schaurig!«, flüsterte Ostler. »Da sieht es ja aus wie im Gruselkabinett von Doktor Mabuse.«

»Das mag sein«, fuhr Becker fort. »Mir jedoch ist der freie Platz zwischen den beiden Geräten aufgefallen. Denn da hat vor kurzem noch etwas gestanden oder gelegen. Sehen Sie es? Die Stelle ist vollkommen staubfrei.«

Er vergrößerte den Fotoausschnitt nochmals. Niemand außer Becker sah etwas. Dazu musste man schon der Arbeitsgruppe Fasern/Haare/Boden angehören oder Luchsaugen haben.

»Die Ecken des Gegenstands sind nicht scharf abgegrenzt, ich habe zunächst auf einen kleinen Teppich getippt, der öfters verrutscht wurde. Noch wahrscheinlicher ist allerdings, dass an dieser Stelle ein Stapel Zeitschriften gelegen hat. Form und Umfang der staubfreien Fläche deuten darauf hin. Chef, Sie haben doch erzählt, dass die Frau alle möglichen Einrichtungsgegenstände verheizt hat. Vielleicht hat sie diese Zeitschriften zum Feueranfachen verwendet.«

»Vielleicht kann sie sich daran erinnern, was genau sie ins Feuer geworfen hat«, sagte Jennerwein. »Wir sollten Anna Sophia nochmals anrufen.«

»Das übernehme ich«, sagte Maria.

»Haben Sie eigentlich Fingerabdrücke auf den Operationsbestecken gefunden?«, fragte Ostler, an Becker gewandt.

»Keinen einzigen, genauso wenig wie auf dem Bilderrahmen und auf den anatomischen Folien. Popescu – oder irgendjemand anderer – hat alles gründlich gereinigt. Oder er hat alles mit Handschuhen angefasst. Das ist ja im medizinischen Bereich nichts Ungewöhnliches.«

»Und wie sieht es mit DNA aus?«

»Keine Chance nach so langer Zeit. Außerdem würde uns das nichts nützen. Wir haben ja keine Vergleichsprobe.«

In der Pause gab es den Rest der Gepritschelten Krumbien. Jennerwein wurde sehr gelobt wegen dieses Mitbringsels.

»Das ist mal was anderes als die ewigen Sonntagsweißwürste«, sagte Ostler angesichts der rumänischen Spezialität, einem Duett aus scharf angebrutzelten Kartoffeln und Banater Bratwürsten.

»Genauso hat es auf dem Marktplatz von Braşov auch gerochen«, sagte Jennerwein. »Geheimnisvoll und mystisch.«

»Schade, dass Hölli nicht da ist«, sagte Ostler. »Als letzter Spross einer alten Metzgersdynastie hätte er seine helle Freude daran.«

»Wann kommt er denn wieder?«

»Morgen oder übermorgen. Ich habe versucht, ihn telefonisch zu erreichen, aber in diesen Seminaren und Kursen müssen ja die Handys ausgestellt oder sogar abgegeben werden. Stellen Sie sich vor: Vor den Seminarräumen sitzen Handy-Sitter, die wichtige Anrufe entgegennehmen und aufschreiben!«

Nebenbei liefen auf Beckers Notebook die Bilder durch, die Jennerwein geschossen hatte. Die Frau im Rollstuhl kommentierte die vorgeführten medizinischen Geräte.

»Hier sieht man ein einfaches, urtümliches EEG. Das kann Hirnströme messen, natürlich noch sehr ungenau. Dort eine Spannvorrichtung für komplizierte Brüche. Ich frage mich, was um Gottes willen er damit getan hat.«

»Ich habe es für einen Spargelschäler gehalten«, sagte Ostler.

»Und das da«, fuhr die Frau im Rollstuhl fort, »das ist nicht etwa ein Campingkocher, sondern ein Auflagering für einen Bunsenbrenner. Darauf steht ein Erlenmeyerkolben mit extrabreitem Stutzen.« Die Gerichtsmedizinerin runzelte die Stirn. »Der wird eigentlich als Zwischenablage für Organe verwendet, die transplantiert werden sollen. Was er da wohl aufbewahrt hatte? Nieren? Herzen? Hände?«

Gepritschelte Krumbien, schöne Bilder aus dem Rumänienurlaub, heiteres Fachsimpeln. War das ein gemütlicher Sonntagnachmittag im Polizeirevier? Mitnichten. Am Ende der Fotostrecke kam doch noch gereizte Stimmung auf. Die Bilderserie zeigte zunächst ein paar Aufnahmen von Martin, dem Knuddelbären, danach sah man Fotos von Anna Sophia, einer kleinen grauen Maus mit stumpfen, blassrötlich und unregelmäßig gefärbten Haaren und einer spitzen, leicht schiefen Nase. Linkisch-schüchtern blickte sie in die Kamera. Und schließlich gab es noch ein paar Bilder von der deutsch-rumänischen Dolmetscherin mit den pechschwarzen, glatten Haaren.

»Eine wunderschöne Frau«, sagte die Frau im Rollstuhl.

»Haben Sie die näher kennengelernt, Hubertus?«, fragte Maria kühl. »Ich meine: weil Sie die so oft fotografiert haben?«

»Ich war mir nicht sicher, ob der Auslöser von dieser verdammten Handykamera funktioniert hat«, erwiderte Jennerwein, sich ein Grinsen verkneifend.

Er erhob sich.

»Wir machen Schluss für heute. Wir können jetzt nichts anderes tun als abwarten. Morgen sehen wir uns die weiteren Reaktionen auf unsere Schwarzarbeiter-Aktion an. Ich bin gespannt, was die Kollegen da rausgeholt haben. Ich für meinen Teil werde noch ein paar Akten studieren.«

Sie verabschiedeten sich. Als Jennerwein allein war, suchte er zwei Kladden heraus und breitete sie auf dem Tisch aus. Er wollte einer ganz bestimmten Spur nachgehen. Er hatte in den letzten Tagen immer wieder die wissenschaftlichen Berichte und Artikel durchgeblättert, die im Zusammenhang mit Bertil Carlsson standen. Es war in den meisten Fällen ein für den Laien undurchsichtiges Mediziner-Rhabarber, dem man auch mit dem Lexikon nicht auf den Leib rücken konnte. Bei manchen Dingen musste sogar die Gerichtsmedizinerin nachschlagen. Ein paar Begriffe kehrten allerdings immer wieder, und einer war Jennerwein besonders aufgefallen. Im Meer all der hochwissenschaftlichen Dihydroxyethyl-3,4-Oxo-γ-lacton-Termini stach das schlichte Wörtchen gerade durch seine eigenartige Unkompliziertheit heraus:

RhabarberRhabarberRhabarberRhabarberRhabarberRhabarbe
rRhabarberRhabarberRhabarberRhabarberRhabarberRhabarb
erRhabarberRhabarberRhabarberRhabarberRhabarberRhabar
berRhabarberRhabarberRhabarberRhabarberRhabarberRhaba
rberRhabarberRhabarberRhabarberRhabarberRhabarberRhab
arberRhabarberRhabarberRhabarberRhabarberRhabarberRha
barberRhabarberRhabarberRhabarberRhabarberRhabarberRh
abarberRhabarberRhabarberRhabarberRhabarberRhabarberR
habarberRhabarberRhabarberRhabarberRhabarberRhabarber
RhabarberRhabarberRhabarberRhabarberRhabarberRhabarbe
rRhabarberRhabarberRhabarberRhabarberRhabarberRhabarb
erRhabarberRhabarberRhabarberRhabarberRhabarberRhabar
berRhabarberRhabarberRhabarberRhabarberRhabarberRhaba
rberRhabarberRhabarberRhabarberRhabarberRhabarberRhab
arberRhabarberRhabarberRhabarberRhabarberRhabarberRha
barberRhabarberRhabarberRhabarberRhabarberRhabarberRh
abarberRhabarberRhabarberQuornRhabarberRhabarberRhaba
rberRhabarberRhabarberRhabarberRhabarberRhabarberRhab
arberRhabarberRhabarberRhabarberRhabarberRhabarberRha
barberRhabarberRhabarberRhabarberRhabarberRhabarberRh
abarberRhabarberRhabarberRhabarberRhabarberRhabarberR
habarberRhabarberRhabarberRhabarberRhabarberRhabarber
RhabarberRhabarberRhabarberRhabarberRhabarberRhabarbe
rRhabarberRhabarberRhabarberRhabarberRhabarberRhabarb
erRhabarberRhabarberRhabarberRhabarberRhabarberRhabar
berRhabarberRhabarberRhabarberRhabarberRhabarberRhaba
rberRhabarberRhabarberRhabarberRhabarberRhabarberRhab
arberRhabarberRhabarberRhabarberRhabarberRhabarberRha
barberRhabarberRhabarberRhabarberRhabarberRhabarberRh
abarberRhabarberRhabarberRhabarberRhabarberRhabarberR
habarberRhabarberRhabarberRhabarberRhabarberRhabarber
RhabarberRhabarberRhabarberRhabarberRhabarberRhabarber

Jennerwein hatte es schon immer verstanden, das Andere, das Auffällige und Besondere mit einem Blick zu erfassen. *Quorn.* Vielleicht war Jennerwein das Wort auch nur deshalb aufgefallen, weil es ihm gefiel. Soweit er verstanden hatte, handelte es sich bei Quorn um biologisches Material, das irgendein Hefepilz produzierte. Das Besondere an der Weiterentwicklung, nämlich an QuornPlus, war, dass sich das Material zu Muskeln, Nerven und Knochen differenzieren konnte. Und immer wieder tauchte in diesem Zusammenhang der Name Carlsson auf. Offenbar hatte es medizinische Produkte gegeben, an denen Carlsson finanziell beteiligt gewesen war. Und wohl auch daran verdient haben musste. Jennerwein überlegte. War das der Grund, warum Carlsson umgebracht worden war? Hatte Popescu ihm die Idee geliefert und sich für den Diebstahl seines Einfalls gerächt?

Doch das eigentlich Auffällige für Jennerwein war die Tatsache, dass sich genau dieses QuornPlus auch im Häcksler befunden hatte, in dem Carlsson umgekommen war. Er musste die Gerichtsmedizinerin fragen, was das zu bedeuten hatte. Er hatte die Hand schon ausgestreckt, um zum Hörer zu greifen, als sein Mobiltelefon klingelte.

»Kommissar Jennerwein, ich muss mich mit Ihnen treffen. Unbedingt. Jetzt gleich.«

Er erkannte die Stimme von Grit Carlsson sofort. Unsicherheit und Angst schwang in ihren Worten mit. Jennerwein war wie elektrisiert.

»Von wo aus rufen Sie an, Frau Carlsson?«

»Ich habe erfahren, dass Sie den Mörder meines Mannes geortet haben.«

Sie machte eine Pause. Jennerwein hörte, dass sie einen Weinkrampf unterdrückte.

»Beruhigen Sie sich, Frau Carlsson. Wo sind Sie?«

»Ich bin in der Nähe. Ich bin wieder zurückgefahren. Können Sie alleine kommen? Es ist etwas sehr Privates. Ich vertraue nur Ihnen.«

»Gut, einverstanden. Wo sind Sie?«

»Im Café Knottinger. Bitte kommen Sie alleine, Kommissar.«

Jennerwein legte auf und steckte seine Dienstwaffe ins Holster. Aus seinem Spind nahm er eine zweite Waffe heraus, band sich ein Unterschenkelholster um und steckte die kleine Glock hinein. Er überprüfte den Akkuzustand seines Handys. Dann eilte er hinaus.

58

Unsereins klagt ja nicht. Unsereins wird brutal umgehauen, wird nicht gefragt, warum. Wird markiert mit einem roten Punkt, wartet dann darauf, ob es Klobrille sein darf oder vergoldete Holzskulptur, Brennholz für ein lustig knisterndes Feuerchen oder edle Wandvertäfelung. Unsereins jammert nicht, das ist eben der Lauf der Dinge. Dass man aber einfach und schlichtweg *vergessen* wird, das hat unsereins nicht verdient. Aus schierer Höflichkeit stelle ich mich trotzdem vor. Ich bin eine Vertreterin aus der Ordnung der Buchenartigen und der Familie der Birkengewächse. Man nennt mich die Gemeine Birke, ich war 2000 der *Baum des Jahres*, gepflanzt hat man mich im Jahre 1961. Momentan ziert mich allerdings ein drastischer Fallkerb, geschlagen von einem hünenhaften Schweden. Wenn man die Höhe dieser Verunzierung auf den menschlichen Körper umrechnen würde, säße der Fallkerb etwa im Bereich der menschlichen Genitalien – aber solche Problemzonen hat unsereins ja gottlob nicht. Mit der besagten Verletzung kann ich immer noch meine hundertsechzig bis zweihundert Jahre alt werden, im Laufe der Jahrzehnte verwächst sich alles wieder, gar kein Problem, die Zeit heilt … nein, nur jetzt keine Gemeinplätze. Darüber will ich auch gar nicht jammern. Ich werde den Schnitz tragen wie einen Schmiss, wie ein Ehrenzeichen.

Heute ist etwas Unerwartetes geschehen. Grit Carlsson ist plötzlich aufgetaucht. Ich dachte, die sehe ich nie wieder. Sie ist durch die Straßen des Kurorts gelaufen. Ich habe sie ehrlich gesagt nie gemocht. Sie hat in mir immer nur das lästige Gewächs gesehen, das ihr den Blick auf die Berge verstellt hat. Wenn es nach ihr gegangen wäre, wäre ich schon vor fünf Jahren gefällt worden. Und dann die Musik, die sie gemacht hat! Fehlerfrei, sicher. Aber ohne jedes Gefühl! Beethoven ohne den Zorn, Mozart ohne die Leichtigkeit, Bach ohne den Humor. Freja hingegen, die stumme Reinemachefrau, die konnte ich ganz gut leiden. Die werde ich vermissen. Ihre Gebärdensprache hat mich von Anfang an fasziniert. Diese lautlose Art zu kommunizieren ist irgendwie – ja, wie soll ich sagen: pflanzlich. Die Handzeichen für Birke sind schon mal toll: Linker Arm flach vor die Brust, rechter Ellbogen auf den Handrücken, rechte Hand deutet das Schütteln der Baumkrone an – herrlich! Bertil Carlsson, der gutmütige Professor, hat sich dann schließlich überreden lassen, mich zu fällen. Der arme Carlsson. Ein großer Mann, aber zu gut für diese Welt.

Kurz nachdem Grit hinter einer Hausecke verschwunden ist, habe ich auch Kommissar Jennerwein dort erblickt. Bei ihm musste ich allerdings schon zweimal hinschauen. Man nimmt ihn auf den ersten Blick einfach nicht wahr. Aber seine Unauffälligkeit ist wohl sein Kapital. Ob er den Fall lösen wird? Ich habe meine Zweifel. Klar, er hat nicht die Möglichkeiten wie ich. Von meiner Perspektive aus sieht man den großen Wacholderbusch eben besser. Weiß eigentlich jemand von den Ermittlern, dass Nils Backlund aus dem Sudererhaus ein Foto gestohlen hat, auf dem Jökelsund und Carlsson in Greta-Garbo-Aufmachung zu sehen sind? Warum kommt Gumpendobler mit seinem sogenannten Hund nicht mehr vorbei? Wo ist Emil Popescu? Hat Jennerwein eine Chance, ihn zu finden? Fragen über Fragen. Aber unsereins wird ja nicht gefragt.

59

Jennerwein setzte sich. Das Café Knottinger war neben dem Café Kreiner der andere große Kalorientempel im Kurort. Er hatte sich kurz umgesehen, Grit war nicht unter den Gästen. Er bestellte ein kleines Wasser und wartete fünf Minuten. Er griff zum Telefon, zögerte, wählte dann doch die Nummer von Grit Carlsson.

»Hallo?«

»Ich warte hier. Wo sind Sie?«

»Entschuldigen Sie, ich bin noch unterwegs. Kommen Sie mir entgegen?«

»Werden Sie bedroht?«

»Nein, aber ich will nicht ins Café kommen, ich will mich allein mit Ihnen treffen, damit auch wirklich keiner zuhören kann.«

»Machen Sie einen Vorschlag.«

»Gehen Sie scharf links in die kleine Straße Richtung Eisstadion. Dort stehen ein paar Bänke. Ich setze mich auf eine davon.«

»Bleiben Sie, wo Sie sind. Ich bin gleich da.«

Jennerwein sprang auf. Er warf einen Fünfer auf den Tisch und verließ das Café Knottinger.

Er trat auf die Straße und ging mit schnellen Schritten den Weg entlang, den Grit Carlsson ihm beschrieben hatte. Er hatte aus ihrer Stimme etwas Angstvolles, Gehetztes herausgehört. Eine Ahnung verdichtete sich mehr und mehr: Popescu war im Kurort. Der Plan war erfolgreich gewesen. Der Rumäne hatte sich aus seinem Versteck gewagt. Der Plan war jedoch auch schiefgegangen. Popescu hatte Grit in seine Gewalt gebracht. Er bedrohte sie. Jennerwein musste sie unbedingt befreien. Er befürchtete, dass er einen schweren Fehler begangen hatte. Jetzt durfte er unter keinen Umständen die Nerven verlieren. Er erhöhte sein Lauftempo. In der nächsten Straße standen nur vereinzelte Häuser, dann bald gar keine mehr. Er ließ das Eisstadion links liegen und bog in den kleinen Sandweg ein. Eine erste Bank. Leer. Die zweite Bank ebenfalls leer. Jennerwein erhöhte das Tempo nochmals. Es herrschte eine Bruthitze, deshalb war auf dieser Kurpromenade kein Mensch zu sehen. Eine unheimliche, Hitchcock-ähnliche Stille breitete sich in der Gegend aus. Es war so, als käme gleich das Sprühflugzeug und er müsste sich wie Cary Grant im Maisfeld verstecken.

Jennerwein war hoch konzentriert, er bereitete sich darauf vor, gleich einem kleinen, rumänischen Wirrkopf mit irre flackernden Augen gegenüber zu stehen, der eine große, blonde Frau vor sich herstieß und sie mit einem schartigen Skalpell bedrohte. Die Spitze des Skalpells bohrte sich schon in den Hals, einige Blutstropfen spritzten auf ihre weiße Strickweste. Jennerwein zog seine Waffe. Er hatte die Umgebung im Blick. Die vereinzelten Bäume und Büsche boten keine Tarnung, dort konnte sich niemand versteckt haben. Oder vielleicht doch? Er zögerte. Sollte er Grit nochmals anrufen? Quorn. QuornPlus. Internationale Firmen, die Entdeckungen aufkauften. Rumänische Kriminelle, die etwas entdeckt hatten. Jennerwein kniff die Augen zusammen. Winkte dort am weit entfernten Waldrand nicht jemand? Jennerwein entsicherte seine Waffe und lief auf die winkende Gestalt zu. Doch als er näher kam, verschwand sie im Wald. Es hatte jetzt keinen Sinn mehr, das Mobiltelefon zu zücken und Verstärkung anzufordern. Jetzt konnte er nicht mehr zurück. Er war zur lebenden Zielscheibe geworden. Durch eigene Dummheit. Warum nur hatte er sich auf der Dienststelle nicht wenigstens die Schutzweste übergestreift?

Jennerwein war nur noch ein paar Meter vom Waldrand entfernt. Er verlangsamte das Tempo. Schließlich blieb er stehen. Angestrengt starrte er zwischen den Bäumen hindurch. Nichts regte sich. Er bildete mit den Händen einen Trichter und rief mit lauter Stimme:

»Grit, ich bin in Ihrer Nähe! Verstärkung ist unterwegs. Derjenige, der Sie bedroht, hat keine Chance zu entkommen.«

Keine Reaktion. Stille im Wald. Er hob die Pistole, atmete durch und lief im Zickzackkurs in den Wald. Er brach durch knorriges Unterholz, erreichte bald dichtes, muffig riechendes Gebüsch. Dunkelheit umfing ihn. Das dichte Dach der Baumkronen ließ kaum einen Sonnenstrahl durch. Und wenn, dann pfiffen die Lichter herunter wie goldene Speere. Er wiederholte seinen Ruf. Er sah sich nach allen Richtungen um, er blieb in Bewegung. Er befand sich in höchster Alarmbereitschaft.

Dann hörte er ein Geräusch hinter sich. Es war kein unabsichtlicher Fehltritt, kein Rascheln von Zweigen, sondern ein ganz absichtliches *Tz!* in seinem Rücken.

»Lassen Sie die Waffe fallen, Jennerwein!«

Er hatte die Stimme noch nie gehört. Es war eine kräftige Männerstimme, der bayrische Dialekt war unüberhörbar.

»Drehen Sie sich langsam um, Jennerwein. Ich will lediglich mit Ihnen reden.«

Jennerwein ließ die Waffe aus der Hand gleiten. Sie fiel in weichen Moosboden. Dann drehte er sich langsam um. Er hatte mit allem gerechnet, aber nicht mit dem, was er jetzt sah. Er war auf etwas Schreckliches gefasst gewesen. Doch dieser Anblick war wie ein Schlag in den Magen. Diesen Mann hatte er schon oft genug auf Fotos gesehen. Der Mann, der dort im Halbdunkel des dichten Waldes stand, war Professor Doktor Bertil Carlsson.

60

Lieber Johann Ostler,

bloß eine kurze Mail. Wir sind in Meran angekommen
und wollten den Friedhof besichtigen, aber das
gastronomische Angebot hier in Südtirol ist so üppig, dass
wir nicht nein sagen konnten, als uns der Commissario
Jackl Hinterbruckner in ein Meraner Lokal geführt hat, in
dem es die berühmten Specknudeln mit Kraut gegeben
hat.
»Speckckcknudeln mit Kckckckraut! Lasst as enckckck
schmeckckckcken!«
Ja, genau mit solchen Brachiallauten hat uns der Ober die
Teller auf den Tisch gestellt. Die Südtiroler lassen ihre
ck-s krachen, dass du meinst, ein Wasserrohr ist geplatzt.
Aber es hat wirckcklich kckcknackckickck
geschmeckckt!

Eure Ckrasseckckers

PS: Und? Hat euch der Hinweis auf das komische G'schau
vom Suderer Bartl etwas genützt?

61

Anna Sophias Mobiltelefon klingelte. Sie schrak kurz zusammen, fasste sich jedoch schnell wieder. Sie war froh, dass es endlich wieder eine Verbindung gab und dass Martin ihr Gerät im Auto aufgeladen hatte. Es war auch weniger ein Klingeln, mit dem ihr Handy sich bemerkbar gemacht hatte, es war vielmehr ein volltönendes, sattes Meeresrauschen, ein immer wiederkehrender, verheißungsvoller Wellengang, den Martin ihr als Klingelton eingerichtet hatte. Sie blickte auf das Display, die Nummer war ihr unbekannt. Anna Sophia nahm ab. Die Anruferin stellte sich als Polizeipsychologin Dr. Maria Schmalfuß vor. Ihre Stimme klang weich und angenehm, sie musste aber trotzdem wachsam sein.

»Was kann ich für Sie tun, Frau Schmalfuß?«

»Es geht um den kleinen Verschlag in der Hütte, den Sie nach Brennmaterial durchsucht haben.«

»Was ist damit?«

»Haben Sie von dort etwas herausgenommen?«

»Ja, natürlich. Ein Beil. Ich habe es aber wieder zurückgestellt.«

Maria machte eine kleine Pause. Es war besser, diese Abenteuertouristin nicht darüber aufzuklären, dass es sich hier um kein gewöhnliches Beil handelte, sondern um einen *Knochenspalter*, ein mittelalterliches Fleischer-, Bader- und Wundarztwerkzeug, mit dem Emil Popescu vermutlich gearbeitet hatte.

»Haben Sie sonst noch etwas von dort herausgenommen?«

Anna Sophia zuckte zusammen. Aber die Polizei konnte doch unmöglich von den blauen Heften wissen! Zögerlich fuhr sie fort:

»Ich habe ein paar Zeitungen gefunden. Ich habe sie zum Feuermachen verwendet.«

»Ist Ihnen an den Zeitungen etwas aufgefallen?«

»Was sollte mir denn aufgefallen sein?«

»Könnten es medizinische Fachzeitschriften gewesen sein?«

»Ich habe nicht darauf geachtet. Ich habe keine Ahnung, wie medizinische Fachzeitschriften in Rumänien aussehen. Ich konnte sie ja nicht entziffern.«

»Also gut: Waren es eher Illustrierte oder Tageszeitungen?«

»Sie haben ganz gut gebrannt. Es werden wohl Tageszeitungen gewesen sein.«

»Sie haben nicht zufällig einen Blick aufs Datum geworfen?«

»Nein, aber sie waren ziemlich vergilbt.«

»Es ist keine einzige mehr übrig geblieben? Sie haben sie alle vollständig verbrannt?«

Anna Sophia dachte an die blauen Hefte. Ein Bild stieg vor ihrem geistigen Auge auf. Wie sich die Hefte aufbäumten, nachdem sie Feuer gefangen hatten! Als wären sie sich ihres brisanten Inhalts bewusst. Noch im Nachhinein spürte sie die wohlige Wärme des lodernden Feuers.

»Ja, natürlich. Ich habe sie alle verbrannt.«

»Gut, das war alles, was ich wissen wollte. Wenn Ihnen noch etwas einfällt, dann rufen Sie uns bitte an.«

Maria Schmalfuß legte auf. Die lügt wie gedruckt, dachte sie. Aber warum eigentlich? Die kann doch mit der Geschichte gar nichts zu tun haben. Das ist eine ganz normale Urlauberin. Oder etwa doch nicht?

Anna Sophia schüttelte ihr rotgoldenes, fülliges Haar. Sie war stolz auf sich. Lächelnd betrachtete sie ihr Spiegelbild in der Fensterscheibe und sah darin eine aufrechte, elegante Gestalt mit fein gemeißelten Wangenknochen und wachsamen, klugen Augen. Die Psychologin hatte zwar enttäuscht und traurig geklungen, aber Anna Sophia durfte nicht immer nur an die anderen denken. Das war sie sich selbst schuldig – sich und ihrem Geheimnis. Sie nahm ihre Umhängetasche vom Haken, griff vorsichtig hinein und nahm etwas heraus. Behutsam strich sie mit ihren zarten Fingern darüber und wog es in der Hand, als könnte das Gewicht etwas über den Wert aussagen. Es war das letzte der zwanzig blauen Hefte. Das eine, das sie nicht dem Feuer übergeben hatte. Voller gespannter Erwartung schlug sie es auf. Würde sie jetzt die Wahrheit erfahren? Das dunkle Geheimnis, das so weit in der Vergangenheit lag? Allein die fein ziselierte Handschrift Popescus faszinierte sie und jagte ihr gleichzeitig einen Schauer über den Rücken.

BRAȘOV/RUMÄNIEN

Ich habe mich nur wenige Male mit diesen dunklen Gestalten von der rumänischen Organhändlermafia getroffen. Ich habe ihnen meine Projekte vorgestellt. Dafür wollten sie mir ein Labor einrichten. Aus dem Labor ist nichts geworden, aber in der Folge musste ich mit Entsetzen feststellen, dass große, internationale Pharmakonzerne und Hersteller von medizinischen Geräten genau diese Projekte auf den Markt brachten ...

Bittere Tränen flossen Anna Sophia über die Wangen. Was für Nackenschläge hatte dieser Mann vom Schicksal einstecken müssen! Wie viele Tiefpunkte musste es in seinem Leben gegeben haben! Anna Sophia wandte sich wieder dem Heft zu. Abermals las sie die genaue Beschreibung von Popescus wichtigster Entdeckung. Von den technischen Details verstand sie nicht allzu viel. Ein Begriff jedoch fiel ihr immer wieder ins Auge: *Quorn*. Welch geheimnisvolle Melodie ging von diesem Wort aus! Quorn, das klang nach phantastischen, märchenhaften Welten. Die Nebel von Quorn. Die Auserwählten des Stammes Quorn. Der schreckliche Fluch des Hauses Quorn. Die Wirklichkeit sah viel schlichter aus. Soweit sie Popescus Aufzeichnungen verstanden hatte, war QuornPlus eine Substanz, mit der man durch irgendein kompliziertes Verfahren menschliches Gewebe nachbilden konnte. Sie wurde gebraucht, um ganz besondere Handprothesen zu konstruieren. Anna Sophia würde das Geheimnis Popescus in ihrem Kopf und in ihrem Herzen bewahren.

Sie hörte Martin an der Tür. Der gute Martin hatte unten im Dorf beim abendlichen Sonntagsmarkt eingekauft. Hastig steckte sie ihren blauen Schatz wieder in ihre Tasche zurück.

»Ich habe Rotwein mitgebracht!«, rief Martin fröhlich, dabei schwenkte er zwei Flaschen in der Luft. »Ein paar Tröpfchen davon werden unserer Kreativität auf die Sprünge helfen. Es war überhaupt eine gute Idee, hier heraufzukommen, das muss ich schon sagen. Wenn wir wieder fahren, dann haben wir dein Projekt in der Tasche, Anna Sophia.«

»Wollen wir gleich ein Glas trinken?«

»Ich denke, der Wein muss eine Zeitlang atmen. Der rumänische Wein ist berühmt dafür, dass er dann erst sein volles Aroma entwickelt.«

»Wir haben ja sogar ein Gefäß zum Dekantieren da. Du weißt schon: in dem kleinen Verschlag.«

Und so kam es, dass der Erlenmeyerkolben mit dem extra-breiten Stutzen, in dem Popescu so manche zuckende Hand aufbewahrt hatte, als Dekanter herhalten musste. Der Wein schmeckte trotzdem köstlich.

»Handverlesene Trauben!«, sagte Martin stolz.

Martin plauderte von einigen Projekten, von denen er bereits Businesspläne erstellt hatte. Anna Sophia bemühte sich, zuzu-hören, doch ihre Gedanken schweiften immer wieder ab, hin zu Emil Popescu und seinen aufregenden Aufzeichnungen.

Ich bin nicht vorsichtig genug gewesen. In meiner Naivität habe ich Aufzeichnungen und Formeln aus der Hand gegeben ...

»– und vor allem hätte ein solches Lädchen den Vorteil, dass du keine Angestellten brauchst. Angestellte fressen das meiste vom Gewinn weg. Wenn du hingegen nur den Einkauf hast – Aber sag einmal, Anna Sophia, du hörst mir ja gar nicht zu! Hallo! Hier bin ich! In welcher Welt hältst du dich denn ge-rade auf?«

Anna Sophia riss sich von ihren Gedanken los. Sie blickte Mar-tin ernst an.

»Sag einmal, du hast doch zwei Semester Medizin studiert?«

Martin nickte. Er war ein Typ, der alles Mögliche zwei Se-mester lang studiert hatte.

»Könnte denn eine Hand einzeln existieren? Könnte sie sich bewegen?«

»Wie kommst du denn da drauf?«

»Ich habe mal so einen komischen Film gesehen. Ist es mög-lich?«

»Wenn ich mich richtig an die erste Anatomievorlesung erinnere: Nein, das ist nicht möglich. Die meisten Muskeln, die die Hand bewegen, verlaufen im Unterarm.«

Martin spielte weiter Projekte durch. Sprudelte von Gewinnmaximierung und Marketingstrategien. Anna Sophia konnte sich nicht darauf konzentrieren. Warum hatte man noch nie etwas von Emil Popescu, dem großen Forscher und Entdecker gehört? War sie die Einzige, die ihn vor dem Vergessen bewahren könnte?

62

Die Gerichtsmedizinerin hatte die vier Probonos wie versprochen zum Abschlussessen eingeladen. Wie nicht anders zu erwarten gab es Kalbsfußsuppe, nach dem Rezept von Hildegard von Bingen, mit Galgant, Bertram, Quendel, Muskat und Ysop – schon die Namen dieser Gewürze führten einen halb ins Mittelalter zurück.

»Sie hat jeder Zutat natürlich irgendwelche Wunderheilkräfte zugeschrieben. Reinigung schlechter Körpersäfte, das war ihr großes Thema.«

»Mahlzeit!«, sagte der Depp. Er war wieder da.

Die Pathologin erhob das Glas zum Toast.

»Bravo euch allen! Der Fall hat große Fortschritte gemacht! Auch durch eure Mitarbeit wird Kommissar Jennerwein diesen Popescu bald dingfest machen können.« Sie senkte Glas und Stimme. »Jetzt kann ich es euch ja sagen: Normalerweise sind Sozialstundenhelfer wie ihr eher ein Klotz am Bein. Aber mit euch vieren hatte ich große Freude, das könnt ihr mir glauben. Ihr habt in kürzester Zeit gelernt, gerichtsmedizinisch zu denken.«

Selbst der Depp hatte das Seinige dazu beigetragen. Er war allerdings nur halb bei der Sache. Er hatte noch kaum etwas von seiner Suppe gegessen. Nervös trommelte er mit den Fingern auf dem Tisch. Sollte er schon während des Essens von seiner Entdeckung berichten? Oder lieber erst danach?

»Frau Doktor, die Hildegardkalbsfußsuppe schmeckt köstlich!«, rief Christl begeistert.

»Kein Wunder!«, fuhr Achmed fort. »So kunstgerecht, wie wir die Knochen zerlegt haben!«

In die gefräßige Stille hinein wollte der Depp schon ansetzen zu seiner Präsentation, da meldete sich Ulrich, der magere, coole Schlurfer.

»Ich habe übrigens noch mal bei Arthur Schopenhauer nachgelesen«, sagte er. »Er schreibt, dass unser Verstand sich lediglich *einbildet*, unser Handeln zu lenken. In Wirklichkeit handelt der Körper alleine. Er reagiert auf Reize und Reflexe. Das Hirn ist der Kasperl, der einen nachträglichen und reichlich überflüssigen Grund dafür liefert, was der Muskel ohnehin geplant hat.«

»Kein freier Wille?«, fragte Achmed, der Pfau, und schlürfte den Rest seiner Suppe aus.

»Kein freier Wille.«

»Das deckt sich übrigens mit den Ergebnissen der modernen Hirnforschung«, sagte die Gerichtsmedizinerin, zu Ulrich gewandt. »Das Hirn steuert unser Tun weniger, als man gemeinhin annimmt. Vielleicht ist Emil Popescu dieser Theorie nachgegangen, wer weiß. In der Hand manifestiert sich ja sozusagen das menschliche Wesen. Vielleicht wollte er mit den amputierten Händen etwas Schreckliches anfangen. Und mit der von Carlsson etwas besonders Schreckliches.«

»Vielleicht dürfte ich dazu eine Bemerkung machen«, sagte der Depp leise. Er legte seinen Löffel vorsichtig auf den Tisch. »Ich möchte die These von Carlssons amputierter Hand stark in Frage stellen.«

Alle blickten ihn verwundert an. Er schob die Suppenschüssel beiseite, zog ein paar Blätter heraus und breitete sie auf dem Tisch aus.

»Kommissar Jennerwein hat uns gesagt, dass Carlsson viele Firmen beraten hat. Ich habe mich ein bisschen umgesehen. Es sind Firmen dabei, die sich mit Implantaten, künstlichen Gelenken und – Prothesen beschäftigen.«

Der Depp stockte und blickte unsicher in die Runde. Die Frau im Rollstuhl nickte ihm aufmunternd zu.

»Um 1990 herum wird von einigen Firmen ein Verfahren für eine neuartige Handprothese vorgestellt. Hierbei können die noch vorhandenen Muskeln der Unterarme die Prothese perfekt bewegen. Schlüsselsubstanz für dieses Verfahren ist ein Stoff namens QuornPlus, bei dem menschliches Gewebe nachgebildet wird, also Muskeln, Knochen, Nerven und so weiter. Dieses QuornPlus ist eine Weiterentwicklung des Lebensmittels Quorn, das als Fleischersatz dient. QuornPlus ist nicht lange auf dem Markt, da es bei den zuständigen Ethikkommissionen regelmäßig durchfällt. Der Grund ist einfach: Hier wurde der Homunkulus, der künstliche Mensch, gebaut. Die QuornPlus-Methode wurde schließlich verboten. Das ist jetzt zwanzig Jahre her.«

Wieder machte der Depp eine Pause. Christl starrte ihn mit offenem Mund an.

»Ja, und was soll ich sagen: Genau dieses QuornPlus, das kein Mensch mehr herstellt, findet sich auch im Häcksler, in einer ausreichenden Menge, um solch eine künstliche Hand zu basteln. *Findet sich* ist der falsche Ausdruck, denn wir haben es eben nicht gefunden, wir haben es übersehen, wir alle haben das da –« Er zeigte mit dem Suppenlöffelstiel auf eine Zeile des Ausdrucks:

Diverse pflanzl. Myzelplasmen   13,12

»– für pflanzliches Abfallmaterial gehalten. Es ist aber nichts anderes als der Rest einer zerhäckselten, künstlichen Hand. Da Bertil Carlsson keine solche Prothese getragen hat, bleibt nur ein Schluss übrig: Die Leiche im Häcksler ist nicht die von Carlsson. – So, jetzt ist es raus.«

Alle starrten ihn entgeistert an. Alle beugten sich über die Papiere, die er mitgebracht hatte.

»Ich muss sofort Jennerwein anrufen«, rief die Frau im Rollstuhl.

63

Jennerwein war so überrascht und entsetzt vom Anblick Carlssons, dass er zunächst kein Wort herausbrachte. Doch es war überhaupt kein Zweifel möglich. Vor ihm stand das schwedische Nobelpreisjurymitglied, das er auf so vielen Fotos gesehen hatte. Ein blonder, großgewachsener Hüne mit einem Strickjanker. Der struppige, semmelblonde Schopf zitterte leicht im Wind. Aus dem scharf geschnittenen Gesicht hoben sich das energische, tatendurstige Kinn und die flächige Denkerstirn ab. Die Pistole in Carlssons Hand war auf Jennerwein gerichtet. Sie nahm sich klein aus in seinen riesigen Händen.

»Was wollen Sie?«, stieß Jennerwein nach einiger Zeit atemlos hervor. Er brauchte einen Plan. Und zwar schnell. Er versuchte sich unauffällig in eine Position zu bringen, aus der heraus er seine kleine Glock, die im Wadenholster steckte, erreichen konnte. Carlsson entspannte sich etwas und ließ die Pistole sinken.

»Es muss Sie überraschen, vielleicht sogar entsetzen, mich lebend zu sehen. Aber es gab für mich keine andere Möglichkeit.«

Jennerwein war hellwach. Er sah Carlsson in die Augen. Das war nicht der umtriebige, gemütliche Hüne, als der er immer wieder dargestellt worden war. Von Wörndle. Von Ostler.

Von Grit. Dieser Carlsson hatte etwas Undurchsichtiges, Lauerndes an sich. Äußerste Vorsicht war geboten. Jennerwein war in eine Falle gelockt worden, einen zweiten Fehler konnte er sich nicht erlauben. Darüber hinaus durfte er sich auf keinen Fall in die Defensive drängen lassen, er musste den aktiven Part übernehmen. Blitzschnell reagierte er auf die neue Situation.

»Ich bin keineswegs überrascht. Der Tote im Häcksler – das ist Emil Popescu! Ich weiß, dass Sie ihn umgebracht haben.«

»Es war ein Unfall«, entgegnete Carlsson mit einem schiefen Lächeln. »Ein tragischer Gartenunfall.«

Jennerwein verlagerte sein Gewicht von der einen Seite auf die andere und stellte sein linkes Bein auf einen quer liegenden Ast. Er musste Zeit gewinnen. Er musste herausfinden, was Carlsson vorhatte.

»Wie soll es ein Unfall gewesen sein? Das sollten Sie mir erklären! Popescu ist doch wohl kaum auf den Häcksler geklettert und dann ausgerutscht. Sie müssen ihn hineingestoßen haben, Carlsson. War es nicht so?«

»Popescu hat mich wieder einmal bedrängt«, fuhr Carlsson ärgerlich fort. »Er hat meine Adresse herausgefunden. Ich hätte nicht gedacht, dass er nochmals auftaucht. Ich habe ihn schon viele Jahre nicht mehr gesehen.«

Alles gelogen, dachte Jennerwein. Sosehr er sich auch drehte, es war unmöglich, unauffällig zu der Waffe im Wadenholster zu gelangen. Vielleicht konnte er aber eine SMS absetzen. Verdammt, er hätte das Mobiltelefon vorher nicht einstecken sollen, als er in den Wald ging. Er hätte es in der Hand behalten sollen. Er hatte sich verhalten wie ein Anfänger. Wut und Zorn stiegen in Jennerwein hoch. Doch er beherrschte sich. Er war sich sicher: Carlsson wollte Informationen aus ihm herausquetschen. Er war sich sogar ganz sicher, dass der Schwede noch einige Details über den Stand der Ermittlungen erfahren wollte.

»Und letzten Montag stand Popescu plötzlich am Zaun?«, fragte er weiter. Carlsson spielte den Harmlosen.

»Ja, stellen Sie sich vor. Nach all den Jahren. Er wollte mir schon wieder so ein ekelhaftes Projekt anbieten.«

Lass ihn reden, dachte Jennerwein. Das Mobiltelefon steckte in der linken hinteren Hosentasche. Er musste versuchen, die Hand dort unauffällig hinzuführen. Carlsson ließ die Pistole noch weiter sinken.

»Sie müssen eines wissen, Jennerwein: Popescu ist ein Fall für die Psychiatrie. Ich weiß nicht, warum man ihn aus der Klapse entlassen hat, er stellt eine Gefahr für die Allgemeinheit dar.«

Das Handy steckte kopfüber und mit dem Display nach außen in der Tasche. Mit den ersten beiden Griffen musste er es anschalten und entsperren. Jennerwein bereitete die Bewegung im Geist vor. Carlsson erzählte weiter.

»Ich habe mit dem Häcksler eine Birke zu Mulch verarbeitet. Ich wollte also den einen dicken Birkenstamm noch in den Schacht stecken, den Häcksler dann ausschalten und die Polizei rufen. Doch plötzlich stand Popescu nicht mehr vor dem Zaun, sondern im Garten. Er ist einfach hereingekommen, ist zu mir auf den Häcksler geklettert –«

Carlsson machte eine Pause.

»Das klingt plausibel«, sagte Jennerwein. Er versuchte, einen nachdenklichen Ton in seine Stimme zu legen. »Erzählen Sie weiter.«

Auf der zweiten Kurzwahltaste seines Handys befand sich die Nummer von Maria. Er musste es schaffen, sie blind zu drücken und Maria an den Apparat zu bekommen. Maria würde drangehen, wenn sie seine Nummer sah. Maria würde verstehen, am Apparat bleiben und sich einen Reim auf das Gehörte machen.

»Es gab eine Rangelei. Oben auf dem Häcksler. Ich rief mehrmals um Hilfe, vergebens. Plötzlich rutschte Popescu ab und geriet mit einem Bein in den Häcksler. Ich habe versucht, ihn festzuhalten, es war unmöglich. Ich bin heruntergesprungen und habe den Häcksler ausgeschaltet –«

Lass ihn reden, lass ihn reden, dachte Jennerwein. Lass ihn weiterreden. Jede Sekunde zählt. Er konzentrierte sich. Wo befand sich die Kurzwahltaste Nummer zwei? Sie musste im oberen Drittel des Displays liegen.

»– aber es war schon zu spät. Die Walzen haben Popescu bis zur Hüfte in die Maschine gezogen. Als Letztes ist sein Kopf im Räderwerk verschwunden. Seine bittenden, verzweifelten Augen, sein schmerzverzerrtes Gesicht, das alles werde ich nie vergessen.«

Carlsson hob die Pistole wieder. Jetzt musste Jennerwein die Zügel in der Hand behalten. Er musste weiterreden. Er musste ihn ablenken.

»Carlsson, wir wissen, dass das so nicht stimmt. Sie haben Popescu unter einem Vorwand auf Ihr Grundstück gelockt. Sie haben ihn in den Häcksler gestoßen und gehofft, dass es so aussieht, als hätten Sie selbst einen Unfall gehabt. Die DNA, die wir in Ihrem Haus gefunden haben, stammt nicht von Ihnen, sondern von Popescu. Das haben Sie so präpariert, und wir sind auch zunächst darauf reingefallen. Sie mussten sich ein paar Tage Zeit verschaffen, nicht wahr? Sie hatten vor, endgültig unterzutauchen. Daraus wird nichts, Carlsson. Meine Kollegen sind schon in der Nähe. Sie haben keine Chance, zu entkommen.«

Jennerwein fuchtelte absichtlich mit einem Arm, um seine Stellung unauffällig zu verändern und so leichter in die hintere Tasche greifen zu können.

»Und was haben Sie noch herausgefunden, Kommissar Jennerwein?«, sagte Carlsson mit hämischer Befriedigung.

Jennerwein stand jetzt fast seitlich zu Carlsson. Er hob den abgewandten linken Arm leicht, seine Hand befand sich nun schon am unteren Rand der Gesäßtasche. Und plötzlich stellte sich alles ganz klar und einfach dar. Er musste nur seinen Verdacht vom Kopf auf die Füße stellen.

»Sie sind es, der Popescu umgebracht hat! Ich dachte erst umgekehrt. Wir alle dachten es. Sie haben Popescus wissenschaftliche Ideen gestohlen, Sie haben davon profitiert. Er ist Ihnen draufgekommen, deshalb mussten Sie ihn zum Schweigen bringen.«

Weiterreden, weiterreden. Er musste es schaffen, Carlsson zu provozieren.

»Sie haben Ihre Jurymitgliedschaft dazu benutzt, Insiderinformationen an medizintechnische Firmen und Pharmakonzerne zu verkaufen. Wir wissen von den meisten Fällen. Geben Sie auf, Carlsson, wir wissen auch von Ihren weiteren Fluchtplänen.«

Ob er darauf hereinfiel? Carlsson schnitt eine hochmütige Grimasse. Er kam ein paar Schritte auf ihn zu. Jennerwein nahm die Gelegenheit wahr, eine fahrige Abwehrbewegung mit der rechten Hand zu vollführen, die linke schob er in die Tasche. Er entsperrte das Telefon und tastete nach der Stelle, an der er Marias Kurzwahlnummer vermutete. Doch so einfach ging es nicht. Er musste es halb herausziehen, um tippen zu können. Beim ersten Versuch rutschte es ihm fast aus der Hand. Er wusste, dass er sich in höchster Lebensgefahr befand.

Jede unbedachte Bewegung konnte tödlich sein. Also weiter-reden, immer weiterreden.

»Wir wissen alles, Carlsson. Wir haben Ihre Fluchtvorberei-tungen aufgedeckt. Ihre Frau hat Ihnen vermutlich dabei ge-holfen.«

»Lassen Sie Grit aus dem Spiel!«, rief Carlsson.

Zeigte er jetzt Nerven? Es musste Jennerwein jetzt gelingen, ihn zu provozieren. Dann wurde er vielleicht unachtsam.

»Carlsson, ich weiß, dass Sie mich von hier wegbringen müssen, damit ihr Plan aufgeht. Doch das wird Ihnen nicht – «

Der Schmerz überwältigte seinen Körper so schnell und mäch-tig, dass er zu keiner Gegenwehr fähig war. Jennerwein wusste nicht, aus welcher Richtung der Angriff gekommen war. Nicht einmal, ob es ein Stich oder ein Schlag oder gar ein Schuss ge-wesen war. Die Glock steckte nutzlos im Holster, seine Arme gehorchten ihm nicht mehr. Er spürte ein rasendes Brennen in der Armbeuge. Es fühlte sich an, als hätte ihm jemand mit ei-nem Tankstutzen Blut abgenommen.

Er sank auf die Knie, dann fiel er kopfüber auf den Boden.

Ein hämisches Gelächter erschallte.

Verschwommen nahm er eine Gestalt wahr.

Ermittlungsgeheimnisse verraten.

Absetzen eines Notrufes misslungen.

Falscher Verdacht.

Eine fehlende Hand.

QuornPlus.

Ein Häcksler.

Stille.

Das Mobiltelefon von Polizeiobermeister Franz Hölleisen klingelte. Er selbst saß im Seminarraum und lauschte aufmerksam dem Vortrag *Körpersprache für Polizisten – Falsche Bewegungen im falschen Moment*. Sein Handy lag mit zwanzig anderen zusammen auf dem Tisch des Vorzimmers. Frau Hikaru Sakaguchi, die danach ein Referat über *Verbeugungen und Verneigungen* halten würde, hatte sich bereit erklärt, das Handy-Sitting zu übernehmen. Sie drückte den grünen Knopf auf Hölleisens Handy, doch es meldete sich niemand. Es war nur ein Rauschen zu hören, ein unregelmäßig kratzendes Geräusch, wie wenn jemand durch hohes Gras geschleift würde. Wahrscheinlich ein Dummejungenstreich, dachte Frau Hikaru Sakaguchi.

64

Lieber Ostler,

wir sind nach wie vor in Meran, aber auf den hiesigen
Friedhof sind wir immer noch nicht gekommen, denn
der Südtiroler Commissario Jackl Hinterbruckner hat uns
noch ein paar andere urige Wirtschaften gezeigt, in denen
wir die Spezialitäten Merans kennengelernt haben:
Krauttaschen mit Kalbsbriesgröstl. Kaasnocken auf
Speckkrautsalat. In Ziegenbutter gebratene Schüttelbrot-
bandnudeln mit Wildsugo. Aufg'schmalzene
Erdäpfelplatlan mit Kirsch-Sahne-Sauce. Gefüllte
Ochsenbrust mit Meraner Trüffeln, schluzerne
Schluzkrapfen …

Viele Grüße in euer Leberkäse-Revier –
eure Graseggers

65

Als Jennerwein aus der Betäubung erwachte, fand er sich in einem engen, dunklen Raum wieder, der nach Gummi, Benzin und nassem Hund roch. Er versuchte seine Arme und Beine auszustrecken, doch das war kaum möglich. Man hatte ihm ein Mittel gespritzt, das seine Bewegungen stark einschränkte. Den muffigen Gerüchen nach zu urteilen lag er im Kofferraum eines Autos, und tatsächlich vernahm Jennerwein jetzt Motorengeräusche. Der Wagen fuhr langsam an. Er rumpelte über unebene Wege, zudem ging es in unregelmäßigen Abständen jäh bergauf und dann wieder in rasender Fahrt nach unten. Jennerwein schlug mehrmals mit dem Kopf schmerzhaft an den Rahmen. Ihm wurde übel. Lange würde er diese Tortur nicht mehr aushalten. Sich auszustrecken oder umzudrehen war unmöglich, so versuchte er wenigstens, die Finger zu bewegen. Auch sie gehorchten ihm kaum.

Dann, nach einer endlos langen Stunde auf holprigen Pfaden, hielt das Auto an. Die Handbremse quietschte, Jennerwein hörte Schritte, zudem bellte ein Hund. Dem hellen, heiseren Gekläffe nach musste es ein kleiner Straßenköter sein. Ein Straßenköter? Unprofessionell, fuhr es Jennerwein durch den Kopf. Kein Entführer duldet einen nutzlosen Kläffer bei einer solchen Aktion. Er lauschte angestrengt. Keine Stimmen, nur Schritte im Gras. Dann wurde der Kofferraumdeckel jäh aufgerissen. Eine Taschenlampe blendete ihn. Riesige Hände packten ihn und zogen ihn heraus. Er wurde aufgerichtet und auf die Kante des Kofferraums gesetzt. Er konnte sich alleine kaum halten, er drohte immer wieder zurückzufallen.

»Dihydroxyethyl-3,4-Oxo-γ-lacton!«, schrie plötzlich eine Stimme neben ihm. »Das habe ich Ihnen gespritzt, um Sie ruhigzustellen, Jennerwein. Keine Angst, die Wirkung lässt bald nach.«

Jetzt erkannte er die Stimme Carlssons. Jennerwein versuchte zu sprechen. Es gelang ihm nur mühsam.

»Geben … Sie … auf, … Carlsson … Sie haben … keine Chance!«

Carlsson schlug ein dröhnendes Gelächter an.

»Das glaube ich nicht, Jennerwein. *Sie* haben keine Chance. Ich wiederum bin in wenigen Stunden über alle Berge. Das haben Sie doch vorher selbst gesagt.«

»Warum … ?«

»Sie sind selbst schuld, Jennerwein. Alles war perfekt eingefädelt. Warum mussten Sie in meinem Leben herumstochern! Hätten Sie den ja wohl ganz offensichtlichen Gartenunfall akzeptiert und nicht noch endlos weiter in der Sache herumgebohrt, dann wären Sie jetzt nicht in dieser misslichen Lage.«

»Warum … tun Sie das?«

Jennerwein sprach langsam und zittrig, aber er war froh, sich überhaupt artikulieren zu können.

»Die Wirkung des Dihydroxyethyl-3,4-Oxo-γ-lactons lässt nach, nicht wahr?«, sagte Carlsson. »Es ist ein Schlangengift, das die Muskeln lähmt.«

Carlsson lachte keckernd. Jennerwein versuchte sich aufzurichten.

»Was … haben Sie vor, Carlsson?«

Jennerwein wusste, was Carlsson vorhatte. Es war viel zu riskant für den Schweden, ihn am Leben zu lassen. Aber daran durfte Jennerwein jetzt nicht denken. Er durfte sich nicht von der Angst lähmen lassen, die sich langsam in seiner Brust ausbreitete. Fieberhaft suchte er nach einem Ausweg. Er musste Zeit gewinnen. Vielleicht hatte Maria die Nachricht erhalten. Und selbst wenn er eine andere Taste erwischt hatte – dort waren die Kurzwahlnummern der restlichen Teammitglieder gespeichert. Jeder von ihnen war fähig, den Anrufversuch zu deuten. Sie waren sicher schon unterwegs. Er musste Zeit gewinnen. Er musste Carlsson provozieren. Er musste ihn zu unüberlegten Handlungen hinreißen.

»Ich habe mir … die Berichte über die Zeit kommen lassen, in der Sie … in der Jury waren, Carlsson.«

»Ja, und?«, antwortete der Schwede höhnisch. »Was haben Sie herausgefunden? Bestechungen im großen Stil? Gekaufte Nobelpreise?«

Jennerweins Augen hatten sich ein wenig an die Dämmerung gewöhnt. Carlsson blendete ihn nicht mehr mit der Taschenlampe, und so konnte er sein Gesicht halbwegs gut beobachten.

»Ich habe außerdem … Pettersson befragt.«

Wieder lachte Carlsson blechern.

»Den alten Idioten? Was hat er denn über mich gesagt?«

Jennerwein beobachtete Carlssons Augen. Sie zeigten keinerlei Nervosität. Er musste weiter am Ball bleiben. Aus einem vagen, unbestimmten Gefühl heraus sagte er:

»Und dann natürlich Ole Jökelsund.« Nachdem Carlsson dazu schwieg, fügte er hinzu: »Über Ole Jökelsund bin ich überhaupt draufgekommen, was Sie treiben.«

Es war ein verzweifelter Schuss ins Blaue. Doch jetzt blitzte etwas auf in Carlssons Gesicht. Verärgerung? Hohn? Genugtuung über den misslungenen Versuch, ihn zu provozieren? Oder hatte Jennerwein in Carlssons Augen doch den Ausdruck des Erschreckens gesehen, als der Name Jökelsund fiel? Es war schon zu dunkel, um Carlssons Mimik zu deuten.

»Jökelsund?«, äffte Carlsson ihn nach. »Was glauben Sie über Ole Jökelsund zu wissen? Nichts wissen Sie! Sie haben überhaupt keine Ahnung!«

Dranbleiben. Immer weiterreden.

»Sie haben Fehler gemacht, Carlsson. Ihr Plan ist nicht aufgegangen!«

»Unsinn! Der einzige Fehler, den ich gemacht habe, war der mit den Wacholderzweigen! Lästige Angewohnheit das! Aber dafür hat mich meine Frau schon genug gescholten.«

Wacholderzweige? Jennerwein hatte keine Zeit mehr, darüber nachzudenken, was das bedeuten konnte. Carlsson riss ihn brutal hoch und stieß ihn vom Auto weg. Jennerwein konnte sich noch nicht auf den Beinen halten, er stolperte, fiel vornüber und schlug mit dem Oberkörper auf dem Boden auf. Bei dem Versuch, sich mit der Hand abzustützen, war sie mit einem bösen Krachen weggeknickt. Rasender Schmerz breitete sich in seinem Arm aus. Wortlos zerrte ihn Carlsson auf die Beine, schulterte ihn auf und trug ihn vom Auto weg. Er stapfte bergauf, Jennerwein konnte blinzelnd erkennen, dass er über einen steilen Pfad zu einer Hütte geschleppt wurde, aus der gedämpftes Licht drang.

Und genau an derselben Stelle, an der sich Gumpendobler seine Fluchtstrategie überlegt hatte, kam auch Jennerwein der Gedanke, still zu halten, so zu tun, als hätte er sich in sein Schicksal ergeben, um dann auf den letzten Metern vor der

Hütte, auf dem steilen, unwegsamen Pfad, der dort hinaufführte, mit den Füßen zu strampeln und mit den Armen zu rudern, um so den Entführer aus dem Tritt und zum Stolpern zu bringen. Und genau wie bei dem bemitleidenswerten Taxifahrer war Jennerweins Überraschung groß, als der Entführer auf dem Weg zur Hütte abbog, hin zu einer anderen, kleineren Hütte. Was war Carlssons Plan? Langsam konnte Jennerwein Arme und Beine wieder etwas bewegen, aber es war noch zu früh, um einen Angriff zu starten. Er musste tatenlos abwarten, was Carlsson mit ihm vorhatte. Und er musste wieder zu Kräften kommen. Er beugte den Arm ein wenig, er schwenkte ihn vor und zurück, um zu erspüren, ob er einen Schlag ausführen konnte.

Carlsson riss die Tür auf. Soweit es ihm möglich war, wehrte sich Jennerwein vehement dagegen, in den Raum gezerrt zu werden.

»Verdammt, Kommissar, reißen Sie sich zusammen!«

Er spürte einen Schlag ins Gesicht, eine derbe Ohrfeige, die zwar schmerzte, die aber auch einen positiven Effekt auslöste. Sie rüttelte ihn wach. Die Lähmung in Armen und Beinen ließ langsam nach. Hoffnung keimte in Jennerwein auf. Doch sie wurde bald zunichtegemacht. Carlsson zerrte ihn in den Raum, und als ob ihm zusätzliche Hände gewachsen wären, wuchtete er Jennerweins Körper hoch und stieß ihn über den Rand einer Tonne. Der Kläffer bellte. Eine Maschine sprang an. Jennerwein stürzte nach unten, mehrere Meter, dann schlug er auf einer harten, dünnen Eisenstange auf. Mit Müh und Not konnte er sich an ihr festklammern. Aber er wusste, dass er sich nicht lange würde halten können. Seine Hand war gebrochen. Er blickte nach oben. Nach dort war kein Entkommen möglich. Als er nach unten blickte, überkam ihn lähmendes Entsetzen.

Verdammt, Kommissar, reißen Sie sich zusammen! Diese Worte klangen ihm noch im Ohr. Es war eine hässliche, wutverzerrte Stimme. Es war die Stimme von Grit Carlsson gewesen.

66

Die Frau im Rollstuhl hielt den Telefonhörer am Ohr. Alle starrten sie an. Die Punkerin. Der Pfau. Der Schlurfer. Und der Depp. Sie alle hofften, dass Jennerwein am anderen Ende der Leitung ranging. Dass er die sensationelle Neuerung noch heute Nacht erfuhr. Die Enttäuschung war ihnen anzusehen, als beim Kommissar lediglich die Mailbox ansprang. Die Gerichtsmedizinerin hinterließ eine Nachricht mit der dringenden Bitte um Rückruf.

»Auch nachts, Chef. Auch morgens um fünf. Jederzeit. Ich kann sowieso schlecht schlafen.«

Nachdenklich rollte sie zurück zum Esstisch. Dort war man schon dabei, die Unterlagen, die der Depp zusammengestellt hatte, nochmals genau durchzusehen. Achmed pfiff bewundernd durch die Zähne. Es war kein Zweifel möglich. Alles deutete darauf hin, dass der Depp mit seiner Vermutung richtiglag.

»Wie bist du darauf gekommen?«, fragte Christl.

»Dieser spezielle Ruloff'sche Amputationsschnitt, den uns die Frau Doktor gezeigt hat, der muss Schnitt-, Kratz- und Splitterspuren am Griffelfortsatz zurücklassen, wie wir gesehen haben. Die Spuren können jedoch auch daher rühren, dass an dieser Stelle natürliches Gewebe mit künstlichem verbunden worden ist. Also echter Unterarm mit QuornPlus-Hand.

Wir haben es mit keiner Notamputation zu tun, sondern mit einer Prothese. Die sich im Häcksler vollständig aufgelöst hat.« Leise setzte er hinzu: »Und wenn es ein Mord war – dann hat der Mörder das mit der Prothese wahrscheinlich nicht gewusst.«

Die Gerichtsmedizinerin seufzte.

»Ich gebe es zu. Ich habe es übersehen. Aber nicht nur das. Ostler hat mich gebeten, in unserer Liste nachzuschauen, ob in der Zinkwanne unter den menschlichen Überresten auch Wacholderbeeren oder Wacholderzweige zu finden waren.«

»Wieso denn das?«

»Er hatte wohl die Information bekommen, dass Carlsson Wacholderzweige gekaut und geschluckt hatte.«

»Wenn der Mann im Häcksler Carlsson gewesen wäre, dann hätten wir verdaute Furosemide, die Hauptbestandteile des Wacholders, finden müssen. Haben wir aber nicht. Unentschuldbar, dass ich das übersehen habe! Und ausgerechnet bei meinem Spezialgebiet! *Mageninhalte* waren nämlich das Thema meiner Doktorarbeit.«

Bisher hatten die vier Probonos die Frau im Rollstuhl bewundert, wegen ihres Wissens und ihrer treffenden Schlussfolgerungen. Jetzt, nach diesem ehrlichen Eingeständnis eines Schnitzers, ging die Bewunderung in Verehrung über.

»Wir werden uns morgen früh mit diesem neuen Aspekt beschäftigen«, sagte sie schließlich. »Jetzt wünsche ich eine gute Nacht. Wir werden morgen viel zu tun haben.«

»Gute Nacht, Frau Doktor.«

Als sie allein war, zückte sie noch einmal ihr Handy.

Lieber Jennerwein!
Ich bin zwar aus dem Alter raus, nachts um zwölf eine SMS zu
schreiben, aber ich bitte dringend um Rückruf. Oder Rücksims.
Der Tote in der Häckslerwanne ist nicht Bertil Carlsson.
Die Frau im Rollstuhl

Gleich nachdem sie auf Senden gedrückt hatte, kamen ihr doch
Zweifel, ob es klug war, das neue Ergebnis per SMS zu verschi-
cken. Umso erleichterter war sie, als sie kurz darauf die Antwort bekam.

Hallo meine Liebe!
Das mit Carlsson weiß ich bereits. Es hat keine Eile. Wir bespre-
chen das morgen.
Bis bald – Jennerwein

Sie zuckte die Schultern. Dann eben nicht. Sie war äußerst gespannt darauf, auf welche Weise Jennerwein das herausgefunden hatte. Sie trank noch ein Glas Rotwein, dann ging sie zu
Bett. Um zwei Uhr schreckte sie aus dem Schlaf auf. Wer sagte
denn eigentlich, dass die Antwort auf ihre SMS von Jennerwein selbst abgeschickt worden war? Sie rief Ostler an.

Angriff

Die harte Eisenstange – die schneidende Stimme Grits – die Dienstmarke aus Messing. Und jetzt der Spitzstichel. Gott sei Dank war Jennerwein der Spitzstichel eingefallen. Der kleine stricknadelförmige Stichel mit der verbreiterten, gehärteten Spitze. Die Walzen ruckten mächtig an. Jennerwein blieb nicht mehr viel Zeit. Er griff in die Hosentasche und zog den Stichel heraus. Nur eine nackte Glühbirne beleuchtete die Szenerie. Blut färbte seine Finger. Mit zittriger Hand löste er die Schrauben des verrosteten Firmenschilds von *Hasselnöt & Efterfragåd*. Die Schneidewalzen, die er mit seiner metallenen Dienstmarke kurzfristig ruhiggestellt hatte, ruckten bereits wieder an. Hastig riss er das Schild ab, und tatsächlich erschien dahinter ein wirres Kabelgeflecht aus elektrischen Drähten. Er wollte sie gerade herausreißen, da fiel sein Blick auf einen roten Druckknopf, unter dem in großen breiten Lettern *NÖDSTOPP!* stand. Das musste der Notabschaltknopf sein. Was sonst! Er zögerte kurz. Er schloss die Augen und drückte ihn. Tatsächlich fing der Motor sofort zu stottern an, die Antriebsstangen seufzten, ein paar mechanische Drehteile wehrten sich noch ein paar Sekunden gegen den brutalen Eingriff. Dann aber schwieg die Höllenmaschine endgültig. Der Häcksler war zum Stehen gekommen.

Jennerwein atmete durch. Während der ganzen Zeit hatte er versucht, nicht auf die Schmerzen in der gebrochenen Hand und in dem feststeckenden Fuß zu achten, er hatte es geschafft, sie beiseitezuschieben, jetzt kamen sie allerdings mit umso angriffslustigerem Zorn zurück. Er biss die Zähne zusammen. Er durfte jetzt, so kurz vor dem Ziel, nicht schlappmachen. Er musste versuchen, seinen Fuß, der nur eine Handbreit von einem der Schneidemesser entfernt war, herauszuziehen. Es konnte durchaus sein, dass Carlsson noch in der Nähe war. Und dass ihm auffiel, dass die Maschine nicht mehr lief. Höchste Eile war geboten. Mit einem beherzten Griff umfasste er sein Knie und versuchte es hochzureißen. Er hätte fast aufgeschrien vor Schmerzen. So ging es nicht. Er musste versuchen, aus seinem Schuh zu schlüpfen. Er beugte sich hinunter, um seine Schnürsenkel zu lösen. Der Blick auf seine Hand war ihm versperrt, doch spürte er eine der Reißklingen auf seinem Handrücken. Sie war noch schärfer, als er gedacht hatte. Die Schnürsenkel waren lose, er konnte den Fuß langsam aus dem Schuh ziehen. Er hatte es geschafft. Er war frei. Aber war er das wirklich?

Die Glühbirnenfunzel flackerte. Jennerwein blickte nach oben. Die Wände der Röhre waren viel zu glatt, um hinaufzuklettern. Er musste hier warten, bis Hilfe kam. Er konnte nur hoffen, dass sein improvisierter Notruf irgendjemanden erreicht hatte. Aber sein Handy war weg. Niemand konnte ihn hier orten. Er hatte auch keine Ahnung, wo er war. Jennerwein schätzte, dass die Autofahrt etwa anderthalb Stunden gedauert hatte, darüber hinaus musste sich die Hütte in einer Gegend südlich des Kurorts befinden, denn sie waren steil bergauf und bergab gebrettert – im Norden hingegen wurde die Landschaft immer flacher. Er tippte auf den Südosten: Richtung Innsbruck, und dann weiter in die Kitzbüheler Alpen. Aber was nützte ihm das jetzt? Jennerwein schreckte hoch. Draußen waren Schritte und Rufe zu hören. Dann wieder Hundegebell von diesem Kläffer. Er vermutete, dass sich Carlsson jetzt aus dem Staub machen würde. In Richtung seiner endgültigen Bleibe. Es bestand durchaus die Gefahr, dass er vorher noch einen Blick in den Häckslerturm warf. Jennerwein hatte keine Chance, sich zu verstecken, Carlsson würde ihn auf jeden Fall bemerken und beenden, was schon der Häcksler hätte tun sollen.

Jennerwein überlegte fieberhaft. Wie konnte er sich Carlssons Blicken entziehen? Es war die gleiche Maschine, wie sie in Carlssons Garten gestanden hatte. Vor einer Woche, bei den ersten Ermittlungen, hatte er die Baupläne studiert, Becker hatte zudem erklärt, wie das altertümliche Ding funktionierte. Unter den messerbestückten Walzen waren die zwei Auffangwannen angebracht, und die mussten seitlich herauszunehmen sein. Vorher, als ihn Carlsson hierher geschleift hatte, war ihm aufgefallen, dass die Hütte an einem Steilhang lag. Sie ragte zur Hälfte über eine schroffe Klippe, das breite Rohr, durch das er gestürzt war, stand also frei in der Luft und verschwand unten in dichtem Wald. Die Auffangwannen konnten dort herausgenommen und geleert werden. Die Tür zur Freiheit befand sich also *unter* dem Häcksler. Doch wie sollte er dort hinkommen?

Jennerwein erinnerte sich an ein weiteres Detail in den Konstruktionszeichnungen. Die beiden großen Klingenwalzen lagen frei auf Lagern, man konnte sie anheben, um, bei vorher ausgeschaltetem Motor, nach unten zu greifen und eventuell stecken gebliebenes Häckselgut zu lockern oder wieder nach oben ziehen zu können. Wie beim Drucker, nur handelte es sich hier um Holzstau. Er musste es versuchen. Er richtete sich auf. Unter wütend stechenden Schmerzen hob er die Walze mit der unversehrten Hand an, und tatsächlich: Nach mehreren Versuchen entstand genügend freier Raum, um nach unten durchzurutschen.

Oben im Turm wurde jetzt die Tür geöffnet. Der Kläffer hechelte und bellte. Jennerwein musste sich beeilen. Er begann, sich durch den Spalt zu zwängen. Er warf einen Blick nach unten, dort konnte er die beiden mattschimmernden Zinkwannen erkennen. Eine war leer und die andere – bis zum Rand mit einer trüben, träge schwappenden Masse gefüllt. Doch er konnte jetzt keinen Gedanken darauf verschwenden. Er hatte es bald geschafft. Schließlich glitt er, mit dem unversehrten Fuß voraus, in die leere Wanne und ließ die angehobene Klingenwalze über seinem Kopf wieder vorsichtig und so leise wie möglich einrasten. Er hoffte, dass Carlsson, wenn er auf den Häcksler blickte, den Eindruck hatte, dass die Maschine ganze Arbeit getan hatte. Und dass sie sich automatisch abgeschaltet hatte. Jennerwein richtete den Kopf nach oben, doch er konnte durch das Gestänge hindurch nichts erkennen. Er befand sich in einer schmerzhaft unbequemen Stellung, doch er wollte nicht riskieren, dass Carlsson durch ein Geräusch auf ihn aufmerksam wurde.

Der bestialische Gestank, der aus der vollen Wanne neben ihm aufstieg, war kaum mehr auszuhalten. Jennerwein atmete durch den Mund, doch das konnte den stetig wachsenden Brechreiz nicht bändigen. Hatte Carlsson den Turm schon verlassen? Plötzlich ein Geräusch. Carlsson pfiff ein Lied. Ein bayrisches Lied. Einen Landler. Er starrte wahrscheinlich gerade pfeifend auf sein Mordwerkzeug und weidete sich daran, dass sein Opfer zu Brei gehäckselt worden war. Jennerwein durchfuhr abermals ein jäher, kalter Schauer. Wie lange würde er das noch aushalten? Dann, nach ewigen Minuten des Wartens und Zitterns, vernahm er eine Stimme. Mit wem redete er da? Carlsson telefonierte – auf Schwedisch. Natürlich auf Schwedisch. Jennerwein hörte jedes Wort, und verstand doch nichts. Carlsson schrie etwas ins Telefon. Der aufgeregten Tonlage nach zu urteilen war das vermutlich ein äußerst aufschlussreiches Gespräch. Wäre es gewesen.

»... *Är flyktplanen äntligen klar? – Okej, jag förstår. – Väderstationen. Vad är det du säger? ... Är du helt knäpp? – Inte ska jag kasta hunden in i flismaskinen!*«

Jennerwein versuchte sich wenigstens diese paar Worte einzuprägen. *Inte ska jag kasta hunden in i flismaskinen!* Er hoffte, dass sie einen wichtigen Hinweis lieferten. Hunden – hieß das vielleicht hundert? Vielleicht war das ein Teil einer Telefonnummer. Er wiederholte den Satz mehrmals in Gedanken.

Adjö! Das Gespräch war zu Ende, die Tür wurde zugeschlagen und von außen verriegelt. Jennerwein stieß einen Seufzer der Erleichterung aus. Er versuchte sich in der Wanne aufzurichten. Dabei rutschte er ab und wäre fast in die andere, volle Wanne gestürzt. Er konnte sich gerade noch festhalten. Abgrundtiefer Ekel erfasste ihn. Er musste hier raus. Der Gestank nahm ihm fast den Atem. Das Licht der Glühbirne drang kaum durch das Häckslergestänge, er hörte nur, wie der modderige Brei neben ihm träge hin und her schwappte. Blasen stiegen auf und zerplatzten mit einem sehr hässlichen Geräusch an der Oberfläche. Jennerwein konzentrierte sich. Er konnte nicht ewig hier bleiben. Vorsichtig stieg er aus der kalten, glatten Zinkwanne. Dann richtete er sich auf und tastete sich an der Innenseite des großen Rohrs entlang. Endlich stieß er auf eine Tür. Er rüttelte an der Klinke. Verschlossen.

Draußen waren Schritte zu hören. Sie kamen näher.

67

Es war fünf Uhr früh. Die Nacht war sternenklar, kein Lüftchen wehte im Talkessel des Kurorts. Lediglich im Innenhof der Polizeidienststelle huschte ein Schatten über den Asphalt. Polizeihauptmeister Ostler war vollkommen außer Atem, mit zwei Sätzen sprang er die Treppen hinauf, dann hetzte er durch die Gänge, riss die Tür auf und stürmte atemlos ins Besprechungszimmer. Maria Schmalfuß und die Gerichtsmedizinerin wandten sich um. Sie hatten schon auf ihn gewartet. Beiden stand die Sorge ins Gesicht geschrieben.

»Ich habe in seiner Pension nachgefragt«, sagte Maria. »Er ist heute Nacht nicht nach Hause gekommen.«

»Kann er irgendwo anders übernachtet haben?«

»Ich wüsste nicht, wo. Gestern Nachmittag haben wir ihn das letzte Mal gesehen. Dass er einfach verschwindet und sich so lange nicht meldet, das sieht Hubertus gar nicht ähnlich. Da muss etwas passiert sein.«

»Bleibt seine merkwürdige Nachricht, die er mir gesimst hat«, seufzte die Frau im Rollstuhl und hielt ihnen das Handy entgegen:

Hallo meine Liebe!
Das mit Carlsson weiß ich bereits. Es hat keine Eile. Wir besprechen das morgen.
Bis bald – Jennerwein

»Ich bin mir ziemlich sicher, dass die Nachricht nicht von ihm stammt«, sagte Maria. »Hubertus hasst es, per SMS zu kommunizieren. Und wenn er es macht, dann fasst er sich so knapp wie möglich. *Hallo meine Liebe!* – Das ist viel zu geschwätzig. Und auch zu herablassend Ihnen gegenüber. Auf jeden Fall aber würde er seinen Namen abkürzen.«

Die Frau im Rollstuhl nickte.

»Ich bin der gleichen Meinung, darum habe ich Sie gleich angerufen.«

Johann Ostler war immer noch außer Atem.

»Ich habe inzwischen versucht, die anderen aus dem Team zu kontaktieren. Es könnte ja sein, dass er sich bei denen gemeldet hat. Nicole Schwattke hat nichts gehört. Sie ist sehr besorgt. Ludwig Stengele hat ebenfalls keine Nachricht erhalten. Stellen Sie sich das vor: Er hat es nicht mehr ausgehalten in Französisch-Guayana, er ist schon zurückgeflogen und unterwegs zu uns. Ich habe ihn am Flughafen Stuttgart erwischt. Bei Hölli springt nur der Anrufbeantworter an. Aber was sollte das alles auch nützen? Wieso sollte der Chef ausgerechnet diejenigen anrufen, die am weitesten weg sind?«

»Vielleicht doch«, sagte Maria. Sie hielt ihr Handy hoch und deutete auf die Tastatur. »So wie der Normalbürger die ersten Kurzwahlnummern mit privaten Kontakten belegt, hat Hubertus sie uns, den Teammitgliedern, zugewiesen. Er denkt eben nur an den Beruf.«

»Möglicherweise hatte er versucht, heimlich *irgendeine* Taste zu drücken«, fuhr Ostler fort. »Vielleicht hat er nochmals Gelegenheit dazu, und er kommt bei einem von uns durch.«

»Aber Moment mal«, sagte Maria. »Was soll denn das eigentlich heißen: *Das mit Carlsson weiß ich bereits …?*«

»Sein Verschwinden könnte etwas mit unserer neuen Entdeckung zu tun haben«, sagte die Frau im Rollstuhl. »Einer meiner Teammitglieder hat herausgefunden, dass der Tote im Häcksler unmöglich Bertil Carlsson sein kann. Deshalb hab ich auch versucht, Jennerwein zu erreichen.«

Sie erzählte in kurzen Worten, wie einer der Probonos zu dem Schluss gekommen war. Maria stöhnte auf.

»Wenn Carlsson nicht tot ist, dann könnte Hubertus in seiner Hand sein? Oder steckt doch Backlund dahinter?«

Sie sahen sich entsetzt an.

»Wie aber gehen wir jetzt vor?«

Ostlers Stimme klang verzweifelt. Alle drei glichen erfolgsverwöhnten Ruderern, denen der Steuermann fehlte. Sie mussten es auch ohne schaffen. Was würde Jennerwein jetzt tun?

»Ich rufe bei Grit Carlsson an«, sagte Maria. »Die hat mir ihre Handynummer gegeben. Die ist doch angeblich schon längst in Schweden.«

Maria wählte. Alle hörten die Derzeit-nicht-erreichbar-Ansage. Ostler schaltete sich ein.

»Ich kann ja mal den Spediteur anrufen, der ihre Sachen nach Stockholm gefahren hat. Ich habe die Lastwagen der Firma Schurling vor ihrer Haustür gesehen. Einen Versuch wäre es wert.«

»Schurling, Transporte In- und Ausland.«

»Servus, Babsi, da ist der Joey. Ich habe dich hoffentlich nicht geweckt.«

»Kein Problem, wir sind schon seit einer Stunde beim Einladen.«

»Ich hab eine Frage zu dem Transport Carlsson, den ihr gemacht habt.«

»Viel wars eh nicht. Zwei Zwölftonner nach Stockholm. Ich hab mir gedacht, dass da mehr zusammenkommt. Ich meine: bei dem Riesenhaus vom Suderer.«

»Sind die zwei Laster schon weg?«

»Die sind sogar schon wieder da. Meine Mannschaft ist nach Stockholm gefahren und hat alles in die Wohnung gestellt.«

»Haben deine Burschen die Frau Carlsson dort persönlich angetroffen?«

»Nein, der Hausmeister hat aufgesperrt.«

»War sie beim Abladen dabei?«

»Nein, die haben Frau Carlsson überhaupt nicht gesehen.«

»Danke, Babsi. Du hast mir sehr geholfen.«

Johann Ostler blickte in zwei fragende Gesichter.

»Sie hat uns ausgetrickst. Da bin ich mir jetzt sicher. Ich wette, dass sie gar nicht nach Schweden gefahren ist. Und dass sie die Wohnung nur aus dem einen Grund gemietet hat, um uns in die Irre zu führen.«

Ostler erhob sich.

»Dann müssen wir uns jetzt sofort die Notizen vom Chef anschauen. Ich habe schon einen Blick drauf geworfen. Es könnte sein, dass er auf einen ähnlichen Gedanken gekommen ist. Dass auch er einen Verdacht in Bezug auf Carlsson gehabt hat.«

Sie gingen in das Nebenzimmer, in dem sich Jennerwein gestern Nachmittag zuletzt aufgehalten hatte. Sie beugten sich über die Protokolle und Listen, die über den Schreibtisch verteilt lagen. Es sah aus, als hätte er den Raum schnell und hastig verlassen. Den Kaffee hatte er nicht ausgetrunken, die Tasse war nicht aufgeräumt. Zwei Filzstifte lagen ohne Kappe da, der Bürostuhl war achtlos beiseitegeschoben, sein Spind stand offen.

»Sie haben recht, Ostler«, sagte die Gerichtsmedizinerin, die sich die Papiere auf dem Schreibtisch genauer angesehen hatte. »Hubertus hat die Berichte und Studien durchgesehen, die bestimmte Erfindungen und Produkte beschreiben, mit denen sich Carlsson während seiner Juryzeit beschäftigt hat. Die Begriffe Quorn und QuornPlus sind mehrmals unterstrichen. Hier liegt meine eigene gerichtsmedizinische Liste mit der Stoffanalyse der Zinkwanne. Und die Zeile, hinter der sich QuornPlus verbirgt, hat er ebenfalls unterstrichen.«

Diverse pflanzl. Myzelplasmen   13,12

Komisch, dachte die Gerichtsmedizinerin. Der fähigste Mensch, den ich kenne, und der ungeschickteste Mensch, den ich kenne – beide sind draufgekommen.

»Ich versteh jetzt nicht ganz –«, sagte Ostler.

»Die Hand der Leiche im Häcksler ist also nicht, wie ich zunächst vermutet habe, frisch abgetrennt worden, sondern schon vor mehreren Jahren«, fuhr die Frau im Rollstuhl fort. »Sie wurde durch eine Prothese aus biologischem Material ersetzt. Nebenbei gesagt ist so etwas bei uns nicht erlaubt. Das ist so ähnlich wie bei der Stammzellenforschung. Stammzellen sind embryonale Zellen, die das Potential besitzen, sich in jeglichen Gewebetyp zu entwickeln. Also auch in einen vollständigen Muskel. Das ist aber so ein verpöntes und heikles Forschungsgebiet, dass ich gar nicht auf den Gedanken gekommen bin, in der Zinkwanne danach zu suchen.«

Maria wies auf eine Stelle in Jennerweins Terminkalender.

»Hier hat er eine Notiz gemacht: *Nochmals DNA-Proben im Hause Carlsson nehmen.*«

»Es kann doch sein, dass er da hingegangen ist«, sagte Ostler. »Ich fahre sofort los. Maria, begleiten Sie mich?«

Seit Nicole Schwattke den Anruf von Ostler bekommen hatte, war sie schwer beunruhigt. Es war kurz nach halb sechs Uhr früh, sie zögerte kurz, dann griff sie doch zum Hörer.

»Sie schon wieder!«, raunzte die verschlafene Stimme in 1 295 Kilometern nördlicher Entfernung. »Wissen Sie eigentlich, wie spät es ist?«

»Es ist wichtig«, beschwor Nicole Schwattke.

»Was ist denn nun schon wieder?«

»Haben Sie inzwischen herausgefunden, wann der Häcksler an Carlsson geliefert worden ist?«

Geraschel von Bettzeug, Schritte, Gläsergeklirr, wieder Schritte. Schließlich ein Seufzer.

»Der erste im April 1979. Der zweite vor fünf Jahren –«

»Was? Habe ich Sie richtig verstanden, Herr Hasselnöt? Carlsson hat mehrere Häcksler bestellt?«

»So sieht es aus.«

»Und wohin haben Sie die geliefert?«

Nicole hoffte auf ein Wunder. Sie hoffte auf eine genaue Ortsangabe, wohin vor allem der zweite Häcksler gebracht worden war. An diesem Ort musste sich Jennerwein befinden … Doch das Wunder blieb aus.

»Na, wohin wohl! Nach Stockholm. Wars das?«

»Noch eines: Wurden die Häcksler fertig montiert zugestellt?«

»Nein, wir liefern die Einzelteile, der Kunde muss sie dann selbst zusammenbauen. Das ist wie bei –«

»Ja, ich weiß. Das wärs dann, Herr Hasselnöt. Ich rufe Sie wieder an.«

»Vielleicht mal zu einer anderen Tageszeit?«

Nicole legte auf. Am liebsten hätte sie alles stehen und liegen lassen und wäre die 711 Kilometer hinuntergefahren in den Kurort mit dem unaussprechlichen Doppelnamen.

Als Ostler und Maria in den Kramerhangweg einbogen, war ihre Überraschung groß: Im Sudererhaus brannte Licht. Sogar in mehreren Zimmern.

»Haben Sie eine Ahnung, wer das sein könnte?«, flüsterte Maria.

Ostler zog seine Dienstwaffe.

»Keine Ahnung. Wir müssen jedenfalls äußerst vorsichtig sein.«

Sie klingelten. Nach einiger Zeit erschien eine drahtige Frau, deren wache Augen verrieten, dass sie es gewohnt war, so früh zu arbeiten. Es war Freja. Verlegen steckte Ostler die Waffe wieder weg. Maria zückte ihren Notizblock, um etwas aufzuschreiben. Freja hielt sie jedoch am Arm fest und schüttelte den Kopf. Sie las von den Lippen ab und gebärdete. Sie gebärdete vereinfacht. Die Gehörlosen nannten es den *Deppenzeig*. Ostler und Maria konnten es sofort verstehen.

Ich putze.

»Für wen?«

Mann.

»Der neue Mieter?«

Ja. Schläft.

»Er ist im Haus?«

Acht Stunden.

»Wer ist es?«

Groß. Breit. Stark. Bart.

»Können wir ihn sprechen?«

Mitkommen.

Als sie vor dem ehemaligen Schlafzimmer des Ehepaares Carlsson standen, war der neue Schläfer schon aufgewacht. Er kam im Pyjama aus der Tür. Müde rieb er sich die Augen.

»Das gibts doch nicht«, sagte er. »Was wollen Sie denn jetzt schon wieder?«

Der schrankartige, müde Mann trug eine Bartbinde. Es war Nils Backlund. Ostler unterdrückte einen Fluch. Dieser Schwede tauchte überall dort auf, wo man ihn nicht brauchen konnte.

68

Es war ein schönes Paar, das da im Mondlicht auf der kleinen Veranda der Tiroler Berghütte stand. Rechts der blonde Hüne, dessen große, bergseeblaue Augen den Abhang zu erleuchten schienen. Sein struppiger, semmelblonder Schopf zitterte leicht im Wind, wie ein Rangabzeichen eines hohen nordischen Herrschers aus dem edlen Geschlecht der Wasa, der nach einem langen, dreißigjährigen Feldzug mit seinen Truppen bis zu den Alpen vorgedrungen war. An seiner Seite stand die Flachsig-Gelbe mit der türkisgrünen Brille, die Pianistin mit den technisch starken, aber gefühlsarmen Fingern. Sie trug wieder den strengen Haarknoten, und sie blickte forsch in die beginnende Morgendämmerung. Sie waren fast am Ziel.

»Ich bin froh, dass es endlich losgeht.«

Grit nickte.

»Ich hätte allerdings nie gedacht, dass es so knapp wird. Wir haben die Provinzpolizei unterschätzt. Vor allem diesen Jennerwein.«

»Es wird trotzdem klappen. Der Exit-Plan steht. Unsere Spur wird sich im Nichts verlieren. Auf die Organisation kann man sich verlassen.«

»Es hat schließlich auch eine Menge Geld gekostet.«

Carlsson steckte sich eine Zigarette an.

»Muss das jetzt sein?«

»Es schadet nicht.«

»Deine dummen Angewohnheiten brechen uns noch das Genick. Die Wacholderzweigkauerei hätte uns fast die ganze Tour vermasselt.«

Der Hüne verdrehte die Augen.

»Nicht das schon wieder!«

»Es ist nur Zufall, dass wir aus der Wacholderzweig-Nummer heil rausgekommen sind. Wenn mir Freja nicht gebärdet hätte, dass sie Jennerwein in den Wacholderbüschen gesehen hat, wäre mir das nicht nochmals eingefallen. Und der Taxifahrer hätte sicher geplaudert.«

Wacholderzweigkauen ist ein beliebter Brauch im Voralpenland. Wacholderzweigkauen stärkt das Herz. Es ist harntreibend und fördert die Nierentätigkeit. Es hilft aber auch bei Migräne, rheumatischen Beschwerden und Podagra – der Bestandteil *Furosemid* machts möglich. Wacholderzweigkauen kann jedoch auch zum Tod führen. Selten für den Kauer, aber manchmal für den Betrachter. Für den Gumpendobler Werner zum Beispiel. Vor einer Woche hatte er mit Bertil Carlsson am Zaun geratscht, Grit hatte die beiden vom Fenster aus beobachtet. Da war ihr noch nichts aufgefallen. Erst Tage später, als ihr Freja davon erzählt hatte, dass Jennerwein in den Wacholderbüschen herumgekrochen ist, war dieses Bild wieder vor ihr aufgetaucht: Bertil, an seinen blöden Wacholderzweigen kauend. Dadurch wäre Jennerwein sofort draufgekommen. Kein Furosemid in der Häckslermasse – also konnte die Leiche auch nicht Bertil sein! Diese kleine, dumme Angewohnheit Carlssons hatte deshalb für den Werner Gumpendobler tödlich geendet.

»Gut, dass ich das Handy von Jennerwein noch im Koffer-raum gefunden habe«, sagte Bertil Carlsson. »Meine SMS an diese Frau hat noch einmal ein paar Stunden Aufschub ge-bracht. Improvisation ist alles.«

»Das ist wohl richtig«, sagte Grit. »Aber meine Improvi-sation musst du mir erst mal nachmachen. Als ich die Skizze sah, die dieser Polizeizeichner angefertigt hat, bin ich fast in Ohnmacht gefallen. Das war Popescu! Unverkennbar! Aber ich habe mich zusammengerissen. Innerhalb von Sekunden musste ich eine plausible Geschichte erfinden. Und das ist mir gelungen. Ich habe ihnen Jökelsund dafür untergeschoben. Die Suche nach Ole hat viel Ermittlungszeit verbraucht. Wie leicht waren die Polizisten an der Nase herumzuführen! Ich habe eine Affäre gestanden und geweint wie eine Weltmeis-terin.«

»Ich bin sehr stolz auf dich«, sagte Carlsson leise. Es war die wahre Liebe.

»Bringen wirs zu Ende.«

Sie betraten die Hütte und öffneten die Tür des großen Ofens, in dem ein helles Feuer brannte.

»Schade, dass wir dieses Domizil aufgeben müssen. Es war ideal. In jeder Hinsicht«, sagte Grit. Wehmut lag in ihrer Stimme.

Bertil begann, sich bis auf die Unterwäsche auszuziehen. Er warf die Kleidungsstücke in den Ofen.

»Pfiad di Gott, Suderer«, sagte er und erntete auch sofort einen spöttischen Blick.

Der ehemalige Suderer öffnete eine der beiden bereitstehenden Sporttaschen, entnahm ihr einen Satz nagelneuer Kleidungs-stücke, einschließlich eines braunen Pepitahuts und klobiger

Marschstiefel. Nach kurzer Zeit war aus dem nordischen Riesen ein zwar ebenso riesenhafter, aber doch ganz und gar unauffällig gekleideter Wanderer geworden. Er schnallte sich einen kleinen Rucksack um.

»Es wird Zeit für mich, zu meiner ersten Exit-Station zu gehen«, seufzte der Hüne.

Die Carlssons umarmten sich. Dann lösten sie sich abrupt. Sie mussten einige Zeit getrennte Wege gehen. So war es besprochen. Die Polizei suchte nach einem flüchtigen Paar, deshalb hatten es die Exit-Helfer für besser gehalten, die ersten paar Stationen einzeln anzulaufen. Ab jetzt verließen sie sich voll und ganz auf die Organisation.

»Du weißt ja, ich habe einen kürzeren Weg«, sagte Grit. »Ich gehe erst in einer halben Stunde los.«

»Bis bald.«

Der Mann mit dem braunen Pepitahut drehte sich um und entfernte sich Richtung Nordwesten. Der Fußmarsch würde ein paar Stunden dauern, aber ein Fahrzeug zu benutzen war in dieser hochsensiblen Endphase zu riskant. Nachdem ihr Mann im Wald verschwunden war, griff Grit nach der Sporttasche mit ihrer frischen Kleidung.

Plötzlich hielt Grit mitten in der Bewegung inne. Kommissar Jennerwein kam ihr wieder in den Sinn. So ein Sturkopf! Beide hatten sie damit gerechnet, dass er ihnen den Gartenunfall abkaufen würde und seiner Wege ging. Die Langsamkeit des bayrischen Beamtenapparats war doch schon sprichwörtlich. Der unauffällige Kommissar und seine Leute waren jedoch wesentlich hartnäckiger gewesen, als sie gedacht hatten. Deshalb trat Plan B in Kraft, und der hatte ja zunächst ganz gut funktioniert. Die präparierten Gegenstände im Haus (Bertil wusste genau, wo Gerichtsmediziner DNA-Proben nehmen) und der Inhalt der Wanne ließen die Polizisten im Glauben, dass Bertil das Opfer war. Durch ihre geniale Improvisation kam Jökelsund als möglicher Täter ins Spiel, später sogar Popescu. Was hatten die Polizisten für einen Aufwand getrieben, um den Rumänen zu finden – nahezu grotesk! Grit hatte natürlich nicht mit Jennerweins zähem Ermittlerfleiß gerechnet. Aber egal. Jetzt hatte er für seinen Eigensinn bezahlt. Trotzdem. Sie wollte sichergehen. Sie entnahm ihrer Sporttasche einen Schlüsselbund, eine Taschenlampe und eine 9-mm-Pistole Marke Browning. Dann lenkte sie ihre Schritte zum unteren Ende des Häus'lturms. Sie teilte mit den Armen die Büsche, die den Eingang verdeckten, und sperrte die knarrende Holztür auf. Dahinter verbarg sich eine Stahltür. Sie fingerte nach dem zweiten Schlüssel und öffnete auch die. Ihre Taschenlampe traf sofort die zwei mannsgroßen Auffangwannen aus Zink. Dann leuchtete sie den ganzen Raum ab.

Er war leer.

Grit Carlsson hob den Kopf zu dem Eisengestänge, das den unteren Teil der Häckselmaschine bildete. Nichts. Sehr gut. Sie wollte sich gerade wieder zum Gehen wenden, da bemerkte sie, dass sich am Boden vor der Wanne einige dickflüssige Klumpen angesammelt hatten. Und war da nicht ein Geräusch gewesen? Ein Blubbern und Schmatzen? Grit schüttelte den Kopf. Vielleicht waren es auch nur die Nerven. Trotzdem. Grit Carlsson trat ein paar Schritte näher an die Wannenwand und beugte sich darüber.

Urplötzlich und völlig unerwartet fuhr eine Faust aus dem zähen Schlamm und traf sie schmerzhaft ins Gesicht. Es folgte noch ein weiterer harter Schlag, sie stolperte und ging zu Boden. Sie fing sich zwar sofort wieder, doch da war es bis zur Hüfte aufgetaucht, das schleimig schimmernde, gierig geifernde Glibbermonster, das jetzt aus der Wanne sprang, um sich auf sie zu stürzen. Es trug kein menschliches Gesicht, sondern eine Maske aus glitschigem Brei, der zäh herunterrann, in faustgroßen Schlieren nach unten tropfte und geräuschvoll auf den Boden klatschte. Es roch nach Tod und Verwesung. Grit hatte ihre Taschenlampe fallen lassen, doch durch die offene Tür fiel gerade genug Mondlicht, um dem Wesen aus der Wanne einen makabren Auftrittsspot zu verschaffen. Zornige Augen blitzten aus der entstellten Fratze, und der Gestank, der von dieser Kreatur ausging, war bestialisch. Ein gelblicher Arm mit blutigen Krallen fuhr vor und packte Grit am Hals. Sie konnte den Arm wegschlagen, aber schon war er wieder an ihrer Kehle. Sie rutschten beide auf der klebrigen Masse aus und stürzten zu Boden. Zäh und fast lautlos rangen sie miteinander. Der ekelerregende Überraschungsangriff hatte einige Punkte für Kommissar Jennerwein gebracht. Auf der anderen Seite war er durch seine gebrochene Hand und seinen lädierten Fuß schwer gehandikapt.

Grit schlug um sich. Sie biss und kratzte. Sie trat mit den Beinen. Doch hauptsächlich verteilte sie harte, schmerzhafte Handkantenschläge. Schließlich schaffte es Jennerwein, mit seiner unverletzten Hand an ihre Kehle zu fassen und zuzudrücken. Sie krümmte sich am Boden, würgte und hustete, war auf diese Weise kurze Zeit außer Gefecht gesetzt. Er ließ von ihr ab und verschnaufte. Was hatte die Frau für einen festen, zangenartigen Griff! Er konnte sich jedoch nicht vorstellen, dass sie unbewaffnet hereingekommen war. Das Dämmerlicht war viel zu schwach, um etwas zu erkennen. Jennerwein tastete den Boden ab. Er fand keine Waffe, er stieß jedoch auf die Rolle Elektrodraht, die er von der Wand gerissen hatte, bevor er sich in der Zinkwanne versteckt hatte. Er hatte Schritte gehört, es war ein verzweifelter Griff zu einer provisorischen Waffe gewesen. Das war sicherlich kein gefährliches Werkzeug, aber jetzt tat ihm die Kabelrolle gute Dienste. Einhändig und mit äußerster Anstrengung fesselte er Grits Hände auf ihrem Rücken, er fesselte auch ihre Beine, fürs Erste war sie ruhiggestellt. Abermals suchte Jennerwein den Boden nach einer Pistole ab. Vergebens.

»Frau Carlsson! Frau Carlsson, hören Sie mich?«

Keine Reaktion.

»Sie können Ihre Situation entscheidend verbessern, wenn Sie mir sagen, wo sich Ihr Mann befindet.«

Er beugte sich über sie und schrie ihr den Satz nochmals ins Ohr. Grit stemmte sich hoch und spuckte ihm ins Gesicht. Jennerweins erster Reflex war, sich mit der intakten Hand das Gesicht abzuwischen, doch er hielt mitten in der Bewegung inne. Ekliger als jetzt, über und über beschmiert mit der klebrigen Masse, über deren Zusammensetzung er lieber nicht genauer nachdenken wollte, konnte es mit der Spucke auch nicht werden.

Jennerwein atmete tief durch. Er wusste, dass er die Schmerzen in der linken Hand nicht mehr lange aushalten würde. Mit dem lädierten Fuß, der in der Häckslerwalze gesteckt hatte, käme er auch nicht weit. Er warf einen Blick auf die leise wimmernde Grit, einst stolze Herrin über das weitläufige und blumige Suderer-Anwesen, jetzt Gefangene in ihrem eigenen Folterkeller. Er überlegte. Die Fixierung würde nicht lange vorhalten, denn die Elektrodrähte konnte sie sicher am scharfkantigen Gestänge des Häckslers aufschneiden. Eine Flucht nach oben schien Jennerwein zwar unwahrscheinlich, denn die Wand war zu glatt. Die beiden Türen wiederum wollte er verschließen. Aber über kurz oder lang würde sie einen Weg hinaus finden. Jennerwein entschloss sich, Grit für längere Zeit außer Gefecht zu setzen, um Zeit zu gewinnen. So war das in den Dienstvorschriften nicht vorgesehen, aber dies war ein lebensbedrohlicher Notfall. Er näherte sich der Gefesselten vorsichtig, umfasste ihren Hals und tastete mit dem Daumen an ihrer Kinnkante entlang. Er suchte nach der Stelle, an der sich die Halsschlagader gabelte. Die Karotis versorgte große Teile des Gehirns mit Blut, und wenn man richtig zudrückte, führte das zu einer tiefen Bewusstlosigkeit. Manch braver Mann war wegen dieses Karotissinusreflexes im Badezimmer schon zusammengesunken, als er sich diese Stelle besonders sorgfältig rasiert hatte. Jennerwein suchte den Druckpunkt. Grit gurgelte und schluckte.

»Smutsiga svin!«, röchelte sie, bevor sie ohnmächtig wurde. So viel Schwedisch verstand auch Jennerwein.

69

Bertil Carlsson zückte seinen Kompass. Die Richtung stimmte. Sein Laufrhythmus stimmte. Alles stimmte. Er hatte noch dreißig Kilometer vor sich, das war nicht einmal eine Marathonstrecke. Dafür hatte er allerdings einige Steigungen zu überwinden. Sein Ziel war der weithin sichtbare Stahlrohrmast einer Wetterstation an der Landesgrenze, den sich die bayrischen und Tiroler Meteorologen teilten. Dort sollte er sich einfinden, so hatten die Anweisungen seines Exit-Teams gelautet. Seit Tagen hatten sie diesen Augenblick ungeduldig herbeigesehnt. Die Wetterstation wurde den größten Teil des Jahres digital gewartet, die Chance, dass einer der Wetterfrösche auftauchte, war verschwindend gering. Dort in der Nähe sollte sein Fluchtfahrzeug stehen. Carlsson wusste, dass das nur die erste Station von vielen war. Er und seine Frau sollten auf getrennten Land-, Luft- und Wasserwegen und mit wechselnden Transportmitteln zum endgültigen Ziel gebracht werden. Er erhöhte das Lauftempo leicht. Er war froh, dass er sich durch jahrelange regelmäßige Gartenarbeit die Kondition erworben hatte, um diese Strapazen durchzuhalten.

Ein sonderbares Gefühl war das schon. Vermutlich das Gefühl des Einsiedlerkrebses, der gerade die alte Schale unwiderruflich aufgegeben und die neue noch nicht bezogen hatte. Der Mann mit dem braunen Pepitahut fühlte sich genauso nackt.

Er besaß nur noch das, was er am Leib trug. Er hatte nicht einmal einen Pass. Den würde er erst am Ziel erhalten. Er wusste noch nicht einmal, wo er nächste Woche (und dann vermutlich für immer) leben würde. Nur eines war sicher: Ein großer Nutzgarten erwartete ihn dort. Das hatte ihn eine Extrastange Geld gekostet, aber das war es ihm wert. Er verschärfte das Tempo nochmals. Der lang vorbereitete Plan war aufgegangen. Er hatte die Polizei ausgetrickst. Irgendwann hätten sie beide das Werdenfelser Land ohnehin verlassen müssen. Und da war es doch besser jetzt, wo sie noch einigermaßen fit waren. Da war ihnen der Rumäne eigentlich gerade recht gekommen.

Carlsson lief auf die erste Steigung zu. Sie führte auf ein Hochplateau mit einigen kleinen, vermoosten Seen. Rechts und links neigten sich große urtümliche Farne unter der Last der Tautropfen. Um seine Nervosität zu bekämpfen, ging er nochmals die Ereignisse der letzten Tage durch. Der Besuch Popescus war für sie beide überhaupt nicht überraschend gekommen. Popescu hatte in den letzten Monaten mehr als einmal versucht, mit Carlsson Kontakt aufzunehmen. Popescus dunkle und wirre Andeutungen hatten ihn zunächst in Sorge versetzt:

»Jetzt habe ich endlich die technischen Möglichkeiten der Bioinformatik, die mir vor dreißig Jahren noch verwehrt geblieben waren!«

»Ich bin nicht mehr Mitglied der Jury. Fahren Sie nach Stockholm, gehen Sie in den ›Goldenen Frieden‹ und suchen Sie sich dort ein Opfer. Ich habe keinerlei Einfluss mehr auf Nobelpreisentscheidungen.«

»Doch, das haben Sie, Professor Carlsson! Ich weiß, dass Sie noch kräftig mitmischen.«

»Was wollen Sie von mir?«

»Jetzt endlich kann ich Ihnen beweisen, dass ich kein Spinner bin. Was ich Ihnen damals angeboten habe, funktioniert.«

Carlsson war zunächst entsetzt gewesen. Ausgerechnet Popescu, den er noch immer in der Psychiatrie wähnte, tauchte jetzt wieder auf! Sollten seine gesamten Geschäfte, die er mit seinem erheblichen Insiderwissen getätigt hatte, nach so vielen Jahren auffliegen? Das konnte er nicht riskieren. Doch dann hatte er sich zur Flucht nach vorne entschlossen. Er hatte den Rumänen kurzerhand eingeladen. Und der war gekommen. Als er am Gartenzaun stand, hatte ihn Carlsson hereingebeten. Das Kästchen, das Popescu mitgebracht hatte, war leer. Aber egal. Er musste zum Schweigen gebracht werden. Es stand zu viel auf dem Spiel. Ihre ganze Existenz. Ihre mühsam aufgebaute bürgerliche Scheinwelt. Die Geranien am Balkon. Der Trachtenverein. Carlsson hatte Popescu mit einer Sauerstoffinjektion getötet.

Er hatte bereits fünfzehn Kilometer geschafft. Der braune Pepitahut schob sich zäh durch die Landschaft. Doch langsam spürte er sein Alter. Langsam spürte er sein schwaches Herz. Und wieder dachte er an die Ereignisse im Garten. Das gab ihm Auftrieb. Bevor sie den Rumänen in den Häcksler steckten, hatten sie ihm Haar- und Speichelproben entnommen. Carlsson hatte in jungen Jahren lange genug in der Gerichtsmedizin gearbeitet, um zu wissen, was die Mediziner am Tatort mitnehmen: benutzte Zahnbürsten, Haarbürsten mit Haarresten, Trinkgläser, Kleidungsstücke. Das alles wurde sorgfältig präpariert.

»Ein Kleidungsstück Ihres Mannes? Eine Jacke oder so etwas?«, hatte der Spurensicherer gefragt.

Grit hatte ihm die Jacke Popescus gegeben.

Carlsson wusste, dass jetzt der allerhärteste Teil des Marathons begann. Das Tor der Leiden. Ein Sack voller Qualen. Als Arzt kannte er die physiologischen Hintergründe dieser Martern. Die Energiereserven waren aufgebraucht, jetzt gings ans Eingemachte. Der Mann mit dem Hammer kam. Er schlug lustvoll auf die Gliedmaßen. Jeder Schritt ein Schlag, jedes Einatmen ein Stich durch den Körper. Carlsson konnte sich nur noch an den Gedanken an den weiteren Tagesablauf festhalten. Das verschaffte ihm so viel Befriedigung, dass die Schinderei ein ganz klein wenig vergessen werden konnte. Er war mit Popescus Auto in die Tiroler Exit-Alm gefahren, Grit spielte daraufhin im Kurort die trauernde Witwe, und die lokale Polizei glaubte an einen Unfall. Wenn es doch dabei geblieben wäre! Dann wäre die ganze Sache einfacher gelaufen. Aber auch so war alles gutgegangen. Jetzt hatte er alle Verfolger abgeschüttelt. Er war beinahe am Ziel.

Nicht ganz. Carlsson hatte nicht alle abgeschüttelt. Da gab es etwa noch den sogenannten Hund von Werner Gumpendobler. Der hatte den blonden Hünen zu seinem neuen Herrchen erkoren. Deshalb lief ihm der undefinierbare Dackelverschnitt im Abstand von einigen Kilometern hinterher. Gerade hatte er die Fährte wieder aufgenommen. Auch er verschärfte sein Tempo.

70

Jennerwein verschloss die beiden Türen des Häus'lturms von außen. Er versuchte, dabei kein Geräusch zu machen. Der beißende Gestank von verfaultem Fleisch und Gewebe hatte ihm schwer zugesetzt. Benommen schnappte Jennerwein nach Luft. Lange würde er nicht mehr durchhalten. Doch er war der größten Gefahr entkommen. Er spürte, wie ihn neue Energie durchströmte.

Er richtete seinen Blick hinauf zur Hütte, die stolz im kühlen Mondlicht stand. Großes Verlangen überkam ihn, sich die ekligen Kleider vom Leib zu reißen, sich in der Hütte zu waschen und nach anderen Klamotten zu suchen. Aber dazu war erstens keine Zeit. Zweitens wusste er nicht, ob sich Carlsson noch im Inneren aufhielt. Ob ihn nicht oben eine böse Überraschung erwartete. Er musste sich, so wie er war, schleunigst von diesem Ort entfernen. Allein kam er nicht mehr weiter, er musste Hilfe holen. Es gab für sein Team wahrscheinlich keine Möglichkeit, seinen jetzigen Aufenthaltsort zu lokalisieren. Die kleine Straße unterhalb der Hütte war nicht weit, vielleicht konnte er sie in seinem jetzigen, humpelnden Zustand in zehn Minuten erreichen, darauf hoffend, dass er dort ein Auto aufhalten konnte.

Aber jetzt erst wurde Jennerwein die Lage, in der er sich befand, so richtig bewusst. Er hatte weder Handy noch eine Dienstwaffe, er konnte sich nicht einmal ausweisen. So wie er jetzt aussah, am ganzen Körper blutverschmiert, dazu übelriechend und humpelnd, würde ihn garantiert niemand im Wagen mitnehmen. Jedenfalls nicht auf Anhieb. Und die Zeit drängte. Er hob den Kopf und lauschte in die Nacht. Ihm kam es so vor, als rauschte in einiger Entfernung der Verkehrslärm einer größeren Straße. Richtig! Das musste eine vielbefahrene Hauptstraße sein. Jennerwein hatte eine Idee. Er musste ganz bewusst provozieren. Und darauf hoffen, dass jemand die Polizei rief. Jennerwein griff sich einen Stock und stolperte los. Er schätzte, dass er die Hauptstraße in einer halben Stunde erreichen konnte.

»A Varruckta! Voikomman nockat, bluatvaschmiat!«

»Wo?«

»Auf da Landstraßen bei Wildschönau. Schreit wie wild und schwenkt an Stock. Wahrscheinlich ausm Guglhupf[5] auskemman.«

»Ich fahr hin und schau mir das an.«

Inspektor Puntigam schwitzte. Sein Mitfahrer war ausgefallen, er wollte die Nachtschicht grade beenden, da bekam er den Anruf. Mehrere Autofahrer hatten den Irren auf der Straße gesehen. Einen Exhibitionisten. Wahrscheinlich sogar einen Terroristen. Blutverschmiert am ganzen Körper, damit wollte er sicher den Sprengstoffgürtel tarnen. Ein wild zappelnder Mann, ein berserkerhafter Fanatiker. Ein Stock, wahrscheinlich aber eine Schusswaffe. Puntigam überlegte. Das schaffte er

---

[5] Österreichisch für Psychiatrische Anstalt.

nicht allein. Er musste Verstärkung anfordern. Inspektor Puntigam griff zum Telefonhörer.

Jennerwein hatte sich am Seitenstreifen der großen Bundesstraße die Kleider vom Leib gerissen. Der Gestank von geronnenem Blut war nicht mehr auszuhalten. Knochensplitter steckten in seiner Haut, ein schmieriger Film überzog seinen ganzen Körper. Aber es würde nicht mehr lange dauern. Sie würden bald kommen und ihn festnehmen. Seine Hand musste versorgt werden. Die Schmerzen hatten sich jetzt festgebissen und wollten nicht mehr loslassen. Auf der Fahrbahn hatten schon einige Autos angehalten, ein paar Fahrer waren ausgestiegen, einige fotografierten und filmten mit dem Handy. Das konnte ja was werden! Hunderttausend Klicks. Jennerwein blickte zur Seite. Am Horizont, noch weit entfernt, nahm er einen kleinen, flackernden Lichtkegel wahr, der sich auf ihn zubewegte. Und noch einen zweiten. Endlich kamen sie. Und sie hatten sogar Hubschrauber angefordert. Die Helikopter umkreisten ihn, bald fand sich Jennerwein im Spot von zwei gigantischen Suchscheinwerfern wieder. Dann schnarrte eine Lautsprecherstimme. Er schaute nach oben. Endlich war die Polizei da. Nun legte er sich bäuchlings auf den Boden, spreizte dabei Arme und Beine. Er wandte den Kopf zur Seite, erwartete fünf, höchstens sechs Polizisten der Gendarmerie, leicht bewaffnet und schwer genervt, dass so etwas noch kurz vor Schichtwechsel passieren musste. Doch jetzt fuhr auf der Straße ein Schützenpanzer des osterreichischen Bundesheeres gemächlich auf ihn zu. Und noch ein weiterer gepanzerter Mannschaftstransportwagen. Die Flagge mit dem Totenkopf zeigte ihm: Antiterroreinheit. Na, immerhin waren das Profis. Hart wurde er an den Haaren nach oben gerissen.

»Hamma dich, Bürscherl!«, brüllte Inspektor Puntigam.

Ein Depp ist immer dabei, dachte Jennerwein.

Zwanzig Mann von der leichten Infanterie des Bundesheeres quollen aus dem Schützenpanzer. Im Hintergrund fuhr ein Lastwagen der Terrorabwehr für explosive Stoffe vor. Innerhalb kürzester Zeit war Jennerwein vollkommen umringt von mehreren Eingreiftruppen. Er befürchtete schon ein langwieriges Kompetenzgerangel, doch er wurde tatsächlich schnell und professionell durchsucht, was bei seinem momentanen Bekleidungsstatus nicht eben lang dauerte. Er bekam Handschellen angelegt, wurde hochgehoben und zu einem Hubschrauber getragen. Er hörte etwas von der Justizanstalt Innsbruck. Dort im *Zieglstadl* würden sie in zwanzig Minuten ankommen. Jennerwein kannte das Gefängnis. Wenn er Glück hatte, würden sie ihm sogar gestatten, zu duschen.

»Name?«, sagte der diensthabende Einsatzleiter.

»Jennerwein. Hubertus Jennerwein.«

»Sehr komisch.«

»Ausweisen kann ich mich nicht.«

»Was wolltens auf der Straßen?«

»Ich habe Anspruch auf ein Telefonat.«

»Kusch!«

Wertvolle Sekunden verrannen. Der Wachmann nahm seine Aufgabe sehr genau.

»Noch einmal: Was wolltens auf der Straßen?«

»Ich bin Kriminalhauptkommissar Jennerwein von der Bayrischen Polizei. Das werden Sie mir aber nicht glauben, solange ich meinen Anruf nicht tätigen kann.«

»Wo wollns anrufen? Im Guglhupf? – Da spinnt einer total.«

Durch die Sichtscheibe sah Jennerwein, dass Inspektor Puntigam ihn beobachtete.

»Also gut. Ein Anruf, mehr nicht.«

Endlich. Er bekam einen altertümlichen Telefonapparat hingeschoben. Er wählte Marias Nummer. Sie hob augenblicklich ab.

»Hubertus! Gott sei Dank. Wo sind Sie?«

»Ich bin in der Justizanstalt Innsbruck. Und bringen Sie einen vollständigen Satz Kleidung für mich mit.«

»Sie glauben gar nicht, wie – Wir sind gleich da.«

Beim Hinausgehen wurde Jennerwein noch Ohrenzeuge eines kleinen, geflüsterten Dialogs.

»Was sagst du? Ein Kieberer ist er? Ein deutscher Kommissar? Warum hat er denn nichts gesagt?«

»Puntigam, Puntigam. Du musst bei jedem Verruckten davon ausgehen, dass er ein deutscher Kommissar ist.«

»Eh klar.«

71

Zornig befreite sich Grit Carlsson aus der improvisierten Fesselung. Sie hob die Hände über den Kopf und schüttelte und knetete sie, bis sie spürte, dass das Blut wieder in die Finger strömte.

Nie hätte sie gedacht, dass das Häckslerhäus'l, das schon so viele ihrer Probleme gelöst hatte, einmal zu ihrem Gefängnis werden würde. Doch noch war nicht alles verloren. Sie richtete sich auf, tastete sich durch die Dunkelheit und stieß schließlich auf die Klinke der Stahltür. Sie rüttelte daran, aber sie war natürlich verschlossen. Sie selbst hatte beim Hereinkommen den Schlüssel im Schloss stecken lassen. Grit wusste, dass sie keine Chance hatte, sie schnell zu öffnen. Sie lehnte sich an die Tür und lauschte. War Jennerwein noch in der Nähe? Aber dieser sture Kommissar war nicht der Typ, der auf etwas wartete. Er war sicher schon unterwegs, um Verstärkung zu holen. Grit überlegte angespannt. Sie musste diesen Turm verlassen, bevor es hier von Einsatzkräften nur so wimmelte. Unterhalb der Häckselmaschine war es so dunkel, dass sie die Hand nicht vor Augen sah. Sie ging auf die Knie und tastete den Boden Stück für Stück ab. Sie suchte ihre Pistole. In der Mitte des Raums stieß sie auf einen kleinen Gegenstand, so etwas wie einen dünnen Schraubenzieher. Er hatte eine verbreiterte, harte Spitze und einen massiven Griff. Jennerwein musste das Ding verloren haben. Sie behielt es in der Hand und suchte weiter nach der Pistole. Vergeblich. Höchstwahrscheinlich war sie in die volle Zinkwanne gefallen. Fluchend stand sie auf und beugte sich über deren Rand, sie war auch schon entschlossen und bereit, das Scheußliche zu tun, da stieß sie mit dem Fuß an etwas Kleines, Glattes. Es war das zierliche, strumpfbandgeeignete 9-mm-Pistölchen, das trotz seiner zerbrechlich wirkenden Erscheinung eine erstaunlich hohe Durchschlagskraft besaß. Die Browning war unter eine Befestigungsplatte gerutscht. Gott sei Dank. Damit konnte sie entkommen. Für alle Gartengeräte einschließlich der Maschinen war ihr Mann zuständig gewesen, aber so viel wusste sie auch, dass der Häcksler zwei große, jedoch leicht abnehmbare Walzen besaß, die man lockern konnte. Grit steckte den Spitzstichel ein und schob eine der Walzen nach oben. Es funktionierte. Sie stemmte sich durch die entstandene Öffnung an den blitzenden Schnittmessern vorbei in die Höhe.

Schließlich stand sie breitbeinig auf dem Häcksler, genauso wie auch ihr Mann vor einer Woche auf einem Gerät gleicher Bauart gestanden hatte, als Popescu in den Garten gekommen war. In diesem Teil des Turms war es kaum weniger dunkel als unten am Boden, das beginnende Morgenlicht rann nur spärlich durch die zwei winzigen Dachfenster des Häus'ls. Doch Grit Carlsson wusste auch so, was sie zu tun hatte. Sie entsicherte ihre Browning und schoss schräg nach oben in die Bretterwand. Das morsche Holz splitterte, Grit duckte sich unter den herabrieselnden Spänen. Dann war wieder alles still. Jetzt folgte der schwierigste Teil der Aktion. Sie reckte sich und steckte den Spitzstichel in das ausgefranste Einschussloch. Sie schlug mit dem Knauf der Waffe mehrmals auf den Stichel, rutschte aber immer wieder ab. Sie biss die Zähne zusammen, holte aus und hieb mit der flachen Hand mehrmals auf das verdickte Ende des Stichels.

Der Behelfskletterhaken drang ins Holz ein, verkantete sich und steckte endlich fest. Sie nahm ihre ganze Kraft zusammen und zog sich daran hoch, erreichte auf diese Weise die Eisenstange, die sie schließlich ganz erklimmen konnte. Grit war nicht mehr die Jüngste, schwer japsend rang sie nach Luft. Als ihr Atem sich etwas beruhigt hatte, lauschte sie, doch draußen war nur der Wind zu hören. Keine gellenden Sirenen, keine kreischenden Bremsen und hektischen Rufe. Kein *Hier spricht die Polizei! Geben Sie auf.* Nichts. Ein nächtliches Hüttenidyll. Dann die gleiche Prozedur nochmals. Wieder schoss sie ein Loch in die Wand, eine Armlänge über ihrem Kopf. Und abermals schlug sie den Stichel ein. Jetzt musste sie sich nur noch auf die hölzerne Rampe schwingen, die in das Häus'l führte. Die Tür war sicherlich abgesperrt, aber sie zu öffnen würde kein Problem darstellen. Sie konnte das Schloss mit der vorletzten Kugel ihrer Pistole knacken. Dann hatte sie immer noch eine im Lauf. Für absolute Notfälle.

Grit war eine gute Bergsteigerin. Vor allem ihre starke Fingertechnik war von den einheimischen Mitkletterern immer beneidet worden. Doch die zweite Aufstiegsaktion bereitete Grit große Schwierigkeiten. Sie stand schon mit einem Fuß auf dem Stichel, stemmte sich hoch und krallte sich oben mit der Hand an der Fußbodenleiste fest. Aber ihr fehlte die Kraft, sich hochzuziehen. Wenn es misslang, würde sie nach unten fallen, und sie wusste, dass sie einen zweiten Versuch nicht schaffen würde. Es musste jetzt klappen. Wild entschlossen griff sie mit beiden Händen an die Holzkante und versuchte, sich mit einem verwegenen Klimmzug auf das rettende Podest zu wuchten. Ihre Armmuskeln schmerzten, ihre Augen tränten, sie prustete und keuchte.

Plötzlich umfassten Geisterklauen ihre Handgelenke, und sie wurde mit einem energischen Ruck nach oben gerissen. Die Geisterhände fassten nach, konnten sie schließlich an den Hüften packen und vollends auf den Holzboden ziehen. Sie war so überrascht, dass sie sich im ersten Augenblick gar nicht dagegen wehrte. Sie ließ es auch geschehen, hochgezerrt und auf die Beine gestellt zu werden. Immer noch war das Licht diffus, sie sah die Gestalt vor sich nur schemenhaft. Ein Mann in ihrer Größe, der Kraft nach ein Holzhacker, der Schweigsamkeit nach ein Bulle. Grit wurde jetzt erst klar, dass der Mann vor ihr keiner von den Exit-Helfern sein konnte. Blitzschnell schossen ihre Hände nach vorn und umfassten seinen Hals. Sie versuchte mit ihren kräftigen Pianistinnendaumen von beiden Seiten auf die Luftröhre zu drücken, doch der Mann durchschaute ihre Taktik und wich nach hinten aus. Sie hatte ihn jedoch mit ihrem Angriff überrascht, er hustete und röchelte. Sie schöpfte schon Hoffnung und griff erneut in Richtung seiner Kehle, doch blitzschnell fasste er ihren rechten Arm und drehte ihn schmerzhaft auf den Rücken. Sie versuchte, sich herauszuwinden, aber der Griff war so professionell, so glatt und endgültig polizeilich, dass sie die ernsthafte Gegenwehr schließlich einstellte. Dieses grobknochige Mannsbild war kräftiger und frischer als sie. Er hatte sie fest in der Zange. Er drehte sich um und rief in Richtung Türe:

»Ich hab sie! Heidanei, hat die Frau einen harten Griff!«

Kommissar Ludwig Stengele hatte schon eine Reihe von Festnahmen durchgeführt, von schwächeren und stärkeren Gegnern, aber bei dieser Frau hatte er den Eindruck, dass sie, trotzdem sie aufgegeben und sich in ihr Schicksal gefügt hatte, automatisch, als könnte sie nicht anders, noch einige Zeit weiterkämpfte und -zappelte. Er ließ sie gewähren, er ließ sie boxen und beißen, er kam aber nicht drauf, was sie damit bezwecken wollte. Schließlich konnte er ihre Hände mit einem blitzenden Achter auf dem Rücken fixieren. Ihm fiel die besondere Kraft und Geschicklichkeit ihrer Hände auf. Auch nachdem er ihre Arme hinter dem Rücken gefesselt hatte, griff und fingerte sie noch herum und versuchte ihn zu packen. Er musste sich in Acht nehmen.

Grit war endlich mit dem Fuß auf die Pistole am Boden gestoßen. Sie war ihr aus der Tasche gefallen, der Grobknochige hatte das wohl nicht bemerkt. Die Browning lag seitlich am Rand der Holzbrüstung, aber es gab noch eine kleine Chance. Eine furchtbar kleine Chance. Sie schrie und tobte, sie zappelte, um den Grobknochigen abzulenken. Derweilen wanderte ihre Schuhspitze weiter vor. Jetzt den Fuß vorsichtig draufstellen und die Waffe zu sich herziehen. Sich auf den Rücken fallen lassen und die Browning greifen. Den Grobknochigen erschießen. Seinen hereinkommenden Kollegen ebenfalls erschießen. Mit den auf dem Rücken gefesselten Händen zu ihrem Exit-Ziel laufen. Sich dort befreien lassen. In ein Fahrzeug steigen und sich ein paar Tage durch die Gegend kurven lassen. Schließlich am Endziel mit ihrem Gatten zusammentreffen. Sie hatte etwas von Sizilien gehört. Ein kleines, weinbergumstelltes Häuschen am Fuße der Monti Peloritani, ein großes Klavierzimmer mit Olivenholzmöbeln … Die Browning rutschte über eine Bodenleiste, kullerte über den Rand des Podests und fiel nach unten. Sie hörte nur ein feuchtes Plopp.

Noch am gestrigen Tag hatte Stengele die heiße, aber langweilige Luft von Cayenne geschnuppert. Dann hatte er es nicht mehr ausgehalten, untätig herumzusitzen. Wie gut, dass er sich dazu entschlossen hatte, ins Flugzeug zu steigen und hierher zu kommen. Ostler hatte ihn angerufen und über die neuesten Entwicklungen informiert. Über Jennerweins geniale Aktion. Über die Lage der Hütte von Carlsson.

»Frau Carlsson, Sie könnten Ihre Lage erheblich verbessern«, sagte er, »wenn Sie uns den Aufenthaltsort Ihres Mannes mitteilen.«

»Das habe ich heute doch schon einmal gehört«, zischte Grit Carlsson.

Stengele zerrte sie nach draußen.

... Tiroler Gamsrouladen mit Johannisbeergelee. In Edelver-natschsoße niedergegarter Hirschtafelspitz. Alldeiner Kirta-krapfen. Gnoch de cazü mit Südtiroler Graukäse. Bärlauch-pressknödel mit Honig-Haselnusskrokant-Halbgefrorenem, Knackerte Knacker mit Sempfsoss'n ...

Hallo Ostler,

warum lässt du denn nichts von dir hören? Das war gestern eine Brotzeit in Meran! Mein lieber Schieber! Heute im Zug nach Budapest hat uns ein Herr von der UNESCO angesprochen, der in der Jury für das *Immaterielle Weltkulturerbe* sitzt. Er hat uns gefragt, ob wir Lust hätten, ein paar Bestattungsbräuche und Pompfüneberer-Geschichten aus dem Alpenraum zusammenzutragen. Wir haben gleich zugesagt. Wir müssten nur einmal nach New York fliegen. Wegen Interviews. Und Besprechungen. Geht das mit unseren Bewährungsauflagen? Die vom NYPD haben doch sicher auch einen, bei dem wir uns melden können. Und die New Yorker Küche soll ja in letzter Zeit auch besser geworden sein. Es wäre schön, wenn du dich einmal erkundigen könntest.

Es grüßen dich – *deine vollgefressenen Graseggers*

73

Die Teammitglieder Jennerweins hatten sich in der kleinen Parkbucht unterhalb der Tiroler Hütte versammelt. Zwischen den Aschentonnen und Streukistchen parkten drei Polizeifahrzeuge. Gerade fuhr ein viertes mit österreichischem Kennzeichen ein. Inspektor Puntigam lenkte es. Hinten bei Alpbach plumpste der Mond ins Gratlspitzgebirge. Der Tag begann.

»Wenn uns die Dame mit dem Zangengriff keine Auskunft über ihren Gatten geben mag, dann müssen wir selbst nach ihm suchen«, sagte Stengele ärgerlich. »Wir müssen ihn unbedingt aufhalten. Weit kann er ja noch nicht gekommen sein.«

Er schob Grit vor sich her, auf eines der Fahrzeuge zu.

»Schön, dass Sie da sind, Stengele«, sagte Maria erfreut.

Maria und Stengele waren einander in herzlicher Abneigung verbunden, doch beide freuten sich offensichtlich, den anderen zu sehen. Jennerwein humpelte auf einem Bein. Er trug frische Kleidung und roch wieder ganz ausgezeichnet. Die Hand steckte in einem Notverband. Doch er hatte sich geweigert, sich in ein Krankenhaus bringen zu lassen.

»Herr Kollege Puntigam!«, rief Stengele in das österreichische Auto. »Wären Sie so freundlich, diese Frau zu übernehmen?«

»Freilich. Eh klar. Sofort«, rief Puntigam dienstfertig. Er

blickte betreten drein. Er hatte das Gefühl, etwas gutmachen zu müssen.

»Ich werde mich sofort auf dem Gelände umsehen«, sagte Stengele zu Jennerwein. »Es ist ein typisches Zwischenlager für die endgültige Exit-Strategie. Man ist im Ort A – das ist unser Kurort. Wenn es in dem zu brenzlig wird, aber das endgültige Ziel C – das ist meinetwegen Sizilien – noch nicht angesteuert werden kann, dann kann man hier im tirolerischen B zwischenparken. Tirol ist ein ausgezeichnetes B. Lange geht das nicht gut, aber es ist ja auch nicht für lange gedacht.«

»Carlsson ist unterwegs zum Exit-Ziel?«, fragte Maria.

»Das steht für mich fest. Er wird vermutlich noch einige Zeit herumgefahren oder -geflogen werden. Um eventuelle Verfolger abzuschütteln und seine Spuren vollkommen zu verwischen.«

»Kann der Fluchthelfer hierher gefahren sein? Und ihn einfach hier auf der Straße aufgesammelt haben?«

»Zu riskant. Zu offensichtlich. Ich vermute eher, dass Carlsson sich auf einem Fußmarsch zum nächsten Stützpunkt befindet. Er schlägt Haken, wechselt die Richtung. Wenig Chancen, seine Fährte aufzuspüren.«

»Haben Sie keinerlei Hinweise auf eine grobe Richtung, Chef?«, fragte Ostler.

Jennerwein spreizte Daumen und Mittelfinger und besah sich seine Handfläche nachdenklich. Dann griff er sich an die Schläfen und massierte sie.

»Na ja, in der Auffangwanne, in der ich steckte, war es für mich nicht möglich, etwas zu hören –«

»Iiiih!«, entkam es Maria.

»Und das Telefonat, das ich belauscht habe, wurde auf Schwedisch geführt. Ich habe natürlich nichts verstanden, aber ich habe mir einen Satz gemerkt. *Inte ska jag kasta hunden in i flismaskinen!* Hunden heißt meines Wissens hundert. Vielleicht bietet der Satz Hinweise. Versuchen kann man es mal.«

»Ich rufe unseren Dolmetscher an.«

»Ich habe einen anderen Vorschlag«, sagte Maria. »Der Dienstweg dauert zu lang. Wir klingeln Pettersson aus dem Bett. Der ist vierundneunzig und um diese Zeit ohnehin schon wach.«

Maria wählte und reichte Jennerwein den Hörer. Pettersson ging sofort dran.

»Unglaublich! Ich hatte schon geahnt, dass ich Sie nicht loswerde. Was gibts denn jetzt schon wieder?«

»Guten Morgen, Doktor Pettersson. Hören Sie, es ist sehr, sehr wichtig. Sie müssen mir unbedingt einen schwedischen Satz ins Deutsche übersetzen.«

Jennerwein sprach den Satz langsam ins Telefon.

»Inne skoja kassta hönden ini flismaschienen.«

Pettersson lachte auf.

»Ihr Schwedisch ist furchtbar. Es klingt eher nach dem Geblöke von brünftigen Elchen. Ja, was könnte das wohl heißen? Vielleicht so etwas wie ›Die hundert werfe ich auf keinen Fall in die Pommes-frites-Maschine‹. Nein, warten Sie, jetzt hab ichs: ›Den Hund werfe ich auf keinen Fall in die Hackmaschine –‹«

»Den Häcksler?«

»– den Hund nicht in den Häcksler, richtig. Aber bei Ihrer Aussprache!«

Sie bedankten sich.

»Ich erinnere mich an einen Hund«, sagte Jennerwein verdutzt. »Sein Gekläffe war immer wieder zu hören. Ich habe mich schon darüber gewundert. Eine Entführung mit Hund? Eigentlich unmöglich. Aber vielleicht doch. Wo ist der Hund?«

Alle blickten sich hoffnungsvoll an.

»Vielleicht haben wir Glück«, fuhr Jennerwein fort. »Sie haben ihn nicht getötet, sie konnten es aber auch nicht riskieren, ihn laufen zu lassen, er wäre womöglich Carlssons Fährte gefolgt. Vielleicht haben sie ihn in der Hütte eingesperrt.«

Nichts. Nicht die Spur von einem Hund. Hüttennudeln. Medizinische Bücher. Wolldecken. Aber kein Hund. Ostler richtete sich abrupt auf.

»Mir fällt was ein! Ich habe beim Herfahren ein uraltes Auto in den Büschen gesehen. Auch noch ein rumänisches Auto! Kann das dem armen Popescu gehört haben?«

»Ausgezeichneter Einfall, Ostler«, sagte Jennerwein. »Nachdem sie Popescu umgebracht haben, hat Carlsson das Auto dazu benutzt, um auf die Hütte zu kommen. Vielleicht haben sie den Hund da eingesperrt. Führen Sie uns hin, Ostler!«

Tatsächlich. Ein winselndes Knäuel richtete sich im Auto auf.

»Aber das gibts ja nicht!«, rief Ostler. »Das ist doch der Dackelverschnitt vom Gumpi, vom Werner Gumpendobler! Was hat denn der hier verloren?« In Ostler stieg eine böse Ahnung auf. »Und der Gumpi ist doch abgängig!«

»Wir lassen den Hund frei«, sagte Stengele bestimmt. »Wenn wir Glück haben, verfolgt er die Spur von Carlsson. Ich laufe ihm hinterher. Ich nehme ein Ortungsgerät mit. Sie können meine Position auf dem Monitor sehen.«

Der Hund sprang aus dem Auto, würdigte die Beamten keines Blickes und rannte sofort los. Stengele heftete sich an seine Fersen.

Grit Carlsson beobachtete die Szene vom Polizeiauto aus. Sie hatte einen guten, fast logenartigen Blick auf die Vorgänge. Ein hämisches kleines Lächeln erschien auf ihrem Gesicht. Als Ostler die Tür von Popescus Dacia öffnete und Stengele hinter dem japsenden Köter herlief, musste sie laut auflachen.

»Provinz. Tiefste Provinz«, murmelte sie.

»Kusch!«, zischte Inspektor Puntigam.

Grits Lachen verstummte. Wir hätten das blöde Vieh doch in den Häcksler werfen sollen, dachte sie.

74

Der sogenannte Hund lief zu großer Form auf. Das neue Herrchen, das neue Frauchen, das waren zwei Futterspender ganz nach seinem Geschmack! Immer frisches Fleisch! Gar kein Vergleich zu dem alten, maulfaulen Taxifahrer. Jetzt schnitt er durch die Wälder, die Ähren rauschten sacht, immer dem großen Duftbild nach, das das neue Herrchen hinter sich herzog. Ein Duftbild von Stärke, Mut und Verwegenheit, ein Geruch nach zielgerichteter, kraftvoller Bewegung. Ein Jäger wahrscheinlich.

Der eigentliche Jäger befand sich jedoch hinter dem sogenannten Hund. Kommissar Ludwig Stengele, der Fährtenleser und Waldtrapper, folgte ihm im Abstand von hundert Metern. Er zückte das Mobiltelefon.

»Er läuft in Richtung deutscher Grenze. Erfahrungsgemäß wird Carlsson von jemandem aufgesammelt. Natürlich von keinem normalen Auto auf einer normalen Straße. Das wäre zu riskant. Ich tippe auf ein landwirtschaftliches Gefährt. Oder auf einen Sattelschlepper vom Forst. So etwas in der Art. Und zwar mitten in der Prärie.«

Stengele kam langsam außer Atem. Der Hund legte ein ordentliches Tempo vor. Verdammtes faules Strandleben. Den nächsten Urlaub verbrachte er wieder im Allgäu, so viel stand fest.

Er beschleunigte seine Schritte. Plötzlich kamen ihm die drei Namen wieder in den Sinn, die er in Französisch-Guayana mit dem Stock in den Sand geschrieben hatte.

Jökelsund. Popescu. Carlsson. Drei Namen und nur ein Gesicht. Vielleicht waren es gar nicht drei Personen. Und jetzt schoss ihm eine abwegige Idee in den Kopf. Könnte es nicht sein, dass …

Nils Backlund war früh aufgestanden. Er stand vor dem Spiegel und betrachtete sein angehendes, sorgsam gepflegtes Errol-Flynn-Bärtchen, das er sich auf Hairberts Wunsch hin hatte stehen lassen. Er blickte sich selbst in die Augen. War es nicht schofel von ihm gewesen, dass er der Polizei das Foto nicht gegeben hatte? Er zog das Bild aus seiner Jackentasche, das die zwei Greta Garbos zeigte: Jökelsund und Carlsson, als Frauen verkleidet. Er schrieb eine Notiz auf die Rückseite. *Lieber Herr Jennerwein! Ich habe beide frisiert. Draufgekommen bin ich durch den Haarwirbel! Liebe Grüße, Nils Backlund.* Er steckte das Foto in einen Briefumschlag, trug es zum Polizeirevier und warf es in den Briefkasten.

Alle Maler, Zeichner und Radierer lieben das Morgenlicht. Auch Michl Wolzmüller war ein Frühaufsteher. Gleich nach dem kargen Frühstück warf er, zum hundertsten Mal, einen Blick auf seine Zeichnung von dem namenlosen Besucher bei

Leonhard Wörndle. Er verglich die Skizze mit dem Foto, das Jökelsund und Carlsson als junge Männer beim Skifahren zeigte. Herrjessas! Er sprang auf und stieß dabei den Stuhl um. Die ganze Zeit hatte er nur Jökelsunds Gesicht studiert, er hatte darauf geschaut, ob denn dieser fremde Besucher mit Jökelsund identisch war. Er hatte nur hochgerechnet und skizziert, wie Jökelsund heute, so viele Jahre danach, aussehen würde. Dabei hatte er den anderen Mann auf dem Foto gar nicht so richtig angesehen. Er hatte sich angestellt wie jemand, der ein paar Zentimeter vor dem Fernseher sitzt, sich die Pixel anschaut, um sich dann über das fade Programm zu beschweren. Michl Wolzmüller stürzte zur Tür hinaus. Er hatte kein Telefon. Er lief zum Metzger, bei dem er normalerweise seine Wurstsemmeln kaufte, und bat darum, mit Kommissar Jennerwein verbunden zu werden.

75

Als Bertil Carlsson die hohen, rostfarbenen Stahlmasten der Wetterstation erblickte, erfüllte ihn ein heißes Siegesgefühl. Er hatte es geschafft. Er war am Ziel. Aber sofort darauf folgte die Ernüchterung. Ein markantes Propellergeräusch. Er blickte auf. In der Ferne sah er einen Helikopter. Dann noch einen. Sie flogen über die bewaldeten Hügel und steuerten in seine Richtung. Einer wäre noch kein Anlass zur Sorge gewesen. Das war nichts Außergewöhnliches in den Alpen. Jetzt entdeckte er aber aus der anderen Richtung noch einen dritten. Die Helikopter rückten von allen Seiten an. Sie legten sich schräg und kurvten den Himmel ab. Sie suchten nach ihm. Er schaltete sein Lauftempo zwei Gänge hoch. Noch war es zu schaffen. Das Flugverhalten der Helikopter sprach dafür, dass sie ihn nicht punktgenau lokalisiert hatten. Sie stocherten im Nebel. Und der Exit-Helfer, der ihn abholen sollte, war sicher ein Vollprofi, er würde diese Situation meistern. Die Polizei konnte nicht alle Fahrzeuge in dieser Gegend kontrollieren. Alte Militär-Regel: Sei froh, wenn der Verfolger dir auf den Fersen ist. Dann kennst du seine Position. Nütze das aus.

Ein unrasierter Gemeindearbeiter saß in einem schmutzig gelben Straßenreinigungsfahrzeug. Es war kein wirklicher Gemeindearbeiter, der hinter dem Steuer wartete. Der richtige Gemeindearbeiter saß zu Hause und soff sich gerade einen

Riesenrausch an von dem Geld, das der Typ ihm gegeben hatte. Der Typ hatte etwas von Outdoor-Event gefaselt, und dass er dazu unbedingt dieses Reinigungsfahrzeug mit Kehrmaschine brauchte. Er wollte es sich nur ausleihen, in ein paar Stunden würde er es wieder zurückbringen.

Die Wetterstation war nur noch fünfhundert bis sechshundert Meter entfernt, und der hünenhafte Schwede mit den unauffälligen Wanderklamotten lief jetzt in den Laubwald ein. Er kämpfte sich durchs immer dichter werdende Gestrüpp, bis er endlich unter dem Stahlgerüst stand. Na also. Die Hubschrauber hatten ihn nicht aufgespürt. Alle Aufregung war umsonst. Eine Wendeltreppe führte nach oben, er hatte schon von Weitem gesehen, dass sie in einer kleinen, überdachten Plattform endete, auf der sich vermutlich die meteorologischen Messgeräte befanden. Schwer atmend hielt er sich an einer Querstrebe fest und hielt Ausschau nach dem Fahrzeug, das ihn abholen sollte. Er kletterte die Leiter ein paar Sprossen hinauf. War das da hinten nicht … ?

Jennerwein saß auf dem Beifahrersitz und blickte durch die Windschutzscheibe. Trotz der Spritzen, mit denen der Arzt seine Blessuren betäubt hatte, schmerzten sein Fuß und seine Hand immer noch höllisch. In der Ferne kreisten drei Hubschrauber. Die Österreicher hatten, nach der satten Blamage, ganz unbürokratisch ihre Hilfe angeboten. Er und Maria trugen gelbe Signaljacken, um bei einem eventuellen Zugriff der österreichischen Kollegen nicht zum Beifang zu werden. Sie waren einen verschlungenen Forstweg entlanggefahren, jetzt erreichten sie freies Feld. Hinten am Waldrand ragte eine Wetterstation auf.

»Wir sind nahe dran«, sagte Jennerwein leise. »Stengele

müsste uns entgegenkommen. Wir haben Carlsson zwischen uns.«

»Passen Sie bloß auf, Hubertus«, sagte Maria. »Er ist sicher bewaffnet.«

Jennerwein nickte stumm. Das Autotelefon surrte. Es war Ostler, der vom Revier aus anrief. Er war mit Blaulicht zur Dienststelle gebrettert, um die Aktion von dort aus zu koordinieren. Jennerwein nahm ab. Seine Augen weiteten sich überrascht.

»Was? ... Nils Backlund und Michl Wolzmüller? ... Und sie haben das gleichzeitig und unabhängig voneinander entdeckt?«

Carlsson kletterte die schmale Wendeltreppe hinauf. Vielleicht konnte er von dort oben besser sehen, wo sich sein Fluchtfahrzeug befand. Ganz sicher sogar. Deshalb war die Wetterstation vermutlich ausgewählt worden. Die drei Hubschrauber hatten sich jetzt wieder zurückgezogen. Das bedeutete hoffentlich, dass sie ihn nicht entdeckt hatten und woanders weitersuchten. Vielleicht hatten seine Helfer ein Ablenkungsmanöver gestartet. Ganz sicher sogar. Er war nun auf der Hochplattform angekommen. Dort öffnete er seinen Rucksack und zog das kleine Fernglas heraus. Eines war klar. Er musste schnellstmöglich von hier weg.

Der Unrasierte im Straßenreiniger der Gemeindewerke brauchte kein Fernglas. Die drei Hubschrauber waren mit bloßem Auge zu erkennen. Es waren zwei von der österreichischen Gendarmerie und einer vom Bundesheer. Das waren zu viele Beobachter, so konnte die Mission nicht durchgeführt werden. Nur wenn der Himmel frei war, konnte er den Zweimetermann mit dem braunen Pepitahut wie verabredet an der

Wetterstation einsammeln. Der Unrasierte schaltete den Motor aus und sah auf die Uhr. Zehn Minuten würde er noch warten. Dann musste der Exodus abgebrochen werden. So lauteten die Regeln.

Verdammt nochmal! Was davon war denn nun sein Fluchtfahrzeug? In der Ferne, hinter einer sanft geschwungenen Talsohle, bemerkte Carlsson ein Feld, auf dem die Bauern Dung aufbrachten. Drei oder vier landwirtschaftliche Maschinen kurvten herum. In dem spärlich bewachsenen Wäldchen daneben bewegte sich ein Holzlaster mit Baumstämmen.

»Wie ich gesagt habe, Chef«, raunte Ludwig Stengele ins Funkgerät. »Er ist direkt auf den Stahlmast zugelaufen und wahrscheinlich dort hochgeklettert. Ich gehe jetzt näher ran.«
»Gut gemacht, Stengele. Ich sehe Sie auch schon. Ich warte, bis Sie Stellung bezogen haben. Dann steige ich rauf.«
Jennerwein schaltete das Funkgerät aus.

Der nordische Hüne, der einst der Suderer Bartl war, kauerte sich auf die überdachte Plattform, so dass er von den Hubschraubern, die wieder näher gekommen waren, nicht gesehen werden konnte. Er schätzte, dass er sich auf dreißig Meter Höhe befand. Einer der Helikopter löste sich von den anderen, steuerte auf die Wetterstation zu und legte sich quer. Die Seitentür wurde aufgezogen, und er konnte einen kurzen Blick auf die Winde mit dem heraushängenden Seilstück erblicken. Ein Mann machte sich fertig zum Abseilen. Plötzlich begriff Carlsson. Das war ja genial! Ein Lächeln erschien auf seinem Gesicht. Sie würden ihn mit dem Hubschrauber abholen. Perfekt. Winkte dort im Fluchthelikopter nicht jemand? Er wollte schon zur Brüstung kriechen und zurückwinken, da drehte der Hubschrauber abrupt ab und zog in die andere Richtung davon. Was sollte das denn nun wieder bedeuten? Carlsson fluchte. Und dann hörte er es. Das Kläffen des verdammten Hundes. War ihm der Köter nachgelaufen? Er hätte auf Grit hören und den lästigen Hund ebenfalls in den Häcksler werfen sollen. Er entsicherte seine Pistole und beugte sich mit der Waffe über die Brüstung. Hier läuft was schief, dachte er. Unten war nichts zu sehen.

»Sehr gut«, sagte Jennerwein zu Maria. »Die Hubschrauber ziehen sich zurück. So habe ich es von der Leitstelle erbeten.«
»Ich verstehe, Hubertus, dass es nicht sinnvoll ist, den Mann dort oben mit einem Megaphon zu bedrängen. Aber ich bitte Sie, trotzdem äußerst vorsichtig zu sein, wenn Sie da raufgehen. Ich würde es ja selbst machen. Aber meine Höhenangst –«
»Ist schon in Ordnung.«
»Streifen Sie wenigstens die Schutzweste über, Hubertus.«

Stengele warf sich hinter einen dichten Strauch auf den Boden und legte das Zielfernrohr an, um Jennerwein Deckung zu geben.

Leise stieg Jennerwein die Wendeltreppe hinauf. Jetzt nichts überstürzen. Carlsson konnte ihm nicht entkommen. Jennerwein hatte noch Marias Worte im Ohr:
»Gehen Sie ganz cool mit ihm um. Sprechen Sie mit ihm über Tatsachen. Er ist keiner, der bis zum Untergang kämpft. Er ist ein Vertreter des rationalen Persönlichkeitstyps. Er ergibt sich, wenn er keinen Ausweg mehr sieht.«
Jennerwein schossen die neuesten Informationen durch den Kopf, die Ostler gerade durchgegeben hatte. Der Kommissar wollte Carlsson damit konfrontieren. Es gab allerdings ein

Problem. Die Plattform dort oben bot nur Platz für eine Person. Er konnte ihm nicht Auge in Auge gegenübertreten. Jennerwein musste sich mit dem kleinen Raum unter dem Ausguck begnügen.

Der unrasierte Gemeindearbeiterabklatsch blickte nochmals auf die Uhr. Aus seinem Versteck sah er, was da draußen los war. Dieser Treffpunkt war keiner mehr. Er stieg aus dem Reinigungsfahrzeug und brach die Aktion ab. So waren die Regeln. Er verschwand im Dickicht des Waldes.

Auf halber Höhe der Wendeltreppe hielt Jennerwein kurz inne und blickte hinunter. Hinter einem Busch, nicht allzu weit entfernt, musste sich Ludwig Stengele verbergen. Das war beruhigend zu wissen. Jennerwein war jetzt auf den letzten Stufen angelangt. Leise trat er auf das Stahlgitter unterhalb der Plattform. Die Hubschrauber hatten sich vollständig zurückgezogen. Wenn der Schwede dort oben zur Waffe griff, würde ihn Stengele durch einen gezielten Schuss kampfunfähig machen. Jennerwein konzentrierte sich, dann rief er laut nach oben.

»Hier spricht Kommissar Jennerwein. Lassen Sie Ihre Waffe fallen. Sofort.«

Stille, absolute Stille. Jennerwein linste hinauf, er konnte keine Bewegung erkennen. Dann hörte er die entsetzte Stimme des Schweden.

»Jennerwein? Kommissar Jennerwein? Aber Sie sind doch tot!«

»Nein, das bin ich nicht. Mich kriegen Sie nicht klein. Geben Sie auf, Sie haben keine Chance mehr.«

Der Schwede blickte ins Tal. Er konnte immer noch nicht ganz fassen, was er da gehört hatte. Er verlagerte sein Gewicht und blickte durch das Bodengitter nach unten. Jennerwein! Das war unmöglich!

»Haben Sie mich verstanden?«, rief der Kommissar. »Geben Sie auf. Sehen Sie an Ihrer Brust hinunter. Wir haben Sie mit einem Laserzielgerät im Visier.«

Der Schwede sank langsam auf den Boden der Plattform. Er beugte den Kopf und betrachtete den zittrigen Fleck auf seinem Hemd. Nun war er mit einem roten Punkt markiert. So hatte alles begonnen. Und so endete alles. Er würde gefällt werden wie die Birke in seinem Garten. Er umfasste die Waffe noch fester, aber wenn er jetzt schoss, dann würden sie ihn sofort exekutieren.

»Hören Sie, Carlsson! Sie haben keine Chance. Geben Sie auf!«

Der Mann oben lachte bitter auf. So stand es also. Er hielt eine Waffe in der Hand. Ein Zielfernrohr war auf ihn gerichtet. Und bis zum Plattformrand war es nur ein Schritt. Großartig.

Er öffnete seinen Rucksack und holte eine Flasche schwedischen Schnaps heraus. Das hätte das Siegerschnäpschen werden sollen. Im Fluchtfahrzeug mit dem Exit-Helfer. Auf dem Weg zu Grit. Er öffnete den Verschluss und nahm einen tiefen Schluck. Die Schärfe des Alkohols nahm ihm den Atem. Gut so.

»Jennerwein!«, rief er nach unten. »Kommissar Jennerwein! Warum zum Teufel sind Sie nicht tot?«

Jennerwein horchte auf. Er war erleichtert. Offenbar reagierte der Schwede jetzt wieder.

»Weil ich den NÖDSTOPP gedrückt habe. Das können Sie auch tun, wenn Sie mir sagen, warum Sie Popescu getötet haben.«

Den Schweden jetzt in ein Gespräch verwickeln, ihn heraus-
fordern, ihn beschäftigen. Er musste erreichen, dass er sich ergab und von selbst herunterkam.

»Warum also?«

»Ich fand Popescus Pläne genial. Schon damals.«

»Sie haben seine Forschungsergebnisse gestohlen und als
Ihre eigenen ausgegeben.«

Ein bitteres Gelächter dröhnte von oben.

»Ich dachte, dass von einem rumänischen Hilfspfleger ohne
Approbation hinter dem Eisernen Vorhang keine Gefahr aus-
geht.«

»Sie haben viel Geld mit der Methode verdient, mechani-
sches und biologisches Material miteinander zu verknüpfen.«

»Na und?«

Immer im Gespräch bleiben. Keine Provokationen, nur
sachliche Statements.

»Erklären Sie mir das genauer.«

»Es geht um gezielte Stimulierung von Muskeln, bei denen
die Verbindung zu den steuernden Nervenzellen unterbrochen
ist. Das kann man bei Querschnittslähmungen einsetzen. Es
lief alles wunderbar. Ich verdiente viel Geld, keiner ahnte was.
Und dann taucht dieser Popescu wieder auf. Ein Kurpfuscher
und Quacksalber mit wirren Ideen. Ich habe mich von ihm lediglich inspirieren lassen, nichts weiter. Und dann taucht er
plötzlich wieder auf.«

»Wissen Sie eigentlich, dass Sie ihn umsonst getötet haben?«

»Wieso? Er wollte mich erpressen.«

»Nein, das wollte er nicht. Wussten Sie, dass er sich eine
Prothese angefertigt hat, für den eigenen Bedarf? Er hat seine
linke Hand in jungen Jahren verloren, er wollte Medizin studieren, konnte das jedoch wegen seiner Behinderung nicht. Er

hat die ganzen Jahre über als Dilettant geforscht und experimentiert, und schließlich einen biologischen Handersatz entwickelt. Und den wollte er Ihnen zeigen. Er wollte Ihnen gar nichts Böses.«

Der Hüne auf der kleinen Plattform stöhnte laut auf. Umsonst. Alles umsonst. Er nahm mehrere tiefe Schlucke aus der Flasche. Er dachte an das Kästchen. An das leere Kästchen, das Popescu am Zaun unter den Arm geklemmt hatte. Er hatte geglaubt, dass sich in dem länglichen Kästchen etwas Frankensteinmäßiges wie eine selbstständig agierende Hand befand – dabei war es nur das Behältnis für Popescus eigene Prothese gewesen! Er hatte ihn also gar nicht erpressen wollen. Auch die rumänische Organmafia stand nicht dahinter. Er hätte noch lange ruhig und unbehelligt im Kurort leben können. Alle Morde umsonst.

Er hörte, wie Jennerwein von unten rief:
»Wenn Sie nur ein paar Minuten gewartet und Popescu Gelegenheit gegeben hätten, seine bionische Prothese zu zeigen, wäre das alles nicht nötig geworden. Auch Gumpendobler hätten Sie nicht verschwinden lassen müssen.«
Er nahm noch einmal einen tiefen Schluck. Die Literflasche war fast leer. Er legte den Revolver auf den Boden. Er brauchte ihn nicht mehr. Denn langsam spürte er schon die Übelkeit und den Druck auf der Brust, was für ihn als Arzt nicht überraschend kam. Ganz im Gegenteil. Er hatte auf das Beklommenheitsgefühl gewartet. Er war, obwohl er die Flasche Schnaps fast ausgetrunken hatte, keine Spur von betrunken. Nur Durst, Durst, höllischer Durst. Ein Ausbruch von Übelkeit trieb ihm den Schweiß auf die Stirn. Er spürte, wie es in ihm brannte.

»Hallo! Hören Sie mich!«, rief Jennerwein. Maria hatte gesagt, dass er ihn mit Tatsachen konfrontieren musste. Auch mit bitteren Tatsachen. Riskierte er zu viel? Jennerwein entschloss sich zur Attacke.

»Sie sind nicht Bertil Carlsson! Das wissen wir.«

Etwas krampfte sich in dem Hünen zusammen. Auch das hatte Jennerwein herausgefunden? Aber jetzt war sowieso alles egal.

»Also, reden Sie!«, rief Jennerwein von unten. »Was geschah mit dem echten Bertil Carlsson?«

Schweigen. Keine Reaktion. Ein Klirren am Gestänge, ein undefinierbares Klappern. Hatte der Mann seine Pistole auf den Boden gelegt?

»Sie sind niemand anderer als Ole Jökelsund. Sie haben Bertil Carlsson getötet, seine Identität angenommen und es so aussehen lassen, als sei Ole Jökelsund verschwunden.«

Wieder Schweigen.

Jennerwein dachte an den braven Wolzmüller, der die Wahrheit herausgefunden hatte. Dem Zeichner war die Ähnlichkeit zwischen Jökelsund und Carlsson auf dem alten Foto aufgefallen, die diesen Identitätstausch möglich gemacht hatte, und die auch Nils Backlund auf dem Greta-Garbo-Bild aufgefallen war. Backlund wiederum hatte beiden die Haare geschnitten, sich aber keine großen Gedanken darüber gemacht, dass bei Carlsson plötzlich ein Haarwirbel erschienen ist, der vorher nicht dagewesen war. Die Bemerkung von Hairbert über den hartnäckigen Haarwirbel hatte ihn an seine damalige Beobachtung erinnert und seinen Verdacht verstärkt.

Der Schwede oben atmete stoßweise. Jökelsund! *Ole Jökelsund.* Wer hatte ihn das letzte Mal so genannt? Bertil Carlsson selbst war es gewesen. Bertil war mit Grit in Urlaub gefahren. Ole war ihnen gefolgt. Und Grit war mit ihm, dem neuen Bertil Carlsson, wieder zurückgekommen. Wie lange war das her? Dreißig Jahre? Vierzig Jahre?

Von unten hörte er erneut Jennerweins Stimme.

»Jökelsund! Reden Sie mit mir! Sie haben mindestens drei Morde begangen. Es gibt keinen Ausweg mehr für Sie. Kommen Sie herunter, geben Sie auf.«

Er leerte die Flasche bis zum letzten Tropfen. Er röchelte, und jetzt spürte er das berühmte Kribbeln in den Beinen. Langsam legte sich ein Bleikissen auf seine Brust, das schwerer und schwerer wurde. Der Druck wurde immer unerträglicher. Verzweifelt rang er nach Luft. Ole Jökelsund schaffte es gerade noch, den Oberkörper nach vorn zu beugen und sich über die Brüstung zu lehnen. Dann kippte er vornüber und stürzte vom Mast. Auf der Hälfte des Dreißigmeterflugs blieb die Zeit stehen. Er spürte, wie sich eine Hand mit sanftem Griff um sein Herz legte. Und dann drückte sie zu. Er wartete auf den Aufprall, doch der kam nicht. Die geballte Faust ruhte endgültig in ihm. Der Tod greift nie daneben. Niemals.

Ende

Nachgriff

Wie: Ende? Das soll das Ende sein? Das akzeptiere ich ganz und gar nicht, so kann man nicht aufhören – mitten im Flug. Zu viele Fragen sind noch offen. Zu viele Antworten müssen noch gegeben werden. Wenn unsereiner das nicht anpacken würde! Ich stehe immer noch im Garten des Suderer-Anwesens, kein Mensch kümmert sich um mich und meinen Fallkerb, Nils Backlund und Hairbert wuseln herum und richten im Haus einen todschicken Friseurladen ein. Sie haben tatsächlich vor, eine authentische Baderwastl-Stube aufzumachen, mit Aderlassen, Schröpfen, Blutegel und was die Barbiere vor hundert Jahren eben noch so getrieben haben. Beide tragen jetzt ein hauchdünnes Errol-Flynn-Bärtchen, was einigermaßen lächerlich aussieht. Aber vielleicht haben sie ja einen neuen Trend im Kurort gesetzt. Der Erste Vorsitzende des Volkstrachtenvereins, Leonhard Wörndle, hat seinen gezwirbelten Schnauzer auch schon gegen diesen Witzbart eingetauscht.

Der Tod von Ole Jökelsund ist genau einen Monat her, ich blicke hinüber auf die Ederkanzel, da sehe ich sie auf der Terrasse, Jennerwein und seine Mitstreiter, die dort droben ihren Sieg über das Böse feiern. Wie die Bäume sitzen sie um einen Tisch. Maria Schmalfuß erinnert mich an ein aufschießendes Bambuspflänzchen, Ludwig Stengele ist mehr die knorrige Eiche. Und Jennerwein? Ja, Jennerwein, der könnte vielleicht ein unscheinbarer, aber starker und beerenreicher Wacholderbaum sein. Er trägt den Arm noch immer in Gips, gerade beugt er sich zu der Gerichtsmedizinerin:

»Ich weiß, das passt jetzt überhaupt nicht zu der herrlichen Umgebung und den ausgezeichneten Megapfannkuchen, aber haben Sie denn die Untersuchung der Zinkwanne aus der Tiroler Berghütte schon abgeschlossen?«

Die Gerichtsmedizinerin tupft sich den Mund mit der Serviette ab.

»Ich habe mein Team noch einen weiteren Monat zur Mitarbeit gewinnen können, sie haben bisher die DNA von mindestens vier Personen ermittelt. Sie setzen gerade die Knöchelchen zusammen.«

»Warum haben Sie Ihre Leute nicht zu unserem Abschlusstreffen mitgebracht? Die vier haben doch wesentlich zur Lösung des Falles beigetragen!«

Die Gerichtsmedizinerin tupft sich den Mund weiter mit der Serviette ab. Sie zögert mit ihrer Antwort. Sie hat etwas zu verbergen. Jeder hat etwas zu verbergen, so viel habe ich in meinem langen Birkenleben gelernt. Und gerade das Verborgene ist der Antrieb für manche – aber ich will nicht philosophisch werden. Die Frau im Rollstuhl will davon ablenken, dass sie die Identitäten der vier Probonos immer noch nicht genauer kennt. Sie greift in ihre Tasche und holt ein blitzendes Etwas heraus, das sie Jennerwein reicht.

»Hier ist übrigens Ihre Dienstmarke.«

Jennerwein streckt die Hand aus, zögert aber ebenfalls.

»Keine Sorge«, sagt die Gerichtsmedizinerin. »Stecken Sie Ihr Symbol des staatlichen Gewaltmonopols ruhig ein. Ich habe es sorgfältig in Formaldehyd-Lösung desinfiziert.«

Jennerwein seufzt. Ein nachdenklicher Zug erscheint auf seinem Gesicht. Ich kann mir denken, warum. Verliert ein Polizist seine Dienstmarke, ist das so, wie wenn ein Schiedsrichter, ein Psychoanalytiker, ein Pfarrer seine Pfeife, seine Couch, seinen Glauben verliert. Es ist in jedem Fall ein Wink des Schicksals, ernsthaft über einen Berufswechsel nachzudenken. Jennerwein schüttelt den Gedanken ab. Er will davon nichts hören. Er ist leidenschaftlich mit dem Polizistenberuf verbunden, er wüsste gar nicht, was er sonst tun sollte. Er hat die Dienstmarke ja auch nicht verloren, er hat sie absichtlich in die Maschine geworfen, in der normalerweise stolze Birken wie ich gehäckselt werden. Ein Pfui auf den Erfinder, Herrn Hasselnöt von der Firma *Hasselnöt & Efterfragåd*, den gemeinen Birkenmörder!

»Ich habe noch etwas anderes gefunden«, fährt die Frau im Rollstuhl fort. »Etwas Seltsames. Zuerst hielt ich es für einen zerschredderten Joghurtbecher.«

Auf der Ederkanzel herrscht friedliche Stille. Der milde Föhnwind trägt das melodische Jauchzen von Tiroler Almhirten herüber. Die Luft ist derart würzig und rass, dass man Brote damit bestreichen könnte. Jennerweins Team aber hat momentan keinen Sinn für diese touristischen Sensationen. Alle beugen sich hochinteressiert über die Hartplastikteile, die in dem durchsichtigen Beweissicherungstütchen stecken.

»Vielleicht ist es ja auch nichts anderes als ein Joghurtbecher«, sagt Ludwig Stengele, der Allgäuer Bergfex. Er ist als Einziger nicht mit dem Jeep heraufgefahren, sondern durchs Unterholz heraufgekraxelt.

Nicole Schwattke, die westfälische Heimaturlauberin, hält die Tüte gegen das Licht.

»Nein, sehen Sie: Manche der Plastikstücke sind von feinen Drähten durchwirkt. Ich tippe auf etwas Hochtechnisches.«

Jeder spekuliert, doch niemand kann so recht überzeugen. Ja, wenn Motte Viskacz mit am Tisch säße! Der würde nach einem kurzen, gelangweilten Blick darauf hinweisen, dass es sich bei den siliziumdrahtdurchwirkten Plastikfuzzelchen um nichts anderes handelt als um die Trümmer eines Minimodems, das die Verbindung zu seinem wasserunempfindlichen GetacX500-Rechner mit militärischer E/A-Schnittstelle hergestellt hatte.

»Ich habe es selbst gebaut«, würde Motte hinzufügen. »Ich habe es bis zum Schluss in der Hand gehalten.«

Doch für den flinkfingrigen Motte Viskacz ist es leider ganz unmöglich, mit am Tisch zu sitzen. Sein Skelett, das die vier Probonos zusammengesetzt haben, ist noch nicht einmal als seines identifiziert. Aber er hat der Welt viel Schönes hinterlassen. Zum Beispiel einen wunderbaren, multifunktionalen Datenhelm. Der liegt, etwas lädiert, noch irgendwo im Wald herum, zwischen Murgl und Wurgl, jedenfalls am Fuße des Wilden Kaisers. Ameisen kriechen schon darüber, Schlingpflanzen wachsen zwischen den herausgerissenen Kabeln hindurch, aber aus dem kleinen Kopfhörer ist eine warme, weiche Frauenstimme zu hören (ist das nicht die, die man vom Radiosender *Bayern 1* kennt?), die über Sitten und Gebräuche im Voralpenland erzählt. Und weil der Helm mit Solarzellen gespeist wird, wird sie ewig so dahinplaudern, zumindest solange die Sonne scheint – und das wird immerhin die nächsten zwei Milliarden Jahre so sein. Dann wird sich der Heliumkoloss bekanntlich pompös aufblähen und in einen allesverschluckenden roten Riesen verwandeln. Aber stellen Sie sich Mottes Vermächtnis vor! Bis zum Jüngsten Tag wird man in einem Wald am Fuße des Wilden Kaisers, zwischen Murgl und Wurgl, Tag und Nacht ein feines Stimmchen hören: *Wollen Sie etwas über die Bräuche im Alpenland erfahren? Dann drücken Sie die Zwei …*

Ich wende meinen Blick zum Stammtisch in der *Roten Katz*, dort sitzen sie wieder zusammen, der Hacklberger Balthasar, der Grimm Loisl, der Dünser Karli und die anderen Nass-Futterer.

»Ich hab es immer gewusst«, sagt der Hacklberger Balthasar mit einem philosophisch-endgültigen Unterton in der Stimme.

»Was hast gwusst?«

»Dass der Suderer Bartl kein echter Bayer war.«

»Aber so echt wie der war doch *kein* Bayer!«, empört sich der Grimm Loisl. »In ganz Bayern nicht.«

»Er war einfach *zu* echt, um ein ganz Echter zu sein. Ein Echter hat auch immer ein bisschen was Falsches im Echten.«

»Ein Prost auf das Echte!«

»Auf das Authentische!«

»Auf das Bayrische!«

»Auf die om'uterg'schütze aktü'os'ooopi!«, fügt der Dünser Karli mit ausgeprägtem Zungenschlag hinzu.

»Eines verstehe ich nicht«, sagt Nicole Schwattke auf der Ederkanzel-Terrasse. »Warum haben sich Grit und der echte Bertil damals nicht einfach scheiden lassen?«

Maria Schmalfuß, die bisher laut und vernehmlich in ihrer Kaffeetasse gerührt hat, ergreift das Wort.

»Weil der echte Carlsson gute Karriereaussichten hatte und vermögend war. Jökelsund dagegen war arm und machtlos. Durch den Mord bekam er Geld, Ruhm und – Grit.«

»Außerdem wusste Jökelsund damals schon, dass Carlsson auf dem besten Weg zum Juryvorsitz war«, fügt Jennerwein hinzu. »Jökelcarlsson hat die Liste mit den nominierten Kandidaten und ihren Forschungsprojekten an die Vertreter der Pharmaindustrie und an Hersteller von medizinischen Geräten weitergegeben. Die haben dann entschieden, welches Projekt sich für sie lohnt und wer infolgedessen den Nobelpreis für Medizin bekommen wird.«

Jennerwein entspannt sich, so gut er das in seinem vergipsten Zustand eben kann.

»Jetzt reden wir aber mal nicht mehr über unsere Kundschaft. Wir sind schließlich außerdienstlich hier.«

»Genau«, ruft Nicole Schwattke. »Ich habe Ihnen nämlich etwas recht Außerdienstliches aus Recklinghausen mitgebracht.«

Sie zieht ein Blatt aus ihrer Tasche und hält es hoch.

»Auf der Geburtstagsfeier von Großtante Henriette hatten wir eine Handleserin engagiert. Sie hat jedem erklärt, was für ein Typ er ist. Das war wirklich der Hit.«

Maria Schmalfuß lacht in sich hinein. Genau das war lange Zeit ihr Studentenjob. Nicole Schwattke ergreift Stengeles Hand, der verzieht das Gesicht.

»Oh, was sehe ich da!«, ruft Nicole neckisch.

»Ich glaube nicht an einen solchen Schmarrn«, wehrt Stengele ruppig ab und entzieht Nicole die Hand.

»Genau das habe ich gesehen! Wenn die Magenlinie vor der Kopflinie in die Raszette mündet, dann hat jemand Angst davor, Geheimnisse über sich selbst zu erfahren. Dann will er nicht, dass ihm aus der Hand gelesen wird.«

»Was ist eine Raszette?«, fragt Johann Ostler.

»Raszetten sind Hand*gelenks*linien«, erwidert Maria geduldig. »Lange Linien: glückliches Leben. Schmal und blass: schlechte körperliche Verfassung. Verkettet: viele Mühsale. Unterbrochen: Schicksalsschläge. Äste zur Handaußenkante: viele Reisen. Äste zum Daumenballen: leidenschaftliche Liebesgeschichten.«

»Oho!«, erklingt es unisono.

Alle, auch Stengele, ertappen sich dabei, dass sie auf ihre Daumenballen linsen.

»Ich habe die Hand von unserem Chef analysieren lassen«, fährt Nicole fort. Sie weist auf das Blatt.

Hubertus Jennerwein
Chiromantische Analyse

Eigenschaften:

führungsstark
nachsichtig
neugierig
analytisch
intuitiv
durchsetzungsfähig dynamisch
beziehungsunfähig
hilfsbereit
treu
abenteuerlustig
individualistisch

Fazit:
Wer auch immer das ist – es ist ein außergewöhnlicher Mensch!

»Beziehungsunfähig, da siehste mal«, murmelt Maria Schmalfuß halblaut. »Aber immerhin ein außergewöhnlicher Mensch.«

Ein Blick nach Aichach mag erlaubt sein, in die dortige Justiz-
vollzugsanstalt. Im Vortragssaal wird einmal in der Woche
Kultur geboten. Die Verurteilten (keiner davon unter einer
Haftstrafe von fünf Jahren) sitzen erwartungsvoll im Zuschau-
erraum. Auf der Bühne steht ein Flügel, Grit Carlsson tritt auf.
Sie trägt kein schulterfreies Abendkleid (so viel lässt der libe-
rale bayrische Strafvollzug dann auch wieder nicht zu), aber sie
hat die Haare schmuck aufgesteckt, ihr Anstaltskittel ist gebü-
gelt. Jetzt setzt sie sich, sie dehnt ihre Finger, sie wird die Klaviersonate Opus 111 von Beethoven zum Vortrag bringen. Der
Gefängnisdirektor spricht ein paar einleitende Worte (»mal
was anderes als Johnny Cash«), dann schlägt sie die ersten
Töne an, hauchzart, luftig und mit innerer Verzückung. Sie
spielt das fehlende Abendkleid sozusagen mit. Es ist mucksmäuschenstill im Saal. Grits Finger gleiten über die Tasten, immer schneller und virtuoser, bis dieser hundsgemeine Triller
kommt, der mit dem vierten und fünften Finger ausgeführt
werden muss – eine anatomische Unmöglichkeit. Jeder kann
das zu Hause versuchen, auch ohne Klavier: Man löse die
Hand vom Buch und lege sie mit dem Rücken nach oben auf
den Tisch. Dann trommle man abwechselnd mit dem Ringfinger und dem kleinen Finger in großer Geschwindigkeit auf die
Platte, möglichst ohne die anderen Finger zu bewegen. Es ist
eine rechte Zumutung an den ›oberflächlichen Fingerbeuger‹
(*Musculus flexor digitorum superficialis*), eine typische Gemeinheit des späten Beethoven. (Klar, es war seine letzte Sonate, er war alt, taub, einsam und dem Trunke ergeben. Dar-

über hinaus hatte er die Zukunft der Musik grell und schrill vor Augen: Richard Wagner. Das würde jeden verbittern.) Grit Carlsson aber spielt den scheinbar unendlichen Triller prestissimo und ohne mit der Wimper zu zucken. Jeder der Insassen, ob Räuber oder Mörder, ist hochbegeistert. Keinem fällt auf, dass so etwas mit einer normalen menschlichen Hand nicht möglich ist. Unsereiner wusste es natürlich die ganze Zeit über, aber was bin ich schon: eine Birke, die sich im Wind neigt. Wäre aber einmal ein Musikkundiger vorbeigekommen am Kramerhangweg 5, dann hätte er es auch bemerkt –

»Entschuldigen Sie, dass ich einfach so bei Ihnen klingele, aber Ihr Fenster stand offen, und ich habe diesen Triller gehört –«
    »Reine Übungssache.«
    »Das glaube ich nicht. Ich habe diese Sonate selbst gespielt, ich weiß, dass das nicht möglich ist. Außer –«
    »Außer?«
    »Außer man trägt eine Prothese. – Aber halt, um Gottes willen! Was tun Sie da mit der Spritze?«

Hochkonzentrierte Stille im Gefängnis. Nachdem Grit Carlsson die letzten Takte der Sonate gespielt hat, ertönt rauschender Applaus. Während sie sich verbeugt, fällt ihr Blick auf ihre Hände. Kein Mensch weiß von dem Geheimnis. Sie hat auch schon eine Ausbruchsidee.

Auf der Ederkanzel hat sich noch jemand zu der illustren Runde gesellt. Es ist Polizeiobermeister Franz Hölleisen.
    »Jetzt zeig uns, was du gelernt hast in deinem Kurs, Hölli!«
    Hölleisen lässt sich das nicht zweimal sagen. Er führt ge-

heimnisvolle Gesten vor und lässt raten, was dies und jenes bedeutet. Ganz hinten auf der Terrasse sitzt eine Gruppe Wanderer von unverkennbar asiatischer Herkunft.

»Und jetzt passen Sie einmal auf, was interkulturelle Kompetenz bedeutet«, raunt Hölleisen den anderen zu.

Er steht auf, geht zu dem fernöstlichen Tisch und verbeugt sich mit weltläufiger Lässigkeit. Er hebt die geschlossene Hand mit dem Rücken nach außen und reckt dabei den kleinen Finger nach oben. Die Asiaten verstummen. Hölleisen senkt die Augen, neigt den Kopf und weist mit einer bedeutungsvollen Geste zurück auf den Tisch des Ermittlerteams. Jetzt scheinen die Fremden zu begreifen. Sie erheben sich, zeigen ebenfalls diese Handgeste und verbeugen sich freudestrahlend vor Hölleisen und dem Rest des Teams. Sie verabschieden sich unter tausend Dreiviertelverbeugungen –

»Das bedeutet: *Schön, Sie kennengelernt zu haben!*«, sagt Hölleisen –

– und ziehen mit fremdartigen, aber hörbar fröhlichen Gesängen den Berg hinunter. Hölleisen schwillt an vor Stolz. Die Bedienung erscheint.

»So was von Gastfreundschaft haben die noch nie erlebt!«, sagt sie und präsentiert die Rechnung.

»Haben wir denn *dreißig* Megapfannkuchen gegessen?«, fragt Jennerwein.

»Sie nicht, aber der Herr Hölleisen hat doch gerade den ganzen Tisch mit den siebzehn Asiaten eingeladen!«

»Manchmal klappts auch nicht«, murmelt Hölleisen zerknirscht.

Wir haben Christl, die blasse Punkerin, kennengelernt, dann Achmed, den gutgekleideten Dicken, ferner Ulrich, den schlaksigen Schlurfer, und schließlich den Deppen, wohl die schillerndste Figur in der Gruppe. Alle haben hart an dem Fall gearbeitet. Und tun das immer noch. Gerade analysieren sie mit dem Bone-Synthesizer die Tiroler Skelette. Sie kommen gut voran. Ein Skelett gibt allerdings Rätsel auf. Es ist älter, größer und unvollständig. Es ist am längsten von allen in der Zinkwanne gelegen.

»Hat jemand eine Ahnung, wer das sein könnte?« fragt Christl.

Ratloses Schweigen. Zaghaft hebt der Depp die Hand.

»Ich habe eine Vermutung. Es könnte sich um Bertil Carlsson handeln.«

»Den echten Carlsson? Der schon fünfunddreißig Jahre tot ist?«

»Genau. Es war der erste Mord von Jökelsund und Grit. Grit ist mit Carlsson hierher in Urlaub gefahren, Jökelsund ist dazugekommen, sie haben Carlsson im Häcksler entsorgt. Den Rest kennen wir.«

»Carlsson schon wieder«, stöhnt Ulrich auf. »Wie oft müssen wir denn diesen Kerl noch zusammensetzen?«

Alle arbeiten schweigend weiter. Ich will diese Laborruhe nicht stören. Ich werde nicht verraten, wer von den vieren der Schwerverbrecher und wer der Sozialpädagoge ist. Sie müssen nicht alles wissen. Sie wollen auch nicht alles wissen. Wie sagt Georg Christoph Lichtenberg, der große Aphoristiker, nach dem so erstaunlich viele Gymnasien benannt sind: *Zum großen Haufen der Deppen gehört immer einer mehr, als man denkt.*

Lieber Ostler,

wir sind jetzt in New York, unter der Obhut von Detective
Fitzgerald. Über das Essen hier möchten wir keine
weiteren Worte verlieren, aber in einem der Restaurants
haben wir dann doch was Schönes erlebt. Eine Frau
an der Bar, ein hübsches junges Mädchen, hat die Handschuhe ausgezogen, als ihr Drink kam. So etwas
haben wir überhaupt noch nie gesehen. Niemand hat
mehr wegschauen können. Ein horrormäßiger
Anblick!

»Ja, um Gottes willen, haben Sie hässliche Hände!«, ist es
einer anderen Frau am Nebentisch herausgerutscht. Es
ist ihr natürlich auf Amerikanisch herausgerutscht, das
Mädchen aber war überhaupt nicht beleidigt. Sie hat
sogar die Finger ausgestreckt und für alle sichtbar
hochgehalten.

»Ja, Sie haben recht: Ich habe hässliche Hände! Mit denen
verdiene ich mein Geld. Ich bin Handmodell. Ich werde
immer wieder gerne genommen, das können Sie mir
glauben. Langgliedrige, sehnige, total durchgestylte
Greifer mit polierten Nägeln hat inzwischen jeder. Aber
haben Sie *Saw VIII* gesehen? Den Horrorschocker? Da
kommen meine Hände vor. Wenn die Killerqueen zur
Kettensäge greift, dann sind sie groß im Bild. Auch in
einigen anderen Science-Fiction-Filmen. Meistens muss ich
Hälse zudrücken.«

Sie hat dann eine entsprechende Bewegung gemacht, und
alle sind ein bisschen zurückgezuckt.

»*Alien – Die Saat des Grauens kehrt zurück.* Kommt
nächste Woche als Wiederholung im Fernsehen. Achten
Sie auf die Hände der Raumschiffkommandantin.«

Das wars aus New York, morgen fliegen wir wieder
heim.
See you soon –
deine Graseggers

»Ja, wie schaust denn du aus, Leonhard!«

Johann Ostler steht auf und schüttelt dem Ersten Vorsitzenden des Volkstrachtenvereins die Hand. Wörndle ist kaum wiederzuerkennen. Das hauchdünne Errol-Flynn-Bärtchen nimmt sich an diesem Urbayern aus wie – tja, wie? Wie eine Garnele in einem bayrischen Wurstsalat? Wie eine Weißwurst in einer spanischen Paella? Ich finde keinen rechten Vergleich. Aber einer Birke mit Fallkerb mag man ein schiefes Bild nachsehen.

»Grüß Sie Gott, Herr Jennerwein! Wie wäre es denn jetzt mit einem Schuhplattelkurs? Nächste Woche geht einer los!«

»Sie haben sich für einen Plattelkurs angemeldet, Chef?«, fragt Nicole grienend.

»Wir könnten ja alle zusammen hingehen«, sagt Ostler freudestrahlend. »Eine schuhplattelnde Mordkommission, das hat es noch nie gegeben.«

»Nächste Woche?«, flüstert Maria Jennerwein zu. »Da haben wir aber eigentlich etwas anderes geplant, Hubertus.«

Unsereiner lebt in einem Kurort, in dem sich alles um den Sport dreht. Drum weiß unsereins, dass es Sportler schwer haben. Schon während ihrer aktiven Laufbahn. Wenn du als Sportler Vierter wirst, dann überschüttet man dich mit bösen Vokabeln:

Blechmedaille, Holzplatz, Totalausfall. Wirst du Dritter, heißt es: Warum nicht Zweiter? Wirst du Erster, heißt es: Warum nicht schon früher? Bist du mehrmals Erster, heißt es: Ewig wird das nicht anhalten. Jetzt kann es nur noch bergab gehen. Und dann erst *nach* der aktiven Laufbahn! Motte Viskacz war solch einer bekannten Sportlerin auf der Spur. Sie hatte ihre aktive Karriere eben erst beendet, er hat sich in ihr Autonavi eingeklinkt, er hatte jedoch nicht mehr eruieren können, was sie zweimal in der Woche zu einer bestimmten Adresse getrieben hat. Ganz einfach. Sie hat eine verschwiegene Spezialklinik für Sportverletzungen besucht. Und besucht sie immer noch. Dort geht es aber weniger um Tennisarme und Meniskusquetschungen, es geht um berufsbedingte (und eher peinliche) Deformationen. Ein ehemaliger Innenverteidiger der Fußballnationalmannschaft lässt sich hier behandeln. Sein zwanghafter Reflex, niemanden, der ihm entgegenkommt, vorbeizulassen, hat ihm viele Probleme im Alltagsleben, vor allem im Straßenverkehr eingebracht. Oder die Gewichtheber. Sie leiden oft an der fixen Idee, alles, was über 80 Kilo wiegt, hochzustemmen. Viele übergewichtige Mitmenschen fühlen sich von ihnen belästigt. Unsere ehemalige Spitzensportlerin ist mehrfache Olympiasiegerin im Eiskunstlauf. Sie betritt die Klinik. Unsicher hängt sie ihre Jacke an den Haken. Dann erscheint ein verzückter, aber krankhafter Glanz in ihren Augen. Sie nimmt im glattgewienerten Gang Anlauf, springt in die Höhe, vollführt einen doppelten Rittberger, den sie perfekt steht, dann eine eingesprungene Sitzpirouette mit anschließendem Dreifach-Axel. Die Klinikleiterin bittet sie mit professioneller Freundlichkeit in ihr Zimmer.

In der Fußgängerzone des Kurorts gibt es seit neuestem Straßenfeste aller Art. Ein Moritatensänger kommentiert die Geschehnisse der letzten Wochen. Er steht im Schatten der Ludwigskirche, hat auch schon eine Menge aufmerksamer Zuhörer um sich geschart. Die Melodie, die er auf seiner Drehorgel spielt, kommt mir bekannt vor. Es ist die Melodie des Liedes: ♪ *Es war ein Schütz in seinen besten Ja-ha-ren ...* Ist das nicht das bekannte Jennerwein-Lied?

Moritat von den Folgen übermäßigen Lesens

Euch will ich nun von einem Mann beri-hi-chten,
von einem Leser, der in mancher Nacht
geschmökert hat die grausligsten Geschichten,
was ihm zum Schluss den Tod dann auch gebracht.

Denn seine Hand strich sanft über die Zei-hei-len
von Edgar Allen Poe und Stephen King.
Und seine Finger zitterten bisweilen,
wenn es im Buch um Mord und Totschlag ging.

Doch eines Nachts, bei einer solchen Ste-he-lle,
da lässt die Hand das Buch ganz plötzlich aus.
Stattdessen greift dem Mann sie an die Kehle,
und deshalb haucht er drauf sein Leserleben aus.

Was ist der Grund für diese Tat gewe-he-sen?
Kann eine Hand begehen diesen Mord?
Sie hat nur nachgemacht, was sie im Buch gelesen.
Da wundert's niemand, dass sie so verroht.

Und der geruf'ne Arzt, der beugt sich ü-hü-ber
den toten Bücherwurm, doch plötzlich schnellt
die Hand des Mannes hoch grad wie im Fieber,
und durch die Nacht ein heis'rer Schrei laut gellt.

Der Polizei, der stellt sich manche Fra-ha-ge,
ein Kommissar nimmt sich schnell an des Falls.
Man findet ihn am nächsten Tage,
samt einer Würgespur um seinen Hals.

Und wenn du einst zu seinem Friedhof ge-he-est,
dann halte Abstand bloß von seinem Grab.
Wenn du zu nah an seinem Grabstein stehest,
dann kommt die Hand hervor, zieht dich hinab.

Die Ederkanzel schließt ihre Pforten, Jennerweins Team bestellt eine letzte Runde. Die Atmosphäre ist entspannt, aber es ist kühl geworden, und man beschließt, aufzubrechen. Jennerwein hebt den Kopf. Die schwarze, rauchige Himmelssuppe ist jetzt schon vereinzelt mit Sternen gesalzen, ganz hinten ragt ein angeschnittenes Stück Mondspeck aus der schlierigen Brühe.

»Sie sehen mir sehr nachdenklich aus, Hubertus«, sagt Maria Schmalfuß besorgt lächelnd.

»Ich denke an Emil Popescu«, erwidert der Kommissar. »Wir haben in ihm den idealen Verdächtigen gesehen, aber wir haben ihm Unrecht getan. Er war nichts als ein harmloser Spinner und Phantast, der einmal in seinem Leben eine bahnbrechende Entdeckung gemacht hat. Und die hat ihm der Schwede gestohlen. Ich wünschte, wir wüssten mehr von ihm.«

Anna Sophia weiß mehr von ihm. Aber sie hat sich geschworen, dieses Geheimnis zu bewahren. Nachdem sie mit Martin die Hütte verlassen hatte, war sie zurückgefahren in ihre Heimatstadt, die irgendwo im Norden der Republik liegt. Und sie hat sich dort endlich ihr lang erträumtes Lädchen eingerichtet.

Es heißt *Anna Sophias Schreibstube*, und niemand anderer als Emil Popescu mit seiner fein ziselierten Schrift hat sie auf diese Idee gebracht. Alles ist nämlich handgeschrieben in diesem Lädchen, es wimmelt von beschrifteten Etiketten, Aufklebern, Schildern, Zetteln und Lesezeichen. Noch wenige Minuten, und die Schreibstube wird eröffnet. Anna Sophia und Martin legen letzte Hand an. Martin weist auf ein Regal.

»Ich wette, das wird der Hit!«

Im Regal stehen Dutzende von Päckchen mit Teebeuteln. Auf den kleinen Griffplättchen stehen sinnige Sprüche wie:

Lass ihn ziehen.

Sei stark und rothaarig.

»Die Nachfrage wird enorm sein«, sagt Martin.

Im Hinterzimmer des Lädchens arbeitet Karl. Er ist ein ungehobelter Klotz ohne Humor und Manieren. Er hat jedoch eine herrlich romantische Handschrift. Seine Aufgabe ist es, personalisierte Briefe, vor allem Abschiedsbriefe, zu schreiben. Mit ein paar davon hat er schon begonnen:

Es ist aus!

Martin blickt ihm über die Schultern.

»Toll!«, sagt er. »Davon kannst du gleich zweihundert machen, Karl.«

Anna Sophia lehnt ihre Wange an die kalte Scheibe der Ladentür. Eine heiße Welle des Glücks durchströmt sie. Es ist alles vorbereitet, in wenigen Sekunden wird sie ihre Schreibstube aufsperren. Wer wird der erste Kunde sein? Ein Bekannter? Ein Fremder? Eine Frau? Ein Mann? Die Türe öffnet sich.

Julian.

Anna Sophias Herz krampft sich zusammen. Doch dann geht ein Ruck durch ihren Körper. Wortlos und stolz geht sie ins Hinterzimmer, kommt gleich darauf mit einem parfümierten Bogen Papier wieder, den sie Julian reicht. Julian liest:

Es ist aus!
Es ist aus, wenn die Fesseln endlich fallen.
Es ist aus. Da sollten Champagnerkorken knallen!
Denn ein Herz oder auch zwei
sind mit einem Male frei!
Es ist aus – es ist aus – es ist vorbei.

»Was verlangst du dafür?«, fragt Julian lächelnd.
Anna Sophia fehlen die Worte.
»Fünfundzwanzig fünfzig«, antwortet Martin statt ihrer.
Der gute Martin. Er hat für alles eine Lösung.

Bevor Jennerwein und Maria in den Jeep steigen, der sie zurück in den Kurort bringen soll, wenden sie ihren Blick noch einmal Richtung Süden, Richtung Gardasee, der dort hinter den Alpen verheißungsvoll und warm köchelt. Erinnerungen steigen auf: Riva del Garda. Cappuccino in einem Strandcafé, eine leichte Brise, Mandolinenmusik erklingt im Hintergrund. Ballettartige Bewegungen der Kellner … Wird es je dazu kommen? Es gibt Dinge, die selbst unsereins nicht weiß.

Aber halt, wer kommt da den Kramerhangweg entlangge-
stapft? Es ist ein Mann um die sechzig, bebrillt, das Haar er-
graut. Und sehe ich recht? Ist das der Autor? Grimmig hat er
ein Beil aufgeschultert. Was will er damit? Er bewegt sich genau auf mich zu. Er springt über den Zaun des ehemaligen Suderer-Anwesens … Ein Glimmen erscheint in seinen Augen …
Er holt mit dem Beil aus … Schlägt zu …

Abschließender Händedruck

Wie immer gab es helfende Hände, die dem Roman die letzte Form gegeben haben. Ich möchte sie dankend drücken. Am besten charakterisiere ich sie nach ihren Lesegewohnheiten.

📖 Hart & herzlich

Kriminalhauptkommissar Nico Witte, mein polizeilicher Be- und Abrater, der sich übrigens für Johann Ostlers Beförderung eingesetzt hat, liest hauptsächlich das Polizeiaufgabengesetz und (gerne auch mal eigene) Polizeilyrik. Dabei legt er die schwere Heckler & Koch aufs Buch, wenn der Wind die Seiten umzublättern droht.

📖 Gewitzt & technisch

Thomas Corell, mein computertechnischer Spezialist, liest keineswegs, wie man denken könnte, nur E-Books, im Gegenteil: Er unterstützt den analogen Buchhandel, indem er dort ein Buch aus Papier kauft. Aus Angst vor Eselsohren scannt er es ein und lässt es sich von der Computerstimme eines Texterkennungsprogramms vorlesen: *Das gie-rig gei-fern-de Glib-ber-mon-ster na-mens Jen-ner-wein …*

📖 Wissenschaftlich & fundiert

Dr. med. Thomas Bachmann hat mich in medizinischen Angelegenheiten unterstützt, und das war diesmal wahrlich kein

441

Kleinkram. Als hauptberuflicher Operateur liebt er besonders alte Bücher, bei denen er vor dem Lesen die Seiten erst mit einem scharfen Skalpell aufschneiden muss, das er auch als Lesezeichen benutzt. Aua.

📖 Atemlos & gefühlvoll

Eine weitere helfende Person will ungenannt bleiben. Ich nenne sie ***. Sie arbeitet in einer großen Firma, deren Mitarbeiter von ihrer dunklen Seite nichts erfahren sollen. Im stillen Kämmerchen schreibt sie Schicksalsromane – sie war es, die mir bei den Anna-Sophia-Kapiteln unter die Arme gegriffen hat. *** legt ihr Buch in das grün sprossende Gras einer duftenden Frühlingswiese und überlässt es dem warmen Wind, die flüchtigen Seiten umzublättern.

📖 Engelhaft & teuflisch rege

Bei der eben genannten Firma könnte es sich auch um den S. Fischer Verlag handeln, zu dessen Autoren ich mich stolz zählen darf. Den Heerscharen von Fischer-Engeln, die den Roman begleitet, hergestellt, vermarketingt, vertrieben, vertretert, gecovert und betreut haben, drücke ich herzlich die Flügel. Schwebend wachen sie über dem Geschriebenen – und der Schlag der Schwingen blättert sanft die Seiten um.

📖 Tiefgründig & supergenau

Meine inzwischen schon langjährige (aber durchaus nicht in ihrer Sorgfalt und Umsicht ermattende) Lektorin, Frau Dr. Cordelia Borchardt, wiederum hat eine ganz eigene Art zu lesen. Sie steigt in das Buch ein. Sie schlägt das Werk auf, vertieft sich in die Handlung, gelangt über eine geheime Treppe direkt in die Welt zwischen den zwei Buchdeckeln. Sie schüttelt jeder einzelnen Figur die Hand, zieht mancher missbilligend die Ohren lang, spaziert durch alle Schauplätze, spürt Unstimmigkeiten in der Handlungsführung auf, weiß aber jederzeit Lösungen aus allen möglichen literarischen Dilemmata. Sie ruft dem Autor aus dem Buch heraus viele nützliche Hinweise zu. Ein aufgeschlagenes Buch auf einem Tisch könnte also bedeuten, dass meine Lektorin gerade darin arbeitet.

📖 Multipel & weitreichend

Viele Autoren bedanken sich an dieser Stelle für die vielen Kannen Kaffee und die guten Fleischpfanzl, die von der Frau des Hauses während des schöpferischen Prozesses gebrüht, gebraten und gereicht wurden. Das tue ich nicht: Den Kaffee koche ich mir selbst, und Fleischpfanzl mag ich nicht mehr. (Siehe Seite 65). Mein Dank an Marion Schreiber gilt vielmehr ihrer unverzichtbaren Organisationsarbeit, ohne die mich der Literaturbetrieb verschlingen würde wie der Häcksler die Birke. Sie scheint Dutzende von Händen zu haben, die imstande sind, die unterschiedlichsten Aufgaben zu meistern. Die genaue Handarbeitsplatzbeschreibung würde Seiten füllen. Deshalb breche ich hier dankend ab und mache mir einen Kaffee.

📖 Weise & weitsichtig

Bedanken möchte ich mich noch bei der Evolution, die bei Menschen und Autoren die Hand anstelle von Tentakeln, Flossen, Klauenfortsätzen oder Saugnapfgreifern entwickelt hat. Ohne die umsichtige Mutter Evolution wäre dies Buch gar nicht möglich gewesen. Danke.

Garmisch-Partenkirchen, 2014

Jörg Maurer
Föhnlage
Alpenkrimi
Band 18237

Sterben, wo andere Urlaub machen

Bei einem Konzert in einem idyllischen bayrischen Alpen-Kurort stürzt ein Mann von der Decke ins Publikum – tot. Und der Zuhörer, auf den er fiel, auch. Kommissar Jennerwein nimmt die Ermittlungen auf: War es ein Unfall, Selbstmord, Mord? Und warum ist der hoch angesehene Bestattungs-unternehmer Ignaz Grasegger auf einmal so nervös? Während die Einheimischen genussvoll bei Föhn und Bier spekulieren, muss Jennerwein einen verdächtigen Trachtler durch den Ort jagen und stößt unverhofft auf eine heiße Spur …

»Mit morbidem Humor, wilden Wendungen und skurrilen Figuren passt sich das Buch perfekt in das Genre des Alpenkrimis ein, bleibt aber dank der kabarettistischen Vorbildung Maurers im Ton eigen und dank seiner Herkunft aus Garmisch-Partenkirchen authentisch.«
Süddeutsche Zeitung

»Wunderbar unernster, heiterironischer Alpenkrimi.«
Westdeutsche Allgemeine

»Virtuos komponiertes Kriminalrätsel.«
Frankfurter Allgemeine Zeitung

Fischer Taschenbuch Verlag

fi 18237 / 1

Jörg Maurer
Unterholz
Alpenkrimi
Band 19535

Kult-Ermittler Hubertus Jennerwein vor seinem abgründigsten Fall: der fünfte Alpenkrimi von Bestseller-Autor Jörg Maurer

Auf der Wolzmüller-Alm, hoch über dem idyllischen alpenländischen Kurort, wird eine Frauenleiche gefunden. Nur das Bestatterehepaar a. D. Grasegger weiß, dass es sich bei der Toten um die »Äbtissin« handelt, eine branchenberühmte Auftragskillerin. Da geschieht ein weiterer Almenmord. Kommissar Jennerwein pirscht mit seiner Truppe durchs Unterholz …

»O wie schön sind Alpenkrimis –
wenn sie von Jörg Maurer sind.«
Kölner Stadt-Anzeiger

»Auf höchstem Alpen-Niveau. Ein Glück für
die deutsche Unterhaltungsliteratur.«
Deutschlandfunk

Das gesamte Programm finden Sie unter
www.fischerverlage.de

fi 19535 / 1

Jörg Maurer
Felsenfest
Alpenkrimi
Band 19697

Am Abgrund macht der Tod den ersten Schritt.
Der sechste Alpenkrimi von Bestseller-Autor Jörg Maurer

Geiselnahme und Mord hoch über dem idyllischen alpenländischen Kurort! Kommissar Jennerwein kennt alle Opfer
persönlich – aus der Schulzeit. Auch den Mörder? Hat der
Fall etwas mit seiner eigenen Vergangenheit zu tun? Während
sein Team grantige Geocacher jagt, macht das Bestatterehepaar a.D. Grasegger in Grabgruften und Grundbüchern eine
brisante Entdeckung. Jetzt muss Jennerwein alles anzweifeln,
woran er felsenfest geglaubt hat …

»Erneut ein sprachspielerisch kriminalistischer Glücksfall.«
Volker Albers, Hamburger Abendblatt

»Ein Buch wie eine Woche Urlaub in den Alpen.«
Denis Scheck, Druckfrisch ARD

Das gesamte Programm gibt es unter
www.fischerverlage.de

Jörg Maurers Alpenkrimis
im Hörbuch, von ihm selbst gelesen

Föhnlage
4 CDs

Hochsaison
4 CDs

Niedertracht
5 CDs

Oberwasser
5 CDs

Unterholz
6 CDs

Felsenfest
6 CDs

Der Tod greift nicht daneben
6 CDs

»Große deutsche Unterhaltungsliteratur: endlich!«
Denis Scheck, SWR

»Schreiend-komische Dialoge und skurrile Situationen,
in denen Maurer die föhngeplagten Bewohner des
bayerischen Kur- und Tatorts auf die Schippe nimmt.«
Alt-Bayerische Heimatpost

Das gesamte Programm gibt es unter
www.fischerverlage.de

fi 666 048 / 7